FIRST AID & SAFETY

EMERGENCY TREATMENT

응급처치와 안전

김재호 저

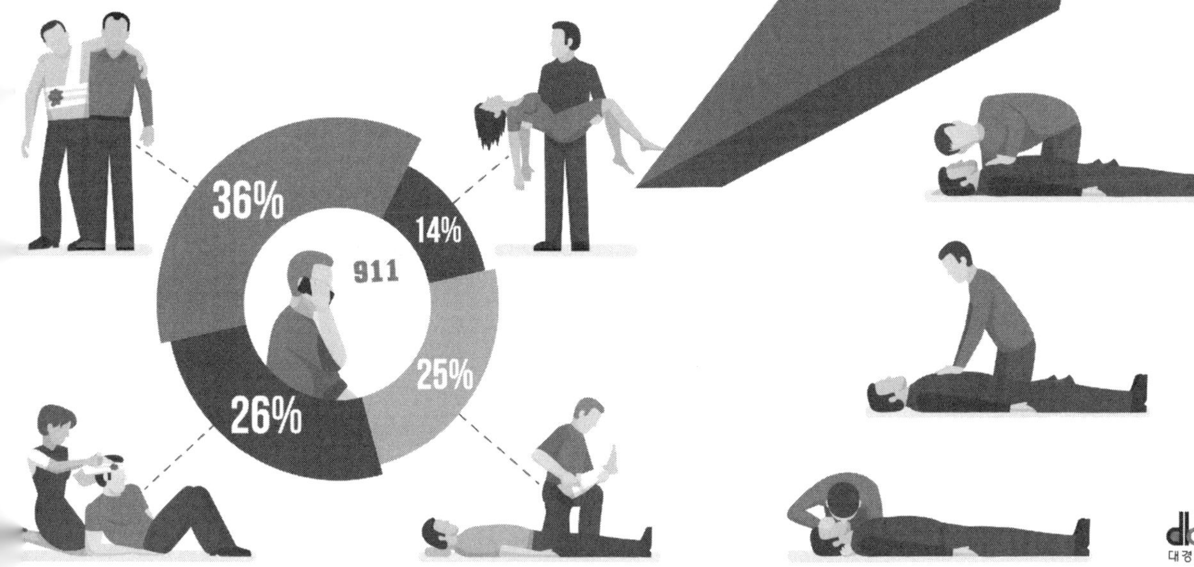

저자소개

김 재 호

동의대학교 체육학과 졸업
동아대학교 대학원 교육학석사
동아대학교 대학원 이학박사
현 동의과학대학교 스포츠재활트레이닝과 교수

응급처치와 안전

1판 1쇄 인쇄 2022년 9월 13일
1판 1쇄 발행 2022년 9월 16일

발행인 김영대
편집디자인 임나영
펴낸 곳 대경북스
등록번호 제 1-1003호
주소 서울시 강동구 천중로42길 45(길동 379-15) 2F
전화 (02)485-1988, 485-2586~87
팩스 (02)485-1488
홈페이지 http://www.dkbooks.co.kr
e-mail dkbooks@chol.com

ISBN 978-89-5676-929-5

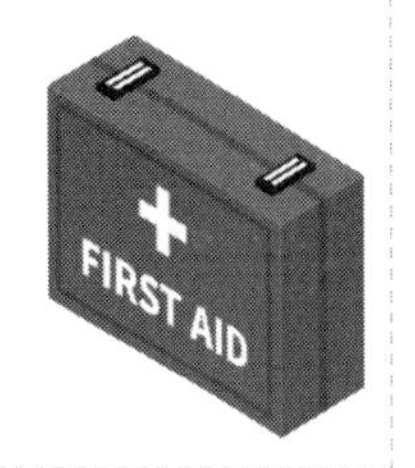

머리말

재난을 예방하고, 재난발생 시 그 피해를 최소한으로 줄여 국민이 재난으로부터 안전한 사회에서 생활할 수 있도록 하는 것을 목적으로 하는 '재난 및 안전관리기본법'에 명시된 것과 같이 재난관리의 중요성은 이루 말할 수 없이 중요하다.

그럼에도 불구하고 최근 일어난 큰 재난사고들은 사회에 팽배한 안전불감증과 대처 방안의 부재로 인해 막대한 피해를 가져온 인재라고 볼 수 있다. 첨단기술이 세상을 더욱 편안하게 만들었음에도 불구하고, 생활 주변 곳곳에 사고의 위험이 도사리고 있다. 우리는 사고와 상해의 위험 속에 일상생활을 영위하고 있다고 해도 과언이 아니다.

이처럼 사고의 위험 속에서 생활하고 있는 사람들의 건강과 생명을 보호하기 위해서는 사회구성원들 모두 사고를 미연에 방지하고, 사고의 위험에 노출이 되기 쉬운 사람들을 철저히 보호 · 지도하고, 그들의 안전을 관리해야 한다. 결국 안전관리의 목적은 사람이나 사물에 잠재된 위험요인을 조기에 발견하고 그것을 신속히 제거하여 사고나 재해를 미연에 방지하는 데 있다. 또한 사고발생 시 적절한 조치와 대응으로 2차적 사고를 방지하고, 사고피해를 최소화하여야 한다.

이 책은 안전에 대한 올바른 이해를 통해 건강한 일상생활을 영위할 수 있도록 지도하고, 재난과 사고 시의 대처법, 일상생활에서의 안전관리 요령을 알려주며, 응급상황에서의 심폐소생술과 응급처치의 실제를 다룬 재난안전관리의 매뉴얼로 기획되었다.

이 책을 통해서 안전관리와 생활안전의 기본개념을 이해하고, 재난상황 시의 대처법을 학습하며, 응급상황 발생 시 심폐소생술과 적절한 응급처치를 통해 인명을 구하고 피해를 최소화할 수 있는 능력을 배양하기를 바란다.

2022년 9월

저 자 씀

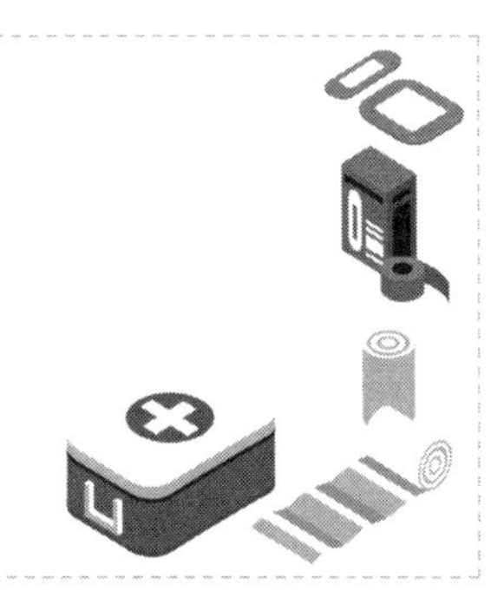

차 례

Chapter 1 안전과 안전교육

Chapter 2 응급처치의 실제

Chapter 3 심폐소생술과 AED

Chapter 4 스포츠 및 레크리에이션 활동 안전

Chapter 5 재난 안전

Chapter 6 화재 · 전기 및 가스안전

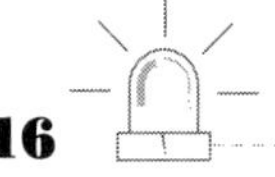

Chapter
1

AMBULANCE

안전과 안전교육

FIRST AID
Shock due to injury
Electric shock
Mouth to mouth resuscitation
Sprain
CALL

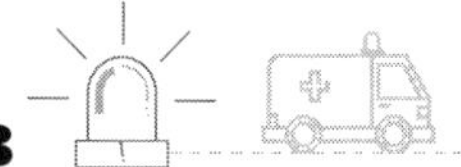
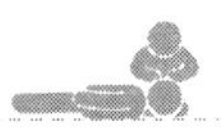

안전과 안전교육의 개념

안전이란

건강을 영어로 'health'라고 하는데, 이는 고대 앵글로색슨족의 언어에서 유래된 말이다. 여기에서 health는 'hal' 또는 'haelth'에서 파생되었으며, 그 뜻은 안전하고 전체적을 나타낸다.

건강이란 말의 유래에서 알 수 있듯이 우리는 건강하기 위하여 먼저 안전해야 한다. 이같은 안전에 대하여 Marland 등(1973)은 다음과 같이 정의하였다.

"Safety is condition or state of being resulting from the modification of human behavior or designing of the physical environment to reduce the possibility of hazards thereby reducing accidents(안전이란 위험가능성을 줄이기 위하여 인간의 행동을 변화시키거나, 물리적 환경을 조성함으로써 사고를 감소시키는 조건이나 상태를 말한다)."

안전한 사람이란 자기 자신이나 다른 사람에게 발생될 사고를 사전에 예방할 수 있도록 행동습관이 수정된 사람이다. 또한 안전한 길이란 인간의 실수를 최소한으로 감소시켜 위험가능성 및 사고를 예방할 수 있도록 고안된 길을 뜻한다. 그러므로 안전교육은 다양한 학문들의 공동노력을 통하여 확립될 수 있으며, 안전전문가는 여러 방면의 지식을 갖추고 많은 역할을 담당하여야 한다.

안전교육이란

안전교육이란 인간의 생명과 신체를 위험으로부터 보호하여 안전욕구를 충족시켜주는 교육을 말한다. 그런데 이러한 교육만이 안전교육은 아니다.

우리는 아침저녁으로 신문, 라디오, TV 등 매스컴을 통하여 교통사고, 산과 강에서의 조난사고, 화재, 가스중독, 식중독 등 이루 헤아릴 수 없을 정도로 많은 사고소식을 보고 듣는다. 이러한 사고와 재난으로 인한 인간의 불행을 어떻게 방지하느냐 하는 것은 현대사회가 안고 있는 커다란 문제이며, 아직도 그 해결방법은 발견되지 않고 있다. 이것이야말로 물질문명이 가져온 재난이며, 세계적인 문명국가들의 고민이다. 국가와 공동단체에서 도로의 확장 · 보수, 안전시설의 정비 · 설치, 규칙의 제정 등을 통해 사고발생을 미연에 방지하고, 과학문명의 발달로 만들어진 기계안전장비가 완벽하게 개량되고 있음에도 불구하고 사고는 줄어들지 않고 점점 증가되고 실정이다.

문명이 고도로 발달하여 문화적인 생활이 향상된다 하더라도 기계를 이용하는 것은 인간이다. 이것을 이용하는 인간이 주의를 게을리 하거나 무지하고 난폭하다면 안전장치가 완비되어 있더라도 사고는 반드시 발생하게 된다. 다른 사람을 배려한다는 상대적인 개념과 태도가 상실되었을 때 사고는 발생하고 만다. 다시 말하면 다른 사람에게 어떤 결과가 나타날지 생각하지 않은 채 자기 자신의 안전만을 위해 행동한다면 사고가 발생할 가능성이 높아진다는 뜻이다. 다른 사람의 안전을 생각했다면 자동차의 폭주라든가 군중 속에서의 난잡한 혼란도 일어나지 않을 것이다.

따라서 사고로 인한 재해를 방지하기 위해서는 도로의 확장, 안전시설과 안전장비의 완비 등과 함께 안전교육을 실시하여 안전에 관한 지식 · 기술 · 태도 · 관습을 교육시켜야 한다. 그러므로 안전교육이란 이같은 현실적인 상황을 교육적인 측면에서 어떻게 해결해 나가느냐 하는 것을 근본문제로 삼고 실천하여야 하는 교육기능

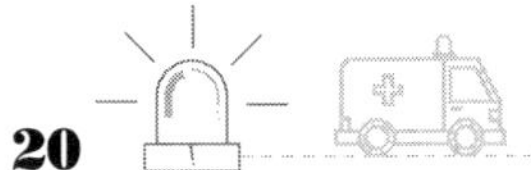

이라 할 수 있다.

안전교육

안전교육의 중요성

건강과 안전은 인간의 삶에서 필수불가결한 것이며, 보다 나은 삶을 영위하기 위한 수단이다. 그러나 건강과 안전은 그것을 상실해 보지 않으면 가치를 실감할 수 없다는 특성 때문에 아프거나 사고를 당했을 때에만 의식하게 되므로 언제나 사후약방문이 되기 쉽다. 따라서 안전교육을 통하여 이에 관한 지식이나 기능을 어렸을 때부터 습득하는 것이 각자가 일상생활에서 건강한 삶을 영위하기 위한 기본수단이라고 할 수 있다.

우리나라의 첫 단계 의무교육인 초등학교 교과과정에서는 보건과 안전의 기초지식과 기능을 습득시키는 것을 교육목적 제1항으로 제시하고 있다. 그러나 사고발생률이 매우 높은 것을 보면 현실적으로는 학교 교과과정을 통하여 교육목적이 구체적으로 실현되지 못하는 것으로 볼 수 있다.

사고예방을 위한 안전교육은 어렸을 때부터 시작되어야 안전행동 습관이 올바로 형성될 수 있다. 따라서 안전에 대한 지식과 가치관 형성을 위하여 안전교육은 학교교육과 기타 다른 교육과정에서 체계적으로 실시하여야 우리 사회에 생명존중 사상 내지 안전문화가 자리잡을 수 있게 될 것이다.

한편 질병도 전염성이 있듯이 안전에도 전염성이 있다. 즉 안전의식을 가진 한두 사람이 질서를 바로 지키기 시작하면 그들이 속한 사회가 질서를 지키게 되는데, 이러한 현상은 사회 전체로 번져나간다. 그러나 안전의식을 지키지 않는 한두 사람의 몰염치한 사람이 자기이익을 획득하게 되면 안전에 대한 부적절한 행동이 사회 전체로 퍼져 나가게 된다. 안전철학이 긍정적인 방향으로 설정되어 있는 나라에서는 사고로 인한 사망률이 매우 낮고, 그렇지 않은 나라에서는 매우 높게 나타난다.

인류는 그동안 건강한 삶을 지속시키기 위하여 전염병을 예방할 수 있는 치료약을 개발하였듯이 21세기의 새로운 전염병인 안전사고를 예방하기 위하여 안전교육 방안을 개발해야 건강하고 안전한 삶을 지속시킬 수 있을 것이다.

평생교육과 안전

인간은 생후 얼마 동안은 건강과 안전에 대한 능력이 매우 약한 존재이다. 신생아는 스스로의 힘으로 먹을 수도 없고 걸을 수도 없으며, 눈도 귀도 발달되어 있지 않아 인지능력도 거의 없다. 또한 신생아는 자립할 수 없을 뿐만 아니라 스스로 생명을 유지하는 것도 불가능하다. 그러나 유아기에서 학령기를 지나는 동안 고도의 사회생활 능력을 갖추게 되어 의식주를 중심으로 한 건강 · 안전생활에 관련된 지식이나 기술을 터득하게 되는 것이다.

유아기에는 안전에 대한 교육의 중심기능이 가정교육에 있다. 부모나 형제자매 등의 도움에 의해 자립이 시작되고, 모방이나 강제 등에 의해 점차 건강 · 안전능력을 몸에 습득하게 된다.

다음으로 학령기가 되면 공교육 집단 속에서 배우는 일이 많아진다. 그곳에서는 생활기술의 이론적 뒷받침을 얻게 되므로 스스로의 안전행동을 터득하게 된다. 유아기 때 습득한 가정에서의 사적인 생활기술과 학령기 때 습득한 공적인 학습경험이 조화를 이루어 안전습관이 형성된다. 성인기가 되면 직장에서의 안전관리나 지도가

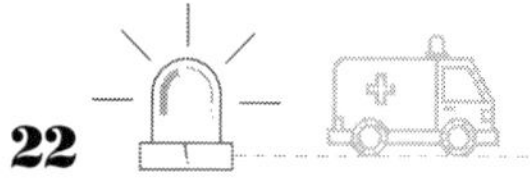

차지하는 폭이 확대된다.

평생교육 측면에서 볼 때 안전에 관한 교육이나 관리기능이 문제가 되는 것은 노인기이다. 이 시기의 안전교육 부재는 차후 커다란 보건학적 과제로 부상하게 된다. 노인의 교통재해 건수나 노인의료의 실태를 살펴보면 이를 알 수 있다. 따라서 가정과 학교에서의 안전교육은 물론이고, 평생교육 차원에서 안전교육을 고려하지 않으면 연령별 안전교육은 기대하기가 어렵게 된다.

안전교육의 원리

안전교육은 안전을 유지하기 위해 필요하다. 안전교육의 중요성이 대두되는 것은 당연한 일이며, 오히려 늦은 감이 없지 않다. 물론 인생의 출생 초기부터 안전교육이 이행되고 있음에도 문화적으로 정립되지 않은 채, 유아교육 · 청소년교육 · 평생교육이라는 말로 교육적 효과에만 매달려 왔다. 안전교육의 궁극적인 목표는 자타의 생명을 존중하는 정신을 기르도록 교육하는 것임을 인식해야 한다.

따라서 안전교육의 원리에 대해 논할 때에는 단순하게 피상적인 육체뿐만 아니라 인간의 생명체라는 관념을 가지고, 인체에 필요한 교육여건과 환경적 · 심리적 조건, 활동방향 및 의식적 활동이 총망라된 것이어야 한다.

안전교육의 원리는 다음과 같이 분류할 수 있다.

❶ 일회성의 원리 | 인간의 생명, 즉 탄생과 죽음에는 기회가 한 번뿐이라는(일회성의 원리) 엄숙함이 있다. 그래서 학교나 사회 · 가정 등에서 한 번이라도 지도상의 결함이 발생하면, 그것은 바로 어린이의 생명을 잃게 하는 사고로 이어지게 될 위험성이 크다. 일회성의 원리를 염두에 두지 않는다면 안전교육이 제대로 이루어지지 않음은 물론 타인의 생명을 존중하고 아끼는 안전의식도 있을

수 없게 된다.

❷ 자기통제의 원리 | 안전능력을 기르기 위해서는 스스로의 통제능력을 길러야 한다. 즉 어려운 상황에 대처하기 위한 지식 · 태도 · 자기통제능력을 배양하지 않는다면 안전교육은 아무런 효험도 발휘할 수 없다. 따라서 안전교육을 통하여 지적 · 실천적 능력을 배양하고 의지적 행동능력을 향상시킴으로써 자신과 타인, 그리고 가정 · 사회 · 국가를 위한 통제능력이 주어지는 원리가 성립되는 것이다.

❸ 이해의 원리 | 사고와 안전에 대한 지식을 실천적으로 이해하여야 안전능력이 길러진다. 안전지도는 지적 이해와 실천적 지도에 의해 수행되어야 지적인 이해와 동시에 실천이 뒤따르게 된다는 것을 이해하게 된다.

❹ 지역성의 원리 | 사고와 안전은 지역에 따라 그 유형이 다르기 때문에 안전교육의 지도방법은 특성이 있어야 한다. 다시 말하면 환경의 차이가 심한 도시와 농어촌, 공해가 심한 지역과 그렇지 않은 지역, 산간지역과 해안지역 등 지역에 따라, 그리고 인간의 생활양상에 따라 안전교육에도 차이가 있어야만 교육효과가 있을 것이다.
물론 한 지역에서만 일생을 사는 경우도 드물고, 신체적 조건이 항상 같은 것이 아니므로 다양한 지역 및 환경에 따른 안전교육이 필요하다.

우리나라의 응급의료 신고체계

미국은 911, 영국은 999로 위급 또는 응급상황에 대한 신고번호가 단일화되어 있다. 그러나 우리나라에서는 관련단체별로 따로 운영하고 있기 때문에 필요한 신고번호를 모두 알아두어야 한다.

119
소방상황실

소방방재청에서 운영
소방방재청에서 운영하는 구급대로서 응급상황 발생 시 응급처치와 환자의 이송을 담당한다. 재해 및 안전 관련 민원접수가 24시간 가능하다.

129
보건복지콜센터

보건복지부에서 운영
보건복지가족 관련 정보와 상담서비스(일자리 지원, 소득 보장, 복지 서비스, 아동 및 노인학대 등)를 제공한다(24시간 상담 서비스).

1339
119와 통합

응급의료정보센터에서 운영
권역별 응급의료정보센터로서 긴급상황 발생 시 응급처치 요령, 병원안내, 질병상담 등에 관하여 전화로 도움을 주는 곳이다.

긴급전화번호

110	정부민원안내 콜센터	129	아동 · 노인학대 신고(보건콜센터)
111	테러, 산업스파이, 간첩 신고(국가정보원)	131	기상예보(일기)
112	범죄 신고(경찰청)	132	법률구조 상담
113	대공상담 및 신고	182	실종아동 · 차량의 행방문의 신고
114	전화번호 안내	1301	마약범죄 종합신고(검찰청)
115	국내 전보 신청	1330	관광정보 안내
116	표준시간 · 세계시간 안내	1331	인권침해 상담
117	성매매 피해여성 · 학교폭력 신고	1332	금융민원 상담
118	사이버테러(개인정보 유출)	1333	교통정보 신고(도로, 철도, 항공)
119	화재, 구급, 구조(응급의료, 병원정보)	1338	청소년보호 신고
120	다산콜센터	1365	자원봉사
121	상수도 민원안내(동파 등)	1366	여성보호 신고
122	해양사고 신고	1337	군(軍) 사고 · 방산 스파이 신고
123	전기고장 신고	1389	노인학대 예방센터
125	밀수사범 신고(관세청)	1391	아동학대 신고
127	마약사범 신고	1398	부패행위 신고
128	환경오염 신고	1399	부정 · 불량식품 신고

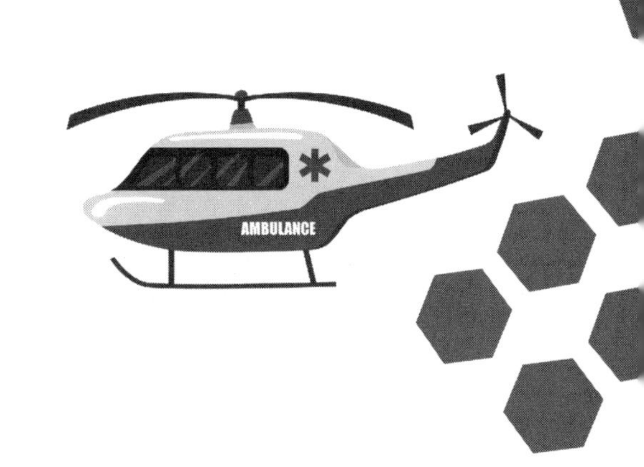

응급처치의 실제

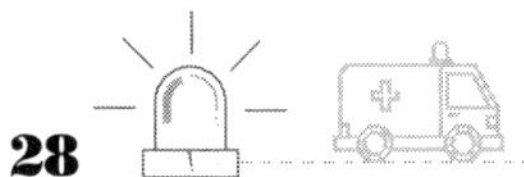

응급처치의 원칙

위급한 상황에서 하는 응급처치 및 구조활동은 부상자나 환자에게 필요한 일을 신속하고 적절하게 실시해야 한다. 불필요하거나 급하지 않은 일을 먼저 하거나, 전문의료인이 해야할 일을 하려고 시간을 허비하는 등으로 적당한 때를 놓쳐서는 안 된다.

응급상황이 발생하면 우선 현장조사를 하고, 응급구조대에 연락한 다음, 응급처치 및 구조를 실시하는 3단계의 기본원칙을 숙지하고 따라야 한다.

현장조사

✎ 현장은 안전한가

응급처치원이 부상자 · 환자에게 안전하게 접근할 수 있는지, 부상자 · 환자에게 더 이상 위험한 요소는 없는 지를 판단한다.

✎ 무슨 일이 일어났는가

주위의 상황 또는 주위 사람들로부터 현장에서 일어난 일을 파악한다.

✎ 몇 명이나 다쳤는가

첫눈에 보이는 부상자 · 환자 외에도 다른 부상자 · 환자가 있을 수 있다. 현장상황에 따라 그들을 찾아본다.

✎ 도움을 받을 수 있는 사람이 있는가

현장상황의 파악과 부상자 · 환자에 대한 정보 및 응급구조대에 도움요청전화 등을 부탁할 수 있는 사람이 있는지를 알아보고, 주위에 사람이 없으면 큰 소리로 도와달라고 외친다. 자신이 응급구조교육을 받았음과 자신의 신분을 밝힌다.

응급구조대에 연락

현장에서 조사된 부상자 · 환자에 대한 정보를 응급구조대에 알려 전문적 구조를 요청하는 단계이다. 주위에 아무도 없으면 응급처치원 자신이 해야 하겠지만, 가능하면 누군가에게 연락을 부탁하고 자신은 현장에서 부상자 · 환자를 계속 지켜보며 돌봐야 한다.

응급구조대에 전화를 거는 요령은 다음과 같다.

| 보다 확실하게 도움을 요청할 수 있도록 가능하면 2명 이상이 응급구조대(119 등)에 전화한다.

| 응급구조대에 전화를 할 때는 다음의 사항을 정확하게 말해준다.

- ▸ 장소 : 정확한 주소(시나 마을의 이름, 교차로명, 건물(아파트)명, 층, 방번호 등)
- ▸ 시간 : 사건이 발생한 시간
- ▸ 전화하는 사람의 이름과 연락번호
- ▸ 응급상황의 내용
  - » 부상자 · 환자가 의식이 없거나 의식이 사라져가고 있을 때
  - » 호흡이 곤란하거나 비정상적인 방법으로 호흡할 때
  - » 가슴 및 배에 압박과 통증을 호소할 때
  - » 심한 출혈이 있을 때
  - » 혈액이 섞인 구토를 할 때
  - » 불분명한 말투, 발작증세와 심한 두통증세를 보일 때
  - » 중독증상이 보일 때
  - » 머리 · 목 등에 상처가 있을 때

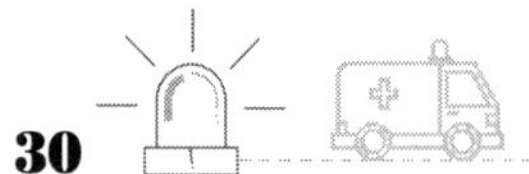

» 골절이 예상될 때

» 부상자가 쉽게 움직이지 못할 때

▸ 부상자 · 환자의 수

▸ 부상자 · 환자의 상태

▸ 실시하고 있는 응급처치의 내용

| 다음과 같은 상황이 발생하면 즉시 연락하여야 한다.

▸ 화재 · 폭발을 목격한 경우

▸ 끊어진 전선이 바닥에 떨어져 있는 경우

▸ 급격히 물이 불어날 때

▸ 차량충돌 시

| 응급구조대원이 전화를 끊기 전에 먼저 전화를 끊어서는 안 된다. 왜냐하면 응급구조대에서 모든 정보를 파악하여 적절한 구조를 위한 요원과 장비를 보낼 수 있도록 하는 것이 중요하기 때문이다.

처치 및 도움

부상자 · 환자의 생명이 위급한 상태인지 아닌지를 조사하여 적절한 응급처치를 실시한다. 응급처치를 시작할 때에는 항상 순서를 생각하고 원칙에 맞게 실시하여야 한다.

최우선으로 해야할 일은 먼저 안전을 확보하는 것이다. 즉 환자에게 더 이상의 위험이 없다고 판단되었을 때 다음의 순서에 따라 환자의 상태를 확인하고 부상이나 질병의 처치를 한다.

✎ 호흡계통과 순환계통 확인

기도(airway), 호흡(breathing), 순환(circulation) 상태를 살펴본다.

✎ 부상자 · 환자에게 물어본다

말을 못할 경우에는 주위사람에게서 필요한 정보를 얻는다.

✎ 활력징후 확인

호흡 · 맥박 · 체온 등을 면밀히 살펴본다.

✎ 머리에서 발끝까지 살펴 다른 부상 여부를 조사한다

피부색, 동공반사, 의식유무, 운동능력, 지각능력 등을 검사한다. 또한 부상자의 수가 많으면 위급한 환자부터 처치한다.

응급환자의 상태확인

사고에 의해 부상자와 응급환자가 발생하면 응급처치에 앞서 우선 환자의 상태를 살펴보고, 어떠한 치료를 어떻게 할 것인지 판단할 필요가 있다. 치료는 가능하면 신속하고 빠르게 실시해야 하지만, 촌각을 다투는 경우와 그렇지 않은 경우가 있다. 그렇기 때문에 응급환자가 발생하면 우선적으로 해야할 일은 환자의 상태를 관찰 · 판단하여 생명유지에 필요한 처치를 실시하는 것이다.

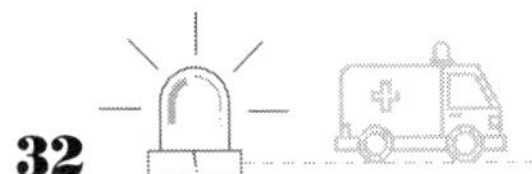

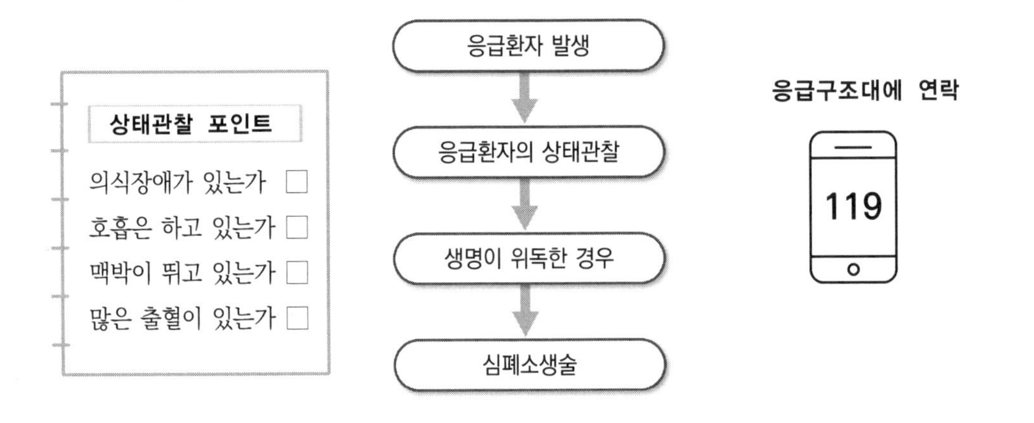

의식유무의 확인

의식유무를 확인할 때에는 큰 소리로 이름을 불러보거나, 뺨을 때려보거나, 손발을 비틀어 자극을 주어 그 반응에 따라 판단한다. 의식장애의 정도는 이러한 자극에 대한 반응에 따라 나뉘어지는데, 강한 자극을 주어도 전혀 반응이 없을 때는 혼수상태, 강한 자극에 반응을 하며 손발을 움직이거나 고개를 끄덕이는 상태를 반혼수상태, 멍한 상태로 반응이 늦는 경우를 의식혼탁상태라고 한다.

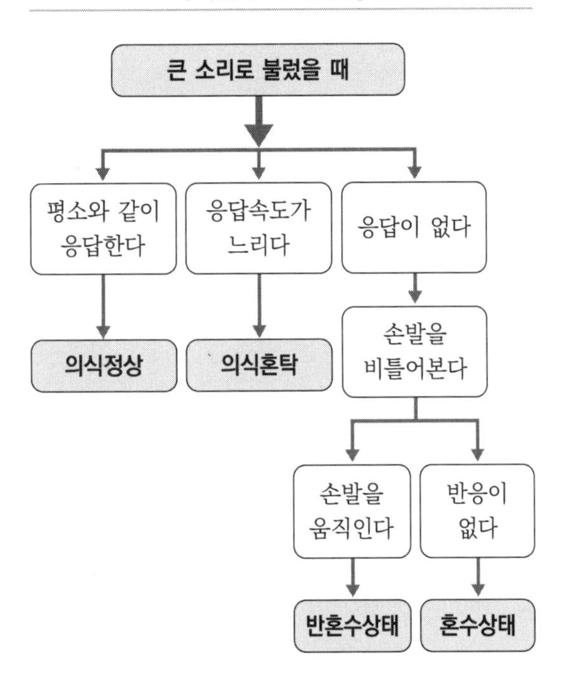

이와 같이 의식을 잃어버린 상태에서는 기도가 여러 가지 원인에 의해 좁아지거나(기도협착, 기도폐쇄), 호흡곤란이 일어나 사망하는 경우도 있다. 그렇기 때문에 의식장애 시에는 기도확보가 필요하다.

호흡유무의 확인

호흡유무는 다음과 같이 판단한다.

▸ 가슴이 움직이고 있는지 확인한다.

▸ 환자의 코나 입에 자신의 귀나 손바닥을 대어 상대의 숨결이 느껴지는가를 확인한다.

▸ 가슴이 움직이지 않고, 숨을 느낄 수 없으면 호흡이 정지된 경우인데, 이때에는 얼굴이 창백해지고 입술이 파랗게 변하는 현상이 일어난다. 호흡정지 시에는 즉시 인공호흡을 실시한다.

맥박의 확인

정상인의 맥박수는 보통 분당 60~80회인데, 이는 심장이 정상적으로 움직이는 것을 의미한다. 맥이 뛰는 곳은 전신의 어느 곳에나 존재하지만, 우선 양손목의 엄지쪽(노동맥)에서 확인하고, 이 곳이 불확실하면 목 양쪽을 지나고 있는 동맥(목동맥)에서 확인한다. 맥의 확인방식은 동맥이 있는 위치를 검지나 중지로 가볍게 누르거나, 왼쪽 가슴에 귀를 대어 심장소리를 듣는 방법이 있다.

맥이 뛰지 않으면 심장이 정지되었거나, 정지상태에 가깝다는 것을 의미한다. 심장이 멈춘 상태에서 의식이 없고, 호흡 역시 멈추었다면 심장정지가 확실하다. 이런 경우에는 즉시 심장마사지를 실시하여야 한다.

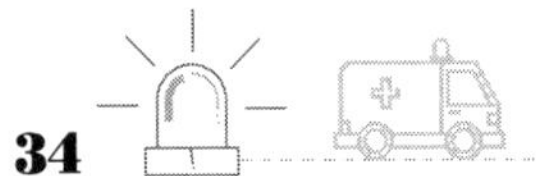

맥박 확인방법

※ 평소에 자신 또는 친구의 맥박이 뛰는 상태를 확인하여 숙달하는 것이 좋다.

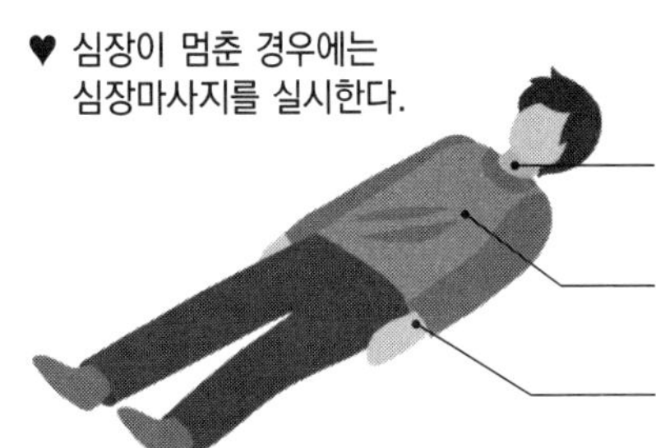

출혈유무의 확인

출혈은 손상을 입은 혈관에 따라서 다음과 같이 분류된다.

동맥출혈	정맥출혈	모세관출혈
맥과 함께 솟아나오는 듯한 출혈로 진홍색이다.	솟아나오는 듯한 출혈로 암적색이다.	상처부위에서 스며나오는 듯한 출혈

출혈유무 조사방법

※ 대량출혈은 출혈성쇼크 위험이 있다.

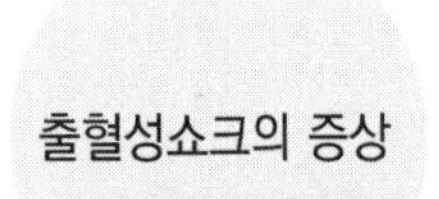

• 안색이 창백해진다.
• 식은땀이 난다.
• 맥박이 약해지고, 분당 120회 이상으로 빨라진다.
• 몸이 굳어진다.
• 조금씩 멍해진다.

출혈손상부위에서 외부로 출혈하는 외출혈, 머리뼈 · 가슴 · 배 등 몸속 상해에 의해서 일어나는 내출혈로 나누어진다. 손상부위에서 나오는 출혈은 곧바로 눈으로 확인할 수 있기 때문에 많은 출혈을 초래하는 경우는 드물다. 내출혈은 외부에서는 알 수 없기 때문에 매우 위험하다. 대량출혈이 나타나는 경우는 출혈성쇼크라고 하여 안색이 창백해지고, 피부에서 차가운 땀이 나며, 맥이 약해지거나 멈추기도 하고, 의식이 흐려지는 현상이 나타난다. 이와 같은 상태라면 즉시 병원으로 이송해야 한다. 만약 외부에 출혈이 있으면 지혈법으로 처치한다.

이상과 같이 생명유지에 필요한 관찰과 처치를 한 후에는 그밖의 다른 손상나 손발의 움직임 등을 관찰하고, 또한 사고현장 주변의 상황에도 살펴보아야 한다.

경련이 일어난 경우

경련은 머리의 외상, 발열, 간질 등 여러 가지 원인에 의해서 일어난다. 이때에는 서두르지 말고 어떠한 종류의 경련인가, 어떤 부위에서 시작되었는가, 어느 정도로 지속되었는가 등을 냉정하게 관찰하여 구급대원이나 의사에게 알려주어야 한다.

손과 발이 마비된 경우

수영장에서의 다이빙사고나 교통사고 시 목이 지나치게 굽혀지거나 펴지면, 목이나 등 · 허리의 뼈가 부러지거나 몸의 각 부위를 연결하는 신경다발 · 척수에 부상을 입는 경우가 있다. 부상 후에 손과 발이 저려오거나 감각이 둔해지고, 손과 발을 자신의 의지대로 움직일 수 없는 경우 등은 척수손상을 염두에 두고 환자를 움직이게 해서는 안 된다. 환자를 안전한 곳으로 이동시킬 때에는 환자의 몸이 꺾이지 않도록 편평한 물건 위에 눕혀 편안하게 이동시킨다.

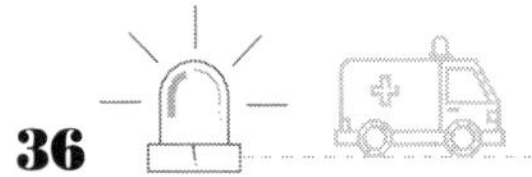

응급환자의 이송

부상자나 응급환자가 넘어져 있으면 구급차 혹은 구급대원이 도착하기 전까지 원칙적으로 움직이지 않는 편이 바람직하지만, 다음과 같은 경우에는 즉시 이동시켜야 한다.

| 위험한 장소에 환자가 있을 때

자동차가 다니는 도로 위, 사고차의 내부나 화재현장 등 2차적인 재해가 발생할 가능성이 높은 장소

| 응급처치를 할 수 없는 장소에 환자가 위치해 있을 때

| 시끄럽고 안정을 취할 수 없는 곳에 환자가 위치해 있을 때

목욕탕, 화장실, 자동차 내부, 계단 등

이송준비

✎ 이송 전의 준비

- 적절한 응급처치를 하였는지 확인한다. 충분한 처치를 한 후 안전하게 운반하는 것이 좋다.
- 부상의 정도, 사고의 종류, 신속히 옮겨야 할 필요성, 구할 수 있는 운반기구 등의 조건에 따라 이송방법을 정한다.
- 이송에 필요한 기구를 준비한다.
- 운반에 필요한 인원을 확보하고 각자의 임무를 정한다.

※ 일반적 유의사항

- ▸ 부상자가 발생하면 응급의료요원이 현장에 오는 것이 좋지만 실제로는 부상자를 이송하는 경우가 많다.
- ▸ 대체로 이송이 필요한 부상자는 시간적 여유가 어느 정도 있는 사람으로 조급하게 서두르지 말고 충분한 응급처치를 한 다음 조심스럽게 운반하도록 한다.
- ▸ 부상자에 대한 처치를 하였으면 구급차를 기다리거나 응급의료요원의 지시에 따라 부상자를 옮기는 것이 좋다.

✎ 들것 만들기

부상자를 이송하기 위하여 들것을 즉석에서 만들지 않으면 안 될 경우가 많다. 사고현장에서 긴 막대 2개, 담요 혹은 상의를 이용하여 대용 들것을 만들 수 있다.

▫ 담요를 이용한 들것 만들기

준비물 긴 막대 2개, 모포 또는 상의

- ▸ 모포 중앙에 막대를 둔다.
- ▸ 막대를 중심으로 모포 왼쪽에서 오른쪽 방향으로 겹쳐 놓는다.
- ▸ 또 다른 막대 하나를 겹쳐진 중앙에 놓는다.

▫ 상의를 이용한 들것 만들기

준비물 긴 막대 2개, 상의 5~6벌

- ▸ 길이 2m 이상의 들것봉 2개가 필요하다.
- ▸ 5~6벌의 점퍼를 지퍼부위가 하늘쪽으로 가게 하여 겹치게 한다(팔부위는 말려서 들어가 겹치게 된다).
- ▸ 점퍼를 입은 사람이 들것봉을 양손으로 잡고 상체를 숙이면 다른 사람이 상의를 벗겨 들것봉으로 이동한다.

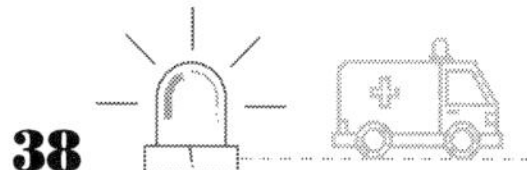

✎ 들것에 옮기는 방법

부상자를 들것에 옮기고 내리는 것도 환자를 운반할 때 중요한 일이다. 부상자를 들것에 싣는 데는 최소한 세 사람이 필요하며, 네 사람이면 더 좋다.

- ▸ 부상자의 두 발을 함께 묶어 바로 눕힌다. 한 사람은 들것을 부상자 옆에 가까이 놓고, 다른 사람들이 부상자를 들 때 부상자가 들것 위에 적당히 놓이도록 하기 위하여 대기한다.
- ▸ 다른 세 사람은 부상자의 건강한 쪽에 있되, 그중 한 사람은 어깨쪽에, 한 사람은 허리쪽에, 한 사람은 무릎 쪽에서 모두 한쪽 무릎을 꿇고 앉는다.
- ▸ 어깨쪽에 앉은 사람은 부상자의 머리 · 목 · 어깨 · 등밑에 손을 넣는다.
- ▸ 모든 준비가 끝났으면 지휘자가 "들어"라고 구령하면 다른 사람들은 구령에 따라 천천히 부상자를 조심스럽게 들어서 일직선으로 나란히 앉아 있는 자기들의 무릎 위에 올려놓는다.
- ▸ 이때 대기하고 앉아 있던 한 사람은 들것을 부상자밑으로 넣는다. 그다음에 "내려"라는 구령에 따라 부상자를 들것 위에 조심스럽게 내려놓는다.

▫ 담요 한 장만 있을 경우

- ▸ 부상자를 담요의 중간에 눕히고, 담요 양옆을 중앙쪽으로 말아서 들것을 만들 수 있다.
- ▸ 담요를 부상자 밑에 넣으려면 담요의 2/3를 접어 부상자 옆에 넣은 다음 부상자의 어깨와 볼기를 잡고 담요가 놓인 반대편으로 조심스럽게 들어올린다.
- ▸ 접은 담요자락을 될 수 있는 한 부상자밑으로 깊숙히 밀어넣은 후 부상자를 원래상태로 담요 위에 눕히고, 담요를 펴면 부상자는 담요의 중간에 있게 된다.
- ▸ 그런 후에 담요 양끝으로 부상자를 덮어준다.

부상자를 들것에 옮기는 방법

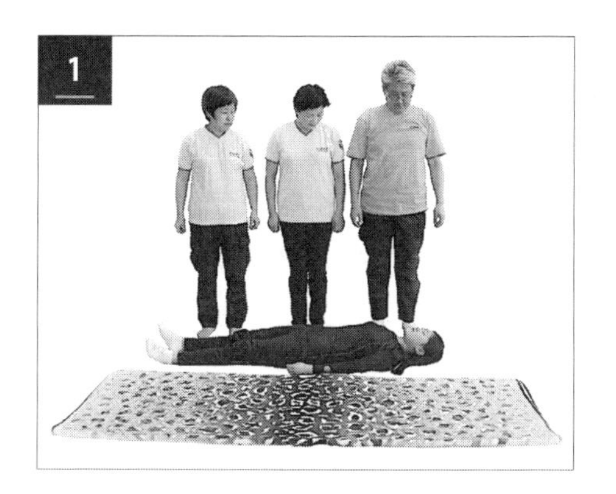

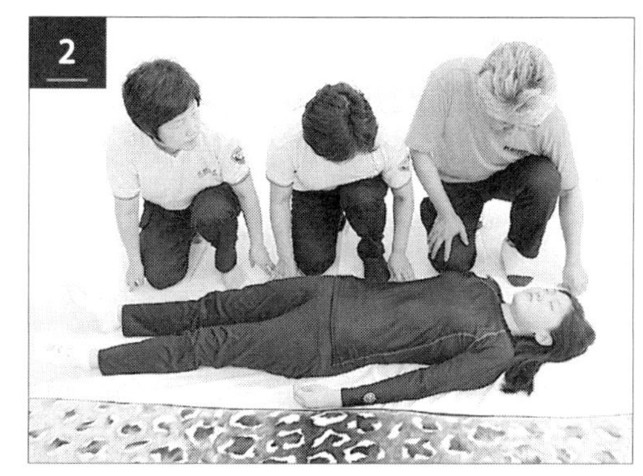

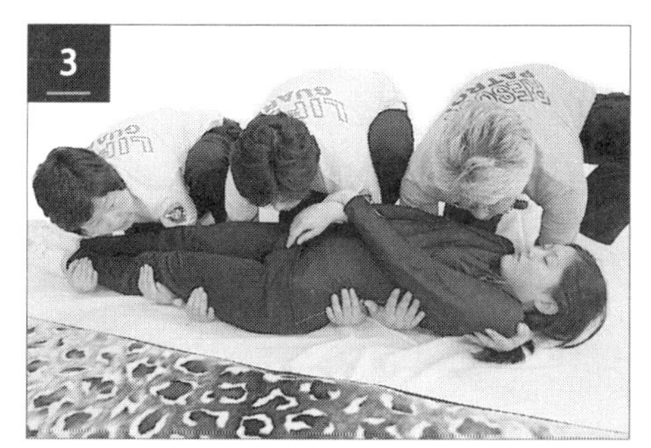

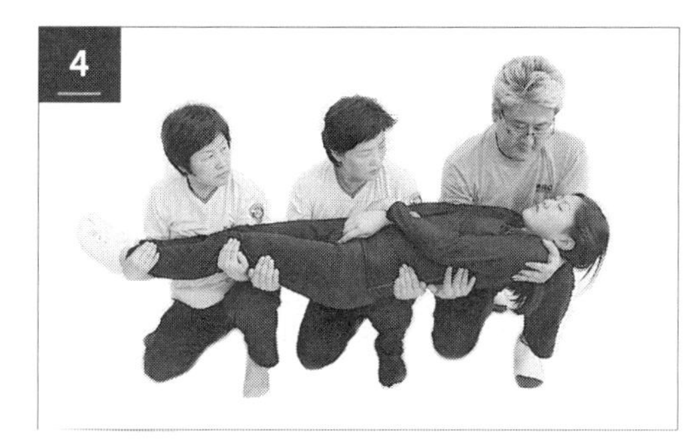

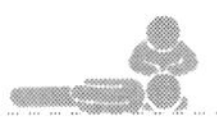

이송방법

✎ 들것 운반법

▫ 4인 운반법

들것의 운반은 4인이 하는 것이 가장 좋다. 운반인은 들것의 앞뒤와 양쪽 옆에 각각 한 사람씩 한쪽 무릎을 꿇고 자리를 잡는다. 첫 번째 구령에 의하여 들것을 들어올리고, 두 번째의 구령으로 앞과 양쪽 옆에 있는 세 사람은 왼발부터 걷고, 뒤의 리더는 오른발부터 걷기 시작한다.

리더는 부상자의 머리쪽에 위치하여 부상자의 상태변화를 살펴본다.

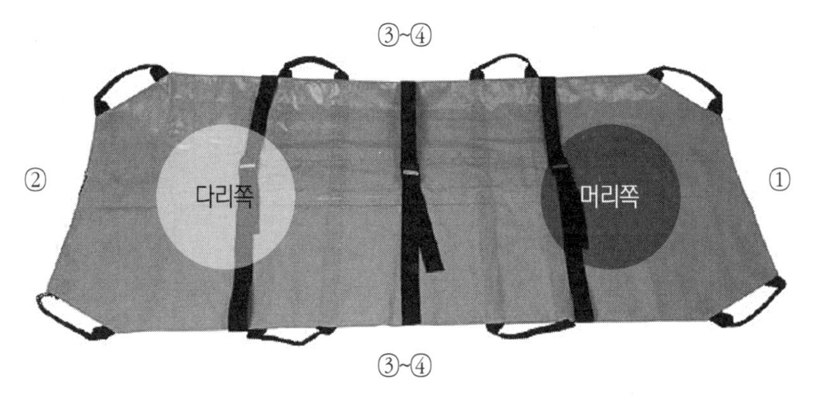

1번 : 리더 – 부상자의 머리 쪽(부상자의 상태확인)
2번 : 진행방향 – 부상자의 다리 쪽(진행방향 상태확인)
3~4번 : 부상자의 양옆 – 부상자의 다리쪽으로 진행

▫ 2인 운반법

운반인은 앞(다리쪽)과 뒤(머리쪽)에 한쪽 무릎을 꿇고 앉는다. 리더(머리쪽)의 첫 번째 구령에서 들것을 들어올리고, 두 번째의 구령으로 앞사람은 왼발부터, 뒤의 리더는 오른발부터 걷기 시작한다.

1번 : 리더 – 부상자의 머리쪽(부상자의 상태확인)
2번 : 진행방향 – 부상자의 다리쪽(진행방향 상태확인)

※ 주의사항

- ▸ 운반할 때에는 부상자의 발을 나아가는 쪽으로 하여 걷는 것이 원칙이다.
- ▸ 언덕이나 계단을 올라갈 때에는 머리를 나아가는 쪽으로 하여 운반한다.
- ▸ 구급차로 운반할 때에는 머리를 나아가는 쪽으로 한다.

✎ 기타 이송방법

들것을 구할 수 없을 때는 사람이나 물건을 이용하여 부상자를 이송한다.

▫ 1인 이송

업기 | 이 이송법은 부상자의 손상정도가 이 방법을 써도 무방할 때에 사용한다. 처치원은 부상자의 두 팔을 자기의 어깨에 올려 부상자의 겨드랑이가 자기의 어깨에 걸치게 한 다음, 부상자의 두 손이 처치원의 앞가슴에 겹치게 하여 한 손으로 잡고 다른 손은 자유로이 둔다. 처치원은 걸을 때에 몸

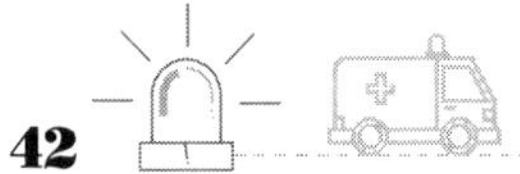

을 앞으로 구부려서 부상자의 체중이 자기 등에 실리도록 한다.

안기 | 처치원은 한 팔은 부상자의 양무릎밑에 넣고, 다른 팔로 그의 양쪽 겨드랑이밑을 껴서 안는다. 이 방법은 그리 중요하지 않은 부상자를 짧은 거리에 옮길 때 사용한다.

부축하여 걷기 | 가벼운 부상자는 한 사람 혹은 두 사람의 처치원이 부상자의 한 팔(두 사람이 부축할 경우는 양팔)을 자기의 목뒤로 돌려 붙잡고, 동시에 몸을 구부려서 부상자의 체중의 대부분 처치원에게 실리도록 하여 부상자가 걸어가는 것을 도와준다.

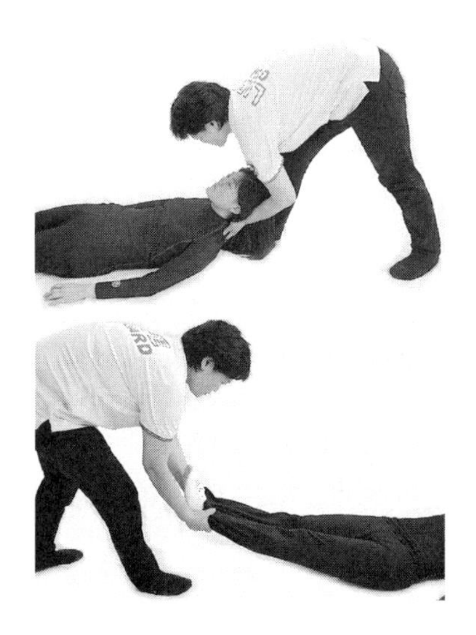

끌기 | 부상자를 위험으로부터 빨리 이동시켜야 할 상황에서 처치원이 혼자이고 부축하여 걸을 수 없는 부상자가 있다면 처치원은 그 부상자를 끌어서 운반할 수 있다. 만약 부상자의 머리 · 목 · 등의 부상이 의심된다면 그 부상자를 끌 때 부상자의 옷(셔츠, 코트, 스웨트 등)을 이용하면 된다. 부상자의 목 뒤에서 옷을 팽팽하게 만들어 그 옷을 이용하여 부상자를 당긴다. 처치원의 손과 부상자의 옷으로 머리를 받쳐준다.

ㅁ 2인 이송

서로 손을 맞잡고 이송 | 두 사람이 부상자의 양쪽에서 한 사람씩 꿇어앉아 부상자를 일으켜 앉힌 다음, 두 사람은 각각 한 팔을 부상자의 겨드랑이 밑에서 등위에 돌려 서로의 어깨에 손은 얹어 놓는다. 그리고 다른 팔은 부상자의 넓적다리밑으로 넣어서 서로 손목을 꽉 잡고 동시에 일어난다. 만약 부상자가 의식이 있으면 양팔을 처치원들의 어깨에 걸치게 한다.

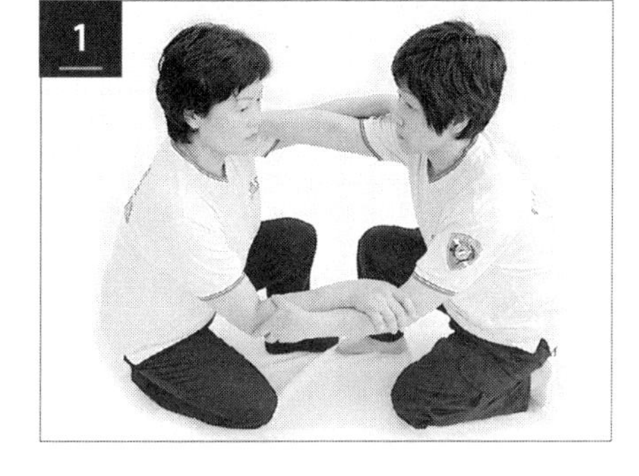

의자를 이용한 이송 | 부상자를 계단 위 또는 아래로 운반할 때에는 의자를 운반기구로 사용하면 편리하다. 두 사람의 처치원이 한 사람은 의자뒤를, 다른 사람은 의자의 앞다리 양쪽을 붙잡고 들어올려 운반한다.

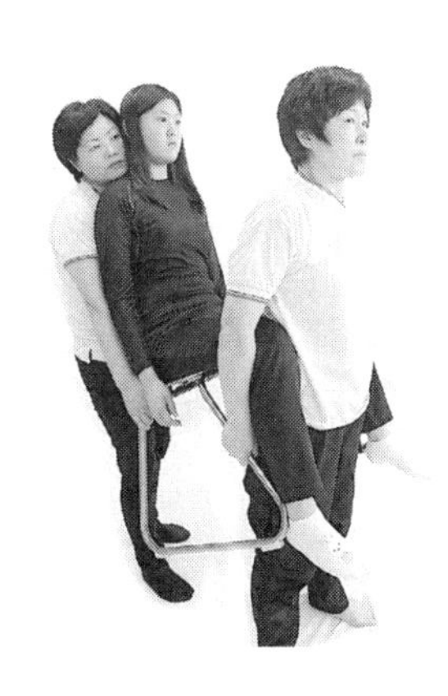

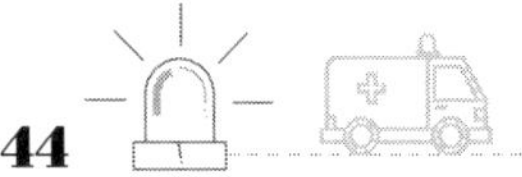

▫ **앞뒤에서 환자를 붙잡고 이송 |** 의식불명인 환자를 위험한 장소에서 구조할 때 적합하다. 그러나 골절환자는 이 이송법을 이용해서는 안 된다. 한 사람은 부상자의 뒤에서 겨드랑이밑에서 가슴 앞으로 손을 돌려 잡고, 다른 사람은 다리를 잡아서 운반한다.

두 사람이 이송하는 방법

한 사람은 환자의 상체를 껴안고, 다른 사람은 넙다리부위와 종아리부위를 껴안은 채 몸을 들어올린다.

환자의 상반신이 굽어진 상태로 운반해서는 안 된다.

▫ 3인 이송

환자를 중앙에 두고 한쪽에 두 사람, 반대쪽에 한 사람이 모두 한쪽 무릎을 꿇고 앉는다. 세 사람이 모두 준비가 된 후에 "들어"라는 구령에 따라 조심스럽게 부상자를 무릎에 올려놓는다. 다음 구령에서 일어서서 부상자의 다리쪽으로 전진한다.

세 사람이 이송하는 방법

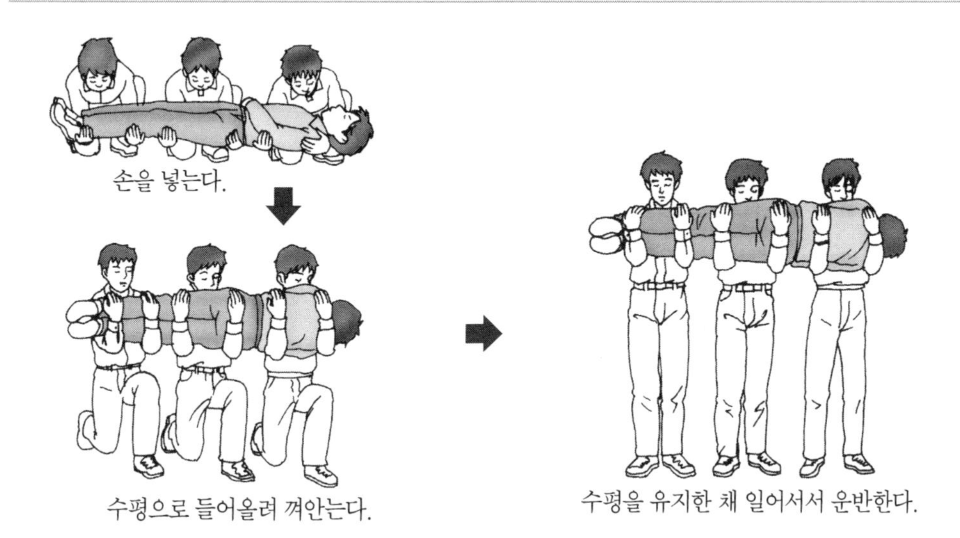

특수한 경우의 이송

교통사고, 화재, 가옥붕괴 등 특수한 상황에 처했을 때는 전문기관에 구조를 요청하는 것이 원칙이다. 그러나 부상자가 처한 상황이 위험한 경우 혹은 응급처치가 필요한 경우에는 구조전문기관이 도착하기 전까지는 긴급대피의 일환으로 부상자를 이동시켜야 한다.

✎ 자동차 안에서의 이송

이 방법은 부상자가 어린이나 체중이 가벼운 경우 안아서 이동하는 방법이다. 구조자는 한 손으로 부상자의 허리를 잡고, 반대 손은 부상자의 무릎밑에 넣어 안아 올려서 차 밖으로 이동시킨다.

부상자가 몸집이 큰 사람이라면 부상자의 양팔을 처치원의 앞에서 교차시켜 손

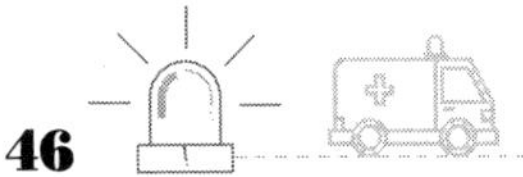

목을 잡고, 업어서 차 밖으로 이동시킨다. 그러나 부상자의 척추에 문제가 있으면 이동하지 않는 것을 원칙으로 한다.

기도폐쇄환자의 응급처치

기도폐쇄의 정의 및 원인

✎ 기도폐쇄란

인간의 몸은 호흡을 통하여 지속적으로 산소를 공급해주어야 살 수 있다. 이러한 호흡은 코와 입을 통해 외부의 공기가 가슴우리 속에 있는 허파로 전달되어 가스 교환이 이루어지는 과정을 말한다. 코와 입에서 허파로 공기가 전달되어지는 통로를 기도(숨길)라 부른다.

기도폐쇄란 음식조각이나 작은 장난감같은 이물질이 기도를 부분적 또는 완전히 막아 호흡을 방해하는 상태를 말한다. 기도폐쇄는 때때로 심장마비나 다른 심각한 상태로 오인되는 경우가 있다.

✎ 기도폐쇄의 원인

다음과 같은 경우에 기도폐쇄가 되기 쉽다.

- ▸ 큰 조각의 음식물을 잘 씹지 않고 삼키려 할 때
- ▸ 음식을 먹으면서 술을 마실 때
- ▸ 의치를 했을 때
- ▸ 입에 음식물이 있는 상태에서 걷거나 놀거나 뛸 때

이때 적절한 처치가 지연되거나 잘못 처치될 수 있기 때문에 기도폐쇄 판별요령을 알고 있는 것은 매우 중요하다. 부상자의 생명구조는 기도폐쇄를 인지하는 능력에 달려 있다.

기도폐쇄의 분류 및 증상

✎ 기도폐쇄의 분류

기도폐쇄는 부분적으로 기도가 폐쇄된 부분기도폐쇄와 기도가 완전히 폐쇄된 완전기도폐쇄로 나눈다.

✎ 기도폐쇄의 증상

▫ 부분기도폐쇄

이물질에 의하여 부분적으로 기도가 폐쇄되면 숨은 쉴 수 있으나, 호흡 시에 색색거리는 거친 소리가 나고 지속적인 기침이 유발된다. 이 경우에는 호흡이 가능하기 때문에 이물질의 배출을 위하여 지속적으로 기침을 하도록 유도하면서 환자곁에서 지켜보면 된다.

그러나 부분기도폐쇄라 할지라도 지속적인 기침을 하면서 이물질이 나오지 않거나 호흡곤란 등의 증상이 유발된다면 즉시 119에 신고하여 도움을 요청하고, 완전기도폐쇄에 준한 응급처치를 실시하여야 한다.

호흡이 가능한 경우에는 기침은 세게 할 수 있으나 숨쉬는 사이 쌕쌕거리는 거친 소리가 날 수 있다. 환자 스스로 이물질을 뱉어내려고 세게 기침을 하면 방해하지 말고 곁에 서서 계속 기침을 하도록 도와주고, 기침이 멈추지 않으면 응급의료기관에 연락한다.

 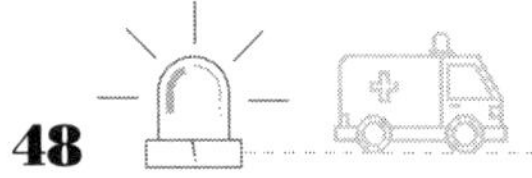 

호흡이 잘 안 되는 경우에는 기침이 약하고 호흡할 때 거친 소리가 난다. 처음부터 호흡이 잘 안 되는 경우가 있고, 처음에는 호흡이 잘 되다가 안 되는 경우도 있다. 호흡이 잘 안 되는 부분기도폐쇄는 완전기도폐쇄로 보고 처치하여야 한다.

▫ 완전기도폐쇄

완전기도폐쇄가 되면 말을 할 수 없고 호흡이나 기침도 할 수 없다. 환자는 한 손 또는 두 손으로 목을 움켜쥐는 동작을 하는데, 이는 목이 막혔다는 신호이다. 이때에는 곧바로 기도의 이물질을 제거해주어야 한다.

이물질에 의한 완전기도폐쇄는 주로 성대 주위의 상기도에서 발생된다. 그러므로 완전기도폐쇄환자는 말을 할 수 없으며, 더불어 호흡과 기침도 할 수 없다. 완전기도폐쇄환자는 호흡곤란에 의한 청색증이 유발되는데, 당황한 환자는 한 손 또는 두 손으로 폐쇄된 기도부위의 목을 움켜쥐는 동작을 하게 된다. 이때에는 즉시 기도의 이물질을 제거해주어야 한다.

완전기도폐쇄환자의 응급처치

✎ 의식있는 성인과 소아의 기도폐쇄

완전기도폐쇄가 의심되는 환자를 발견하면 먼저 환자에게 "목에 뭐가 걸렸나요?" 또는 "목이 막혔습니까?"라고 물어본다. 만약 환자가 말이나 기침을 하지 못하고 고개만을 끄덕이거나, 청색증이 진행된다면 환자에게 자신이 도와줄 것임을 밝히고 즉시 다음의 복부밀어내기법을 실시한다.

▫ 완전기도폐쇄환자에게 실시하는 복부밀어내기법

▸ 환자 뒤에 서거나 무릎을 꿇고 앉은 뒤 한 손은 주먹을 쥐고 엄지손가락방향

을 부상자의 상복부(명치와 배꼽 사이)에 위치시킨다.

▸ 주먹쥔 손을 다른 손으로 감싸서 양쪽 팔꿈치가 환자의 바깥쪽을 향하도록 한다.

▸ 양손으로 환자의 복부를 안쪽으로 힘껏 잡아당기면서 위쪽으로 빠르게 밀쳐 올린다. 이때 반드시 환자의 복부중심선에 주먹이 오도록 하여 옆으로 밀쳐지지 않도록 한다. 계속적으로 반복하지 말고 한번씩 확실하게 시행하고, 그때마다 이물질이 제거되었는지 확인하여야 한다.

▸ 이러한 복부밀어내기법은 기도 내의 이물질이 나오거나 환자가 의식을 잃을 때까지 계속 실시한다.

▸ 환자가 의식을 잃으면 즉시 119에 신고한 다음 심폐소생술을 실시한다.

✎ 의식있는 영아의 기도폐쇄

영아가 단추, 동전, 구슬, 장난감 등의 작은 이물질을 삼키면 기도폐쇄가 유발될 수 있다. 또 음식물을 먹는 도중에 기도가 막힐 수 있으므로 음식물을 조그맣게 잘라서 먹이도록 한다.

완전기도폐쇄가 의심되는 영아를 발견하면 즉시 등 두드리기 5회와 가슴압박 5회를 실시하여 이물질을 제거하여야 한다.

▸ 영아의 얼굴을 위로 향하게 하여 턱을 잡고, 다른 손으로 영아의 머리와 목 뒤를 받친다.

▸ 영아의 등이 위로 향하도록 영아를 뒤집어 얼굴을 아래로 향하게 한다.

▸ 영아의 머리를 영아의 가슴보다 아래로 향하게 한 채 손꿈치로 등을 5회 두

드린다.

▸ 한 손으로 영아의 머리와 목을 받치고, 다른 손의 엄지와 다른 손가락으로 턱을 잡은 다음에 영아의 얼굴이 위를 향하도록 뒤집는다.

▸ 영아의 머리가 영아의 가슴보다 아래로 향하도록 기울인 채 영아의 가슴중앙 아래쪽을 가슴두께의 1/3~1/2 깊이로 5회 압박한다.

▸ 이후에도 이물질이 제거되지 않는다면 등두드리기와 가슴압박을 5회씩 반복해서 실시한다(1번부터 5번까지 다시 반복).

▸ 영아가 의식을 잃으면 즉시 119에 신고한 다음 심폐소생술을 실시한다.

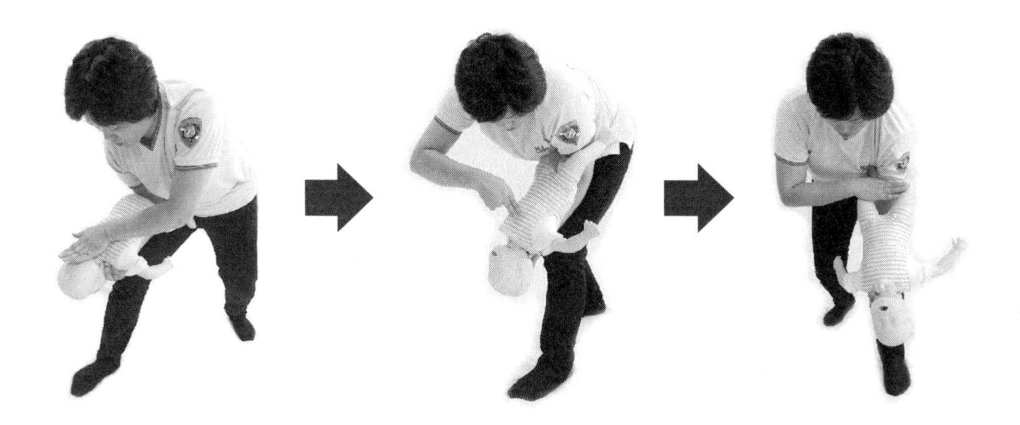

위의 등두드리기 5회와 가슴압박 5회는 처치원이 서서 실시하거나 앉아서 시술할 수 있다. 그러나 영아의 몸집이 크거나 처치원의 손이 작아서 충분히 영아를 지탱할 수 없는 경우에는 앉아서 시술한다.

영아기도 폐쇄법

- 영아의 손이 닿는 곳에 단추, 동전, 구슬 등과 같은 작은 물체를 두지 않는다.
- 음식물은 의자에 앉아서 먹게 한다.
- 음식물을 너무 빨리 먹지 않도록 한다.
- 견과류, 포도, 팝콘과 같이 삼키기 쉬운 음식물은 영아에게 주지 않는다.
- 분해되기 쉬운 장난감을 주지 않는다.
- 영아가 씹기 쉽도록 음식물을 조그맣게 잘라서 준다.

특수한 완전기도폐쇄환자의 응급처치

완전기도폐쇄환자가 너무 비만하거나 임산부인 경우에는 복부밀어내기법을 시행할 수 없으므로 가슴밀어내기법을 시술한다.

✎ 가슴밀어내기법 시술방법

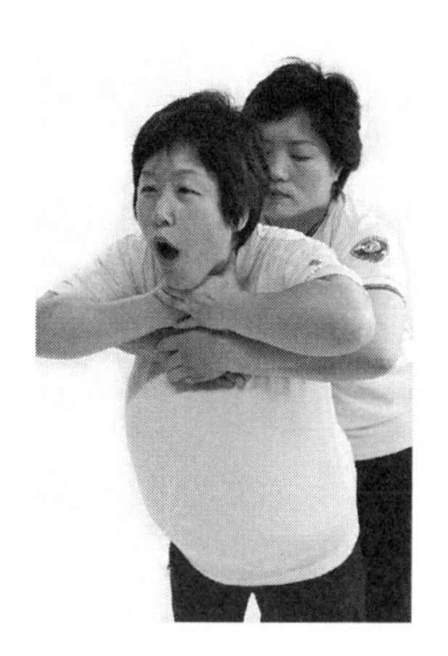

- 환자를 서게 하거나 앉힌 뒤 환자 뒤에 서서 팔을 환자의 겨드랑이 사이에 넣고 가슴을 감싼다.
- 한 손은 주먹을 쥐고 엄지손가락쪽을 복장뼈 중앙에 대고 반대편 손바닥으로 주먹쥔 손을 감싼다.
- 양손으로 환자의 가슴을 빠르게 수평으로 압박한다.
- 이물질이 제거될 때까지 반복해서 시행한다.
- 환자가 의식을 잃는다면 즉시 119에 신고한 다음 심폐소생술을 실시한다.

✎ 완전기도폐쇄 시의 자가처치

혼자 있을 때 완전기도폐쇄가 발생되면 스스로 복부밀어내기법을 실시하여야 한다. 이를 위하여 스스로 복부로 의자등받이나 씽크대와 같이 딱딱한 곳을 압박하면서 이물질이 제거되도록 노력한다. 그러나 끝이 뾰족한 곳이나 모서리가 명치부위에 부딪치는 곳은 복부장기를 손상시킬 수 있으므로 주의하여야 한다.

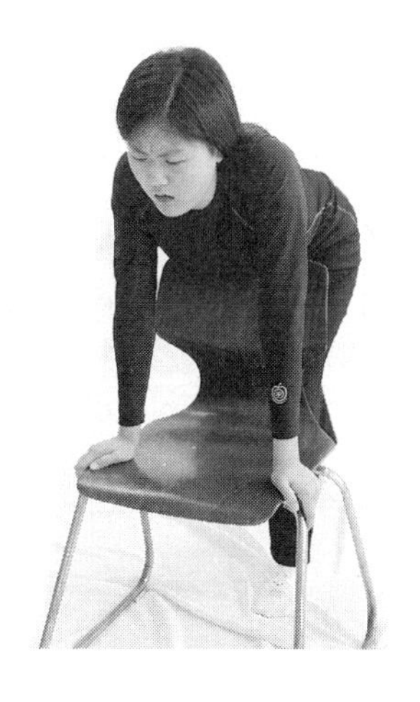

완전기도폐쇄환자가 이물질이 제거되지 않고 의식을 잃는 경우에는 심정지상태로 판단하여 즉시 119에 신고한 다음 심폐소생술을 실시하여야 한다.

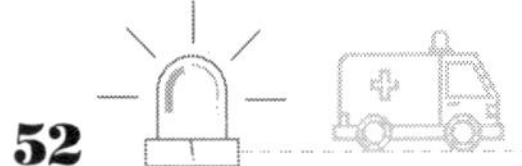

완전기도폐쇄환자의 심폐소생술

완전기도폐쇄환자에게 심폐소생술을 시술할 때에는 먼저 입속을 확인하여 이물질이 육안으로 보면 손으로 제거한다. 그러나 이물질이 보이지 않는 경우에는 이물질제거를 시도하지 않고 심폐소생술을 시술하여야 한다.

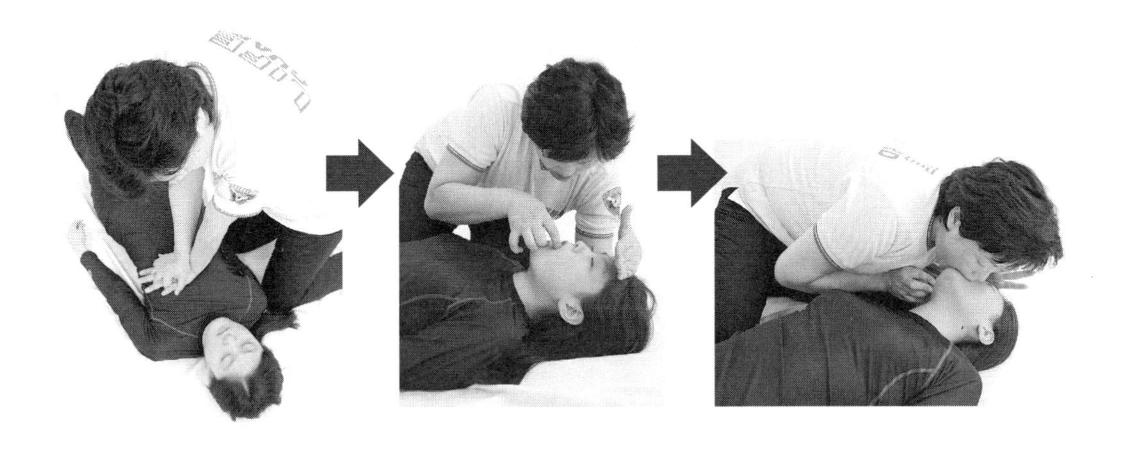

출혈환자의 응급처치

한꺼번에 대량으로 출혈을 하면 단시간 내에 출혈성쇼크 상태가 나타난다. 그 이유는 다량의 출혈로 인해 순환혈액의 절대량이 감소하여 혈압이 내려가기 때문이다. 일반적으로 체중 70kg인 성인은 전체 혈액량은 5ℓ 인데, 그 혈액량의 1/3 정도를 한꺼번에 출혈로 잃어버리면 생명이 위험한 상태가 된다. 출혈은 지혈법으로 지혈할 수 있으므로 평소에 지혈법을 연습해 두어야 한다.

출혈량과 그 증상

출혈량	출혈로 인한 증상
~750㎖	정신적 불안, 혈압은 거의 정상, 맥박은 약간 촉진
750~1250㎖	손발말단에 차가운 느낌, 안색창백, 가벼운 혈압저하, 맥박촉진, 소변결핍경향
1250~1750㎖	불안감, 안색창백, 식은 땀, 손발말단냉감, 호흡수증가, 중간강도혈압저하, 맥박감소, 빈박, 맥박긴장약화, 소변결핍(20㎖/시간 이하)
1750~2500㎖	의식혼탁, 극도의 창백, 극도의 손발말단냉감, 시아노제, 고도 혈압저하, 맥박을 느끼지 못함, 무뇨

직접압박지혈법

출혈하고 있는 상처 위에 청결한 거즈나 손수건을 대고 손으로 눌러 출혈을 멈추는 지혈법이다. 직접압박지혈법으로 지혈하는 방법은 다음과 같다.

- 상처부위에 청결한 거즈, 손수건 등을 직접 대고 압박한다.
- 거즈 등 댈 물건이 없으면 손으로 출혈부위를 압박한다.
- 출혈부위가 손과 발일 경우에는 심장보다 높은 위치로 유지해주면 지혈이 쉽다.
- 상처부위에 대었던 헝겊 위에 붕대를 덧대어도 된다(출혈이 멈출 정도로 붕대로 감는데, 너무 강하게 감아서는 안 된다).

직접압박지혈법은 매우 기본적이고 확실한 지혈법이어서 이것으로 출혈은 대부분 멈춘다. 그런데 심장의 박동리듬에 맞추어 솟아나오는 동맥출혈인 경우에는 약간 강하게 오랜 시간 압박해야 한다. 지혈 시에는 환자의 혈액에 의한 감염에 주의할 필요가 있다. 혈액에 직접 접촉하지 않도록 비닐장갑 등을 착용하는 것이 바람직하지만, 없는 경우에는 나중에 깨끗한 물로 씻어내도록 한다.

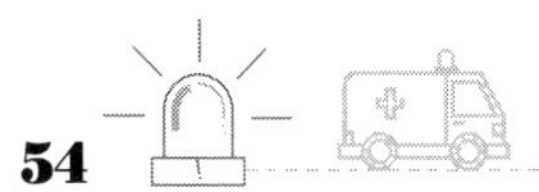

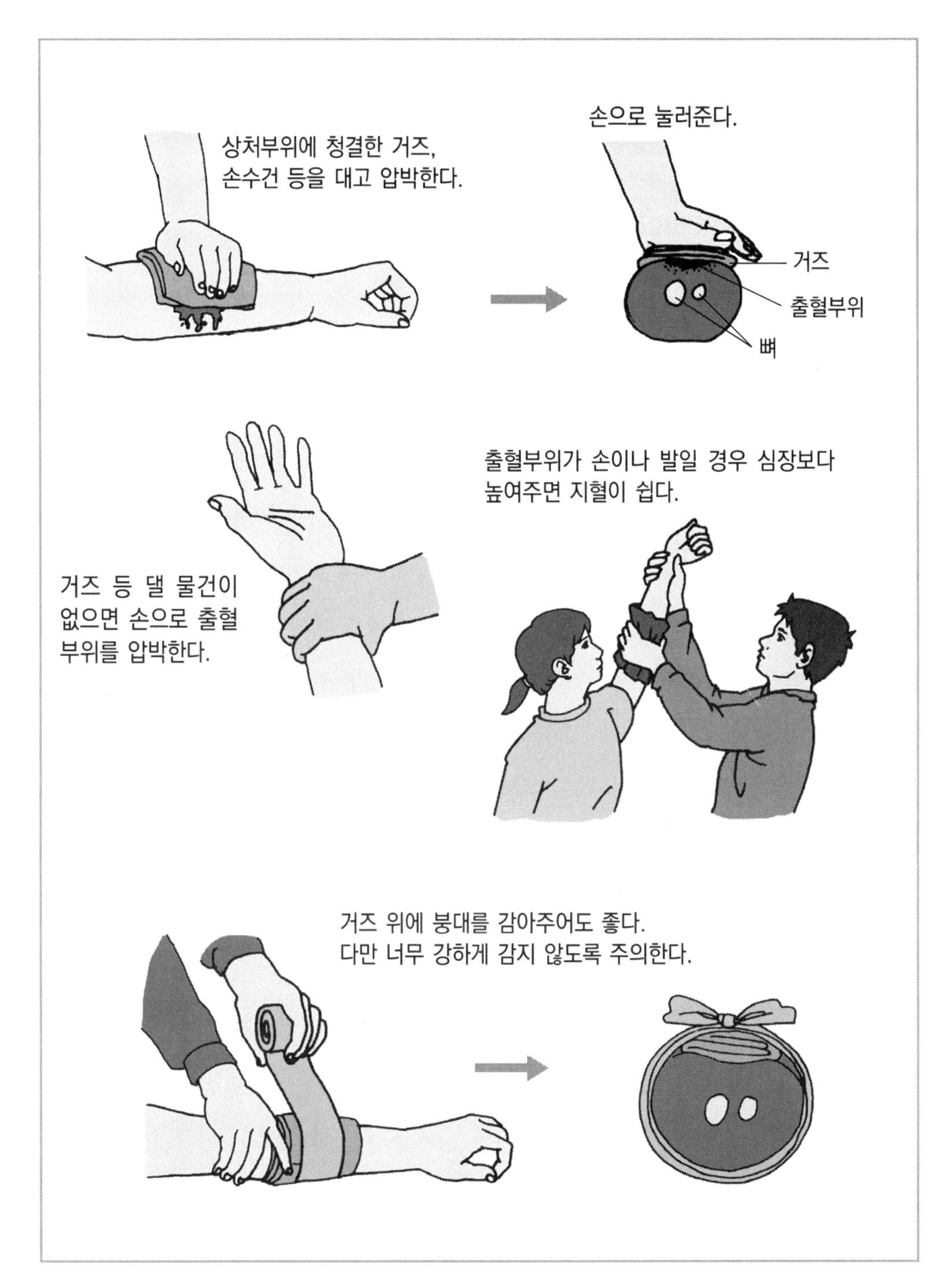
상처부위에 청결한 거즈,
손수건 등을 대고 압박한다.
손으로 눌러준다.
거즈
출혈부위
뼈
출혈부위가 손이나 발일 경우 심장보다
높여주면 지혈이 쉽다.
거즈 등 댈 물건이
없으면 손으로 출혈
부위를 압박한다.
거즈 위에 붕대를 감아주어도 좋다.
다만 너무 강하게 감지 않도록 주의한다.

간접압박지혈법

직접압박지혈법으로 지혈이 어려운 경우에 상처부위보다 심장에 가까운 동맥을 압박하여 지혈하는 방법이다. 직접압박지혈법으로도 출혈이 멈추지 않거나, 손과 발에 상처가 나서 커다란 혈관이 파손되어 직접압박으로는 멈추게 할 수 없는 경우에는 상처부위보다 심장에 가까운 부위의 동맥을 압박하여 출혈을 멈추게 한다. 이 방법을 간접압박지혈법이라고 하며, 압박하는 장소를 동맥압박부라고 한다. 이 경우 상처부위에는 헝겊 등을 대어 강하게 압박붕대를 감아 압박하면서 병원으로 이송한다.

출혈부위에 따라 시행하는 간접압박지혈법은 다음과 같다.

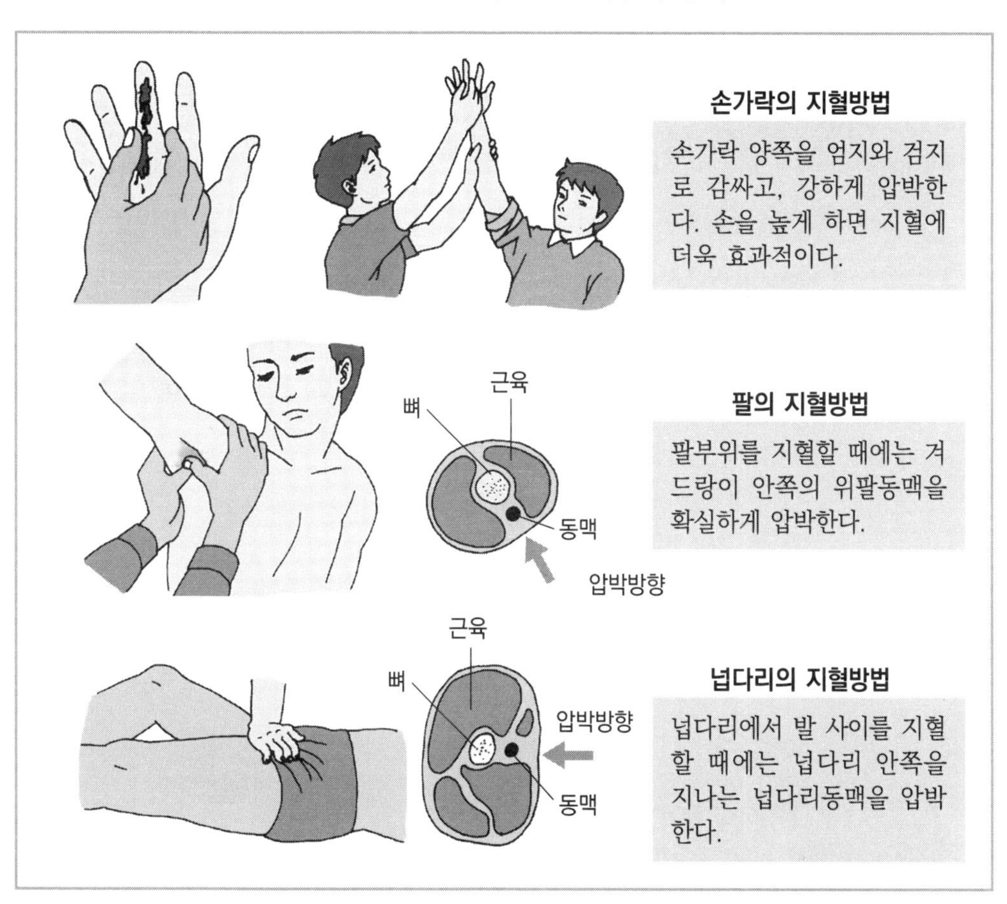

 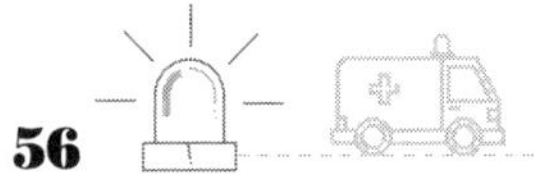 

▸ **손가락에서 다량출혈 |** 손가락 출혈 시에는 손가락 양쪽을 엄지와 검지로 감싸서 강하게 압박한다. 손을 높게 하면 더욱 효과가 있다.

▸ **팔에서 다량출혈 |** 팔에서 손에 걸친 부위의 다량출혈 시에는 겨드랑이밑에서 힘을 조절할 수 있는 근육의 뿌리 안쪽의 맥을 감싸고 있는 혈관(위팔동맥)을 손으로 확실하게 압박한다.

▸ **넙다리에서 발 사이의 다량출혈 |** 넙다리에서 발 사이에서 다량출혈될 때에는 넙다리 안쪽을 지나는 넙다리동맥을 압박한다.

지혈대를 이용한 지혈법

손과 발이 절단되어 직접 또는 간접압박지혈법을 사용하여도 지혈이 불가능한 경우에는 출혈부위의 상부에 지혈대를 대고 단단히 묶어서 지혈한다. 지혈대는 어중간하게 묶으면 오히려 출혈이 더욱 심해질 수 있으므로 충분히 튼튼하게 묶어야 한다. 지혈이 끝나면 즉시 병원으로 이송하여 1시간 이내에 의사의 치료가 행해지게 한다.

지혈대를 이용한 지혈방법은 다음과 같다.

▸ 출혈부위보다 심장쪽으로 3cm 정도 위쪽을 지혈대로 묶는다(종아리의 다량출혈인 때에는 넙다리를 감는다).

▸ 지혈대는 폭 5cm 이상의 헝겊으로 하되, 긴급 시에는 넥타이 · 허리띠 · 스타킹 등을 사용한다.

▸ 지혈대를 매는 곳에 막대기 등을 넣어 그것을 돌려 지혈이 될 때까지 조인다. 멈추면 그것 이상 강하게 묶지 않는다.

▸ 지혈대를 대었으면, 그 시간을 기입한 푯말을 잘 보이는 곳에 설치한다.

▸ 지혈대를 댄 곳은 의류 등으로 덮지 않는다.

▸ 곧바로 병원으로 이송하여 1시간 이내에 의사가 치료할 수 있게 한다.

외상환자의 응급처치

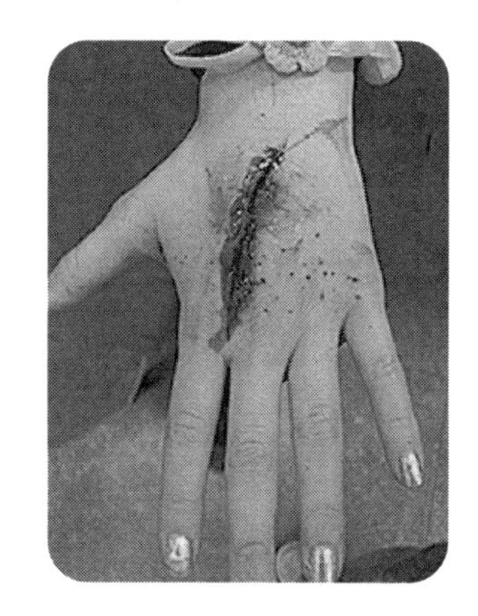

상처는 외부의 힘에 의해 피부나 피하조직이 손상을 입은 상태를 말한다. 외부힘의 종류나 크기에 따라서 통증, 부어오르기, 출혈, 감염, 골절, 조직의 단열, 내장손상 등에 이르기까지 여러 가지 손상이 발생할 수 있다.

상처는 일반적으로 타박상 · 삠 등과 같이 내면적으로 표면에 나타나지 않는 폐쇄성 상처와 상처부위를 육안으로 확인할 수 있는 개방성 상처로 구분할 수 있다.

개방성 상처의 처치

✎ 개방성 상처의 특징

개방성 상처는 피부가 찢어지거나, 피하조직이 노출되어 출혈이 일어나는 것이 특징이다. 그렇기 때문에 감염되기 쉽고, 상처부위의 소독이 필요하다.

개방성 상처에는 다음과 같은 것들이 있다.

- ▸ **찰과상(생채기)** | 피부표면만이 찢어진 상처. 출혈은 적다. 때로는 화농(곪는)되는 경우도 있다.
- ▸ **창상** | 날카로운 칼날이나 유리에 잘린 상처. 보통 출혈이 있다. 깊은 상처인 경우에는 혈관이나 신경이 잘린 경우도 있으므로 주의해야 한다.
- ▸ **자상** | 바늘 · 못 · 나무 · 대나무 등 끝이 뾰족한 것에 찔린 상처. 상처는 상처부위에 비하여 깊고, 때로는 내출혈을 일으킬 수 있다. 찔린 상처는 이물질이나 오염물질이 상처 속에 남는 경우가 많으므로 감염되기 쉽고, 특히 파상

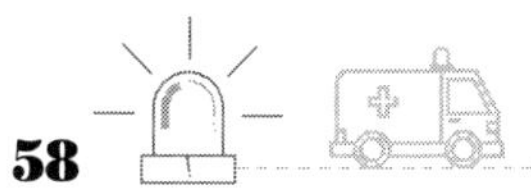

풍에 주의해야 한다.

▸ **타박상(조직이 꺾인 상처) |** 타박상에는 어혈과 열상이 있다. 어혈은 조직이 무너져 피부가 괴사(조직이 죽어 혈액이 흐를 수 없게 된 상태)되기 쉽고, 때로는 골절을 동반하는 경우가 있다. 열상은 갈기갈기 찢어진 상태로, 출혈도 있고 감염을 일으키기 쉬우므로 주의가 필요하다.

▸ **절단 |** 손발 또는 손 · 발가락 등이 잘려 나간 것. 어혈과 열상의 출혈은 의외로 적으나, 잘린 경우에는 다량의 출혈로 이어진다.

▸ **교상(동물에게 물린 상처) |** 교상은 찔린 상처와 비슷하여 감염되기 쉬우나, 문 동물에 따라 조금씩 다르다.

✎ 개방성 상처의 응급처치

개방성 상처의 응급처치는 상처부위의 오염으로 인한 감염(화농)방지, 출혈에 대한 지혈 등이 기본적이다.

개방성 상처의 응급처치는 다음과 같은 순서로 실시한다.

▸ **상처부위의 세정과 이물질제거 |** 깊게 박힌 이물질(잘 제거되지 않는 칼날, 유리조각 등)을 무리하게 힘을 주어 제거하면 출혈이 증가하므로 제거하지 않은 상태로 병원으로 이송한다.

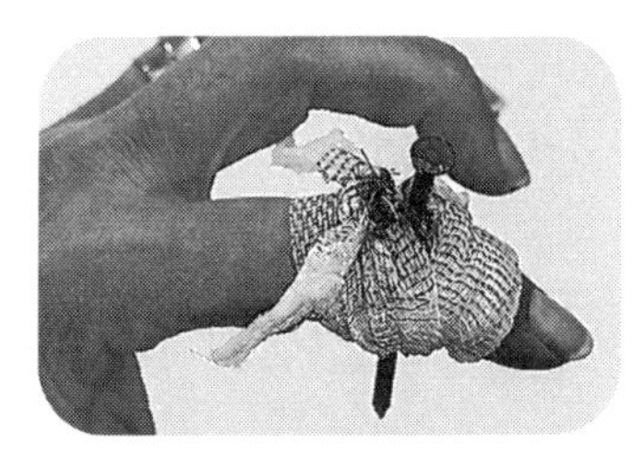

흙 · 모래 · 진흙 등으로 오염된 상처는 수돗물 등으로 깨끗하게 씻는다. 심하게 오염된 곳은 자극성이 적은 비누로 씻고, 이물질을 제거한다.

▸ **상처부위의 소독 |** 소독약으로 소독한다.

▸ **상처부위의 보호와 지혈 |** 청결한 수건이나 소독된 거즈로 상처부위를 덮는다. 그 위를 손으로 10~20분 정도 압박하면 대부분의 출혈을 멈추게 할 수

있다. 상처에 솜이나 종이조각을 직접 대서는 안 된다.

▸ **붕대를 감고 병원에 |** 보호거즈 위에 가볍게 붕대를 감는다. 상처는 단시간 내에 조치하지 않으면 감염될 염려가 있기 때문에 가능한 한 신속하게 병원으로 이송하는 것이 바람직하다.

상처부위의 피복과 드레싱

✎ 피복법

▸ 상처부위의 피복은 멸균거즈가 가장 효과적이지만, 없는 경우에는 세탁한 손수건 · 보자기 · 시트 등을 사용해도 된다.

▸ 출혈이나 화상 등으로 내면에서 표면으로 스며나오는 삼출액이 많으면 거즈를 겹쳐서 두껍게 댄다.

▸ 반창고를 붙일 때에는 몸의 움직임을 고려해서 떨어지지 않도록 붙인다. 삼출액이 많으면 거즈를 겹쳐서 두껍게 한다.

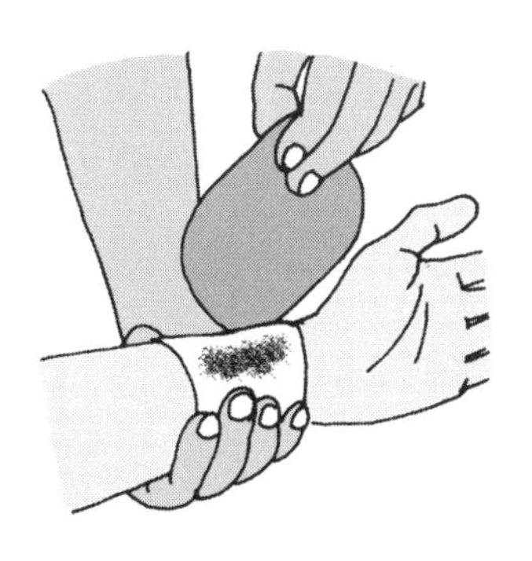

삼출액이 많으면 거즈를 겹쳐서 두껍게 한다.

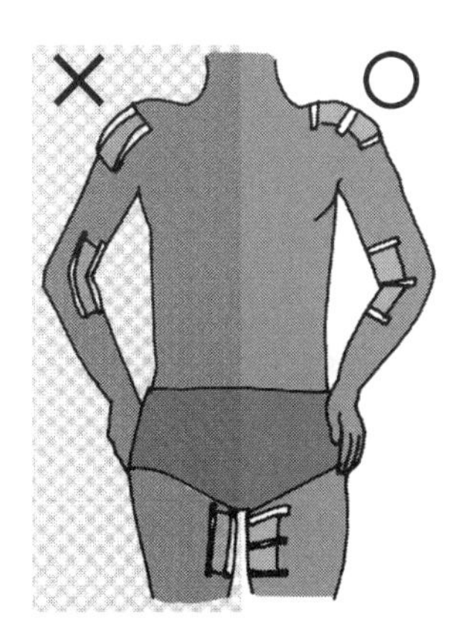

반창고는 신체의 기능을 고려해서 떨어지지 않도록 한다.

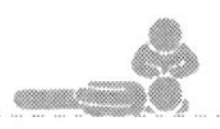

✎ 드레싱

상처부위에 드레싱을 하는 목적은 다음과 같다.

감염방지	출혈방지	분비물 흡수
상처나 화상에 병균이 들어가는 것을 막는다.	피가 흘러나오는 것을 억누른다.	상처의 분비물을 빨아 들인다.

드레싱(dressing)은 구급상자처럼 특별히 준비된 것을 사용하든지, 위급한 경우에는 사고현장에서 구할 수 있는 깨끗한 천으로 만들어 사용한다. 정규 드레싱은 아무데서나 얻을 수 있는 것은 아니므로 응급처치원은 사고현장에서 구할 수 있는 재료로 드레싱을 손쉽게 만들 수 있어야 한다. 깨끗이 세탁된 타월이나 흰 천을 사용하는 것이 좋으며, 깨끗한 천이 없으면 상처에 닿는 면을 라이터불에 그을리거나 다리미로 살균한 다음 사용한다.

▫ 드레싱의 종류

거즈는 상처부위가 작을 때 사용한다. 크기별로 나뉘어서 멸균포장되어 있다(크기는 5×5cm, 10×10cm 등이 있다). 일부 거즈는 특수코팅이 되어 있어서 상처에 달라붙지 않으므로 특히 화상이나 분비물이 있는 상처에 사용하면 좋다.

접착드레싱은 혈액이나 액체가 응고되었을 때 주로 사용한다. 그리고 일회용 밴드와 같은 것은 작게 베었거나 찰과상 또는 긁힌상처에 무균드레싱과 붕대를 혼합한 형태이다.

외상용 드레싱은 크고 두껍고 흡수성이 있는 소재로 되어 있다. 주로 출혈이 심한 베인상처(심한 절상)나 벗겨진손상(degloving injury)에 사용한다.

※ 드레싱할 때 주의할 점

상처부위에 드레싱할 때에는 다음과 같은 점에 주의해야 한다.

▸ 솜뭉치나 단단히 뭉친 약솜은 드레싱으로 사용하지 않는다. 왜냐하면 상처에 엉겨 붙으면 제거하기가 힘들기 때문이다.

▸ 피가 멈출 때까지 젖은 드레싱을 떼지 않는다. 피가 멈추지 않고 계속나오면 새로운 드레싱을 위에 덧댄다.

▸ 상처에 달라붙은 드레싱을 떼어내지 않는다. 만일 떼어내야 한다면 따뜻한 물로 적셔서 떼어낸다.

✎ 붕대

상처부위에 붕대를 감는 목적은 다음과 같다.

▸ 드레싱을 상처에 붙어 있게 고정

▸ 부목의 고정

▸ 압박하여 출혈을 정지

▸ 팔을 끌어올려 묶음(팔걸이)

붕대(bandages)는 풀어지지 않게 단단하게 묶어야 한다. 그러나 너무 조여서는 안 된다. 붕대를 단단하게 묶지 않으면 미끄러져 내려가 상처가 드러날 수 있으며, 너무 조이게 묶으면 혈액순환이 잘 안 되고 상처부위가 아프다. 상처부위가 부어 붕대가 너무 조여지지 않았나 자주 검사하여, 조여졌으면 느슨하게 해준다. 젖은 붕대는 마르면 상처를 조이므로 사용해서는 안 된다.

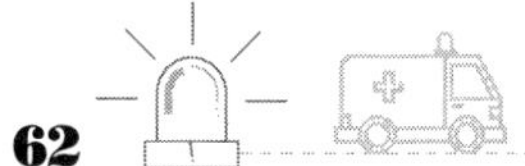

▫ 붕대의 종류

응급처치에 쓰이는 붕대는 삼각건, 탄력붕대(롤붕대), 사두붕대, 넓은붕대 등이다.

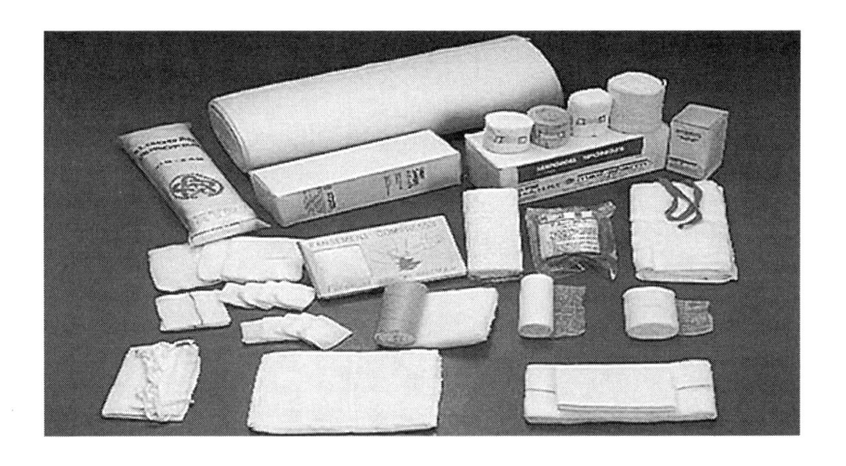

| 삼각건

삼각건은 광목이나 부드러운 천으로 만든다. 90~120cm 너비의 천을 대각선으로 잘라 두 개의 삼각건을 만드는 것이 이상적이다. 삼각건은 반창고가 없어도 드레싱을 고정시킬 수가 있으며, 손쉽게 사용할 수 있기 때문에 응급처치용으로 편리하다.

| 탄력붕대

잘 포장된 멸균거즈 탄력붕대가 가장 좋다. 정규붕대를 얻기가 어려울 때는 같은 재료를 필요한 너비와 길이로 잘라 쓸 수 있다. 탄력붕대는 너비가 좁아서 겉이 편평하지 않은 신체부위에 사용하기 좋다.

| 사두붕대

사두붕대는 거즈로 만들어 쓸 수 있으며, 이때 두꺼운 천이면 더 좋다. 천의 양 끝을 중앙쪽으로 찢되 중앙의 필요한 부분은 남겨둔다. 이 붕대는 네 귀가 있는 모양이어서 사두붕대라 부른다. 사두붕대는 묶을 때 중앙의 넓은 부분이 사용되므로 코나 턱같이 돌출된 부위에 댄 드레싱을 고정시킬 때 편리하다.

| 넓은붕대

배나 가슴에 창상 혹은 화상을 입어서 넓은 드레싱이 필요한 때에 사용하면 편리하다. 이것은 너비 30~40cm, 길이 1~1.6m의 네모진 헝겊으로 만든다. 상처에 드레싱를 댄 뒤에 넓은 헝겊을 환자의 등에 깔아 놓고 몸통 양편에서 싸서 앞에서 묶는다. 넓은 목욕용타월로 대신 써도 좋다.

✎ 삼각건 사용방법

▫ 머리

삼각건(triangle scarf)은 머리에 댄 드레싱을 고정시킬 때 사용하며, 특히 머리에 넓게 상처를 입었을 때 편리하다.

- ▸삼각건의 밑변부위를 너비 약 5cm 되도록 접는다.
- ▸접은 부분의 중심이 이마 중앙의 눈썹 위에 오게 한다.
- ▸삼각건의 양끝을 머리 뒤로 돌려 감고 교차시켜 다시 앞으로 오게 하여 이마 중앙에서 묶는다.

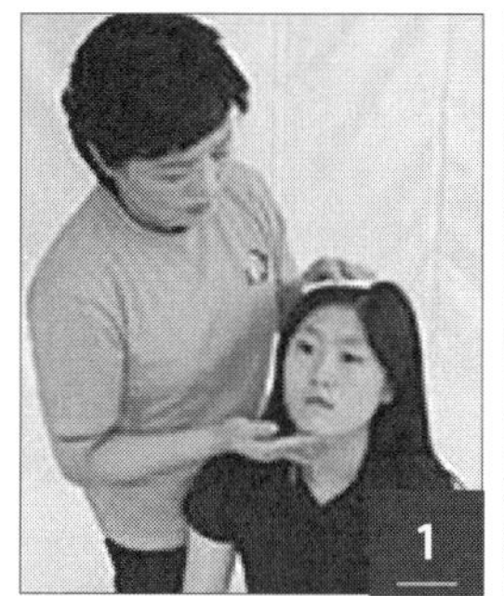

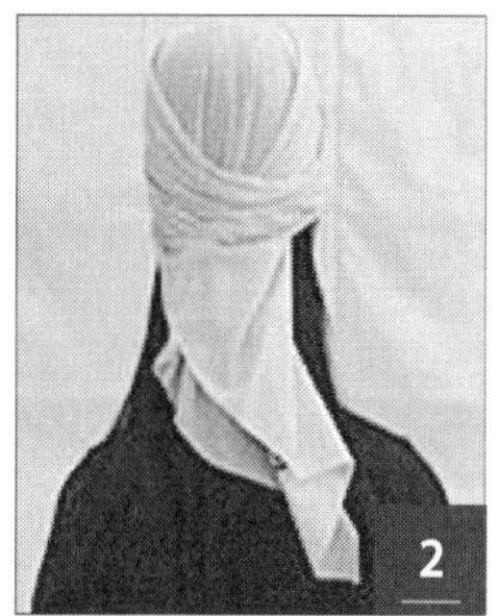

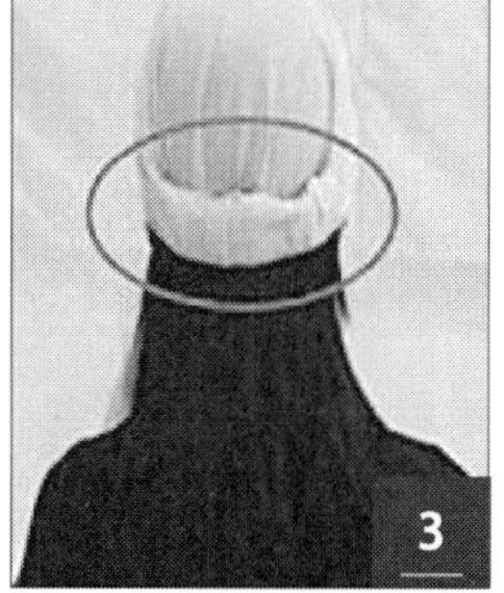

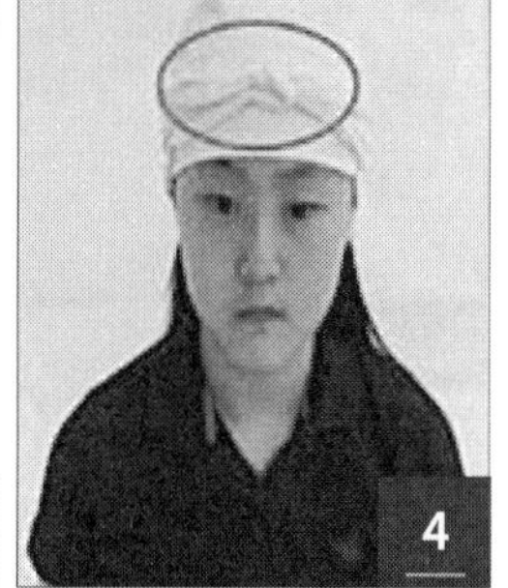

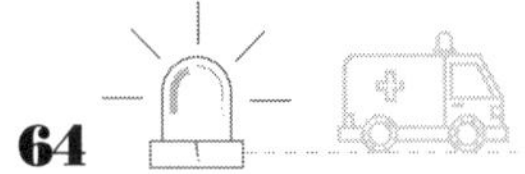

ㅁ 어깨

어깨나 위팔에 댄 넓은 드레싱을 고정시킬 때 삼각건을 사용한다. 두 개의 삼각건을 사용할 때에는 그중의 한 개는 좁게 접는다.

- 펴 놓은 삼각건 꼭지점 부근에 세 번 접은 다른 삼각건을 놓고 밑변이 평행하도록 하여 2~3번 접는다.
- 넓은 삼각건으로 상처부위를 덮고, 접은 삼각건의 양끝을 부상당하지 않은 쪽의 겨드랑이 바로 앞에서 묶는다.
- 부상당한 어깨쪽의 삼각건은 양끝을 겨드랑이밑으로 돌렸다가 다시 위팔에 돌려서 단단히 묶는다.

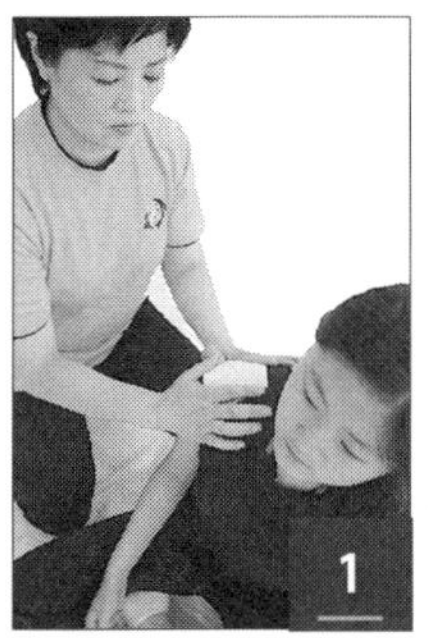
1

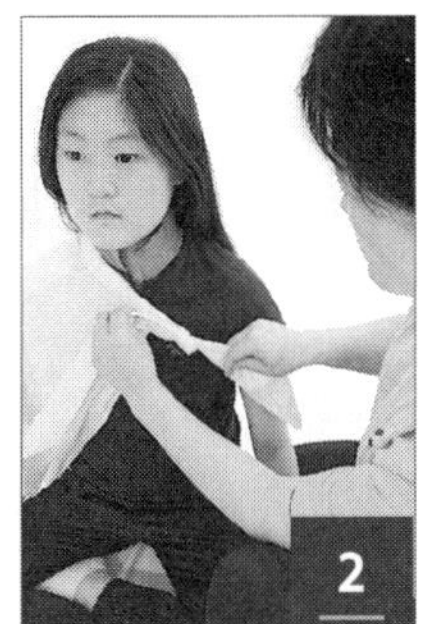
2

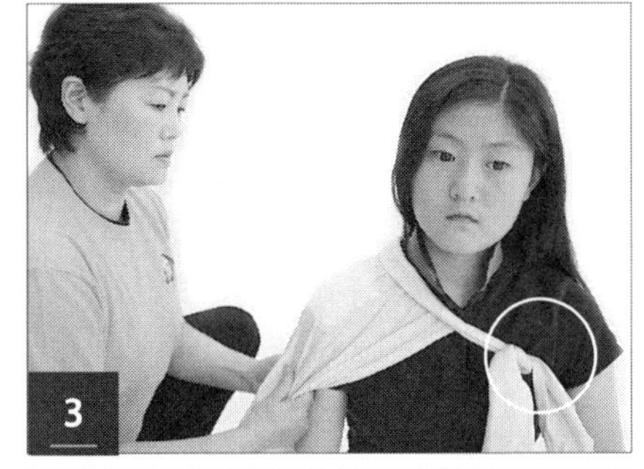
3

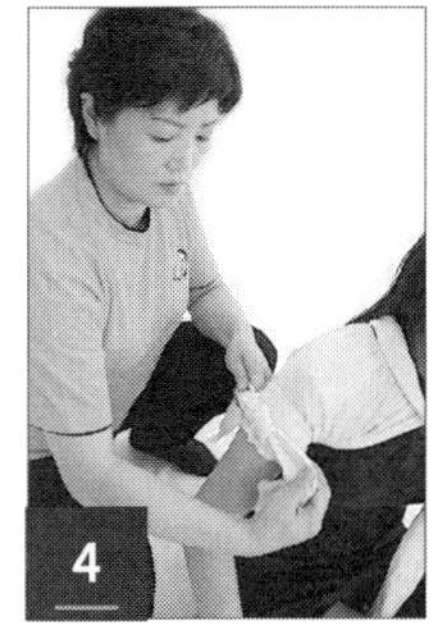
4

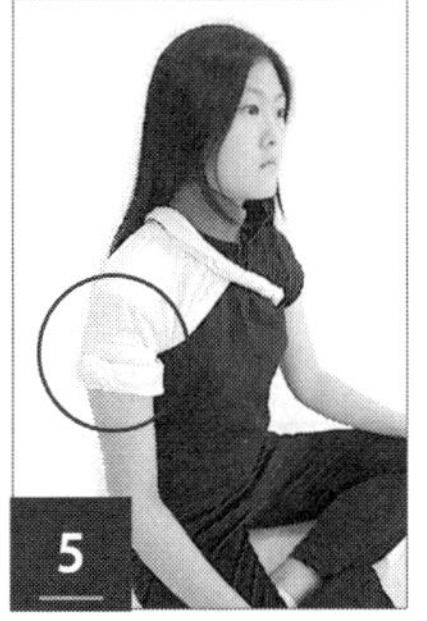
5

ㅁ 엉덩이

삼각건으로 엉덩이부위를 묶을 때에는 어깨부위와 같은 방법으로 한다. 이때 부상자의 허리띠를 지지용 삼각건으로 대용하고, 넓은 삼각건으로 넓적다리(허벅지)의 드레싱을 고정시킨다.

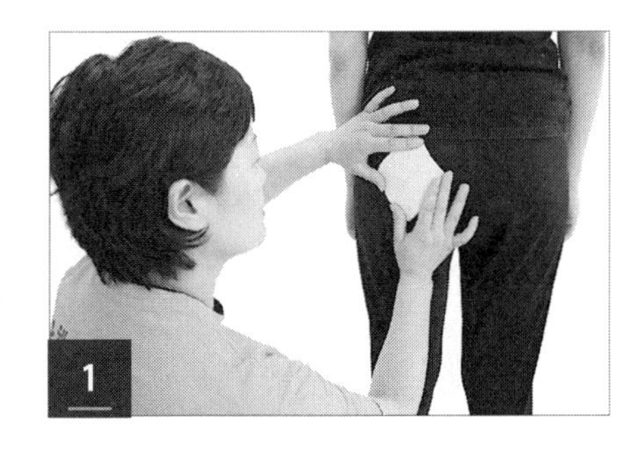
1

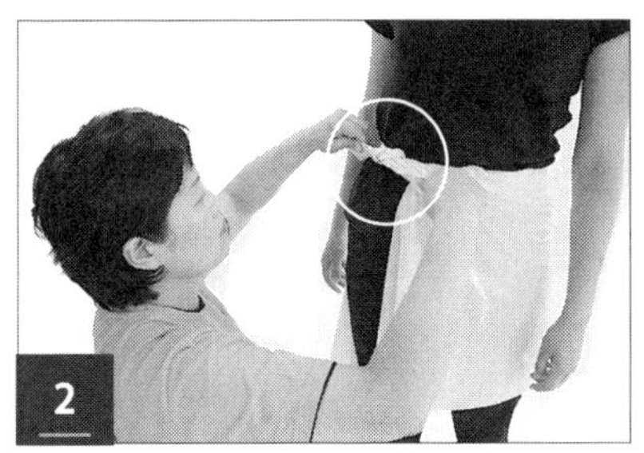

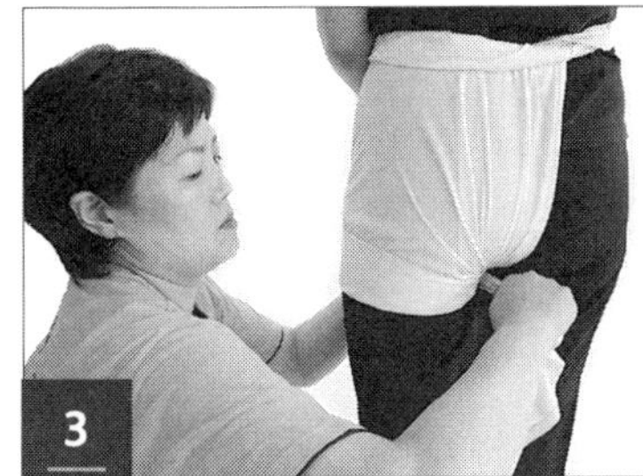

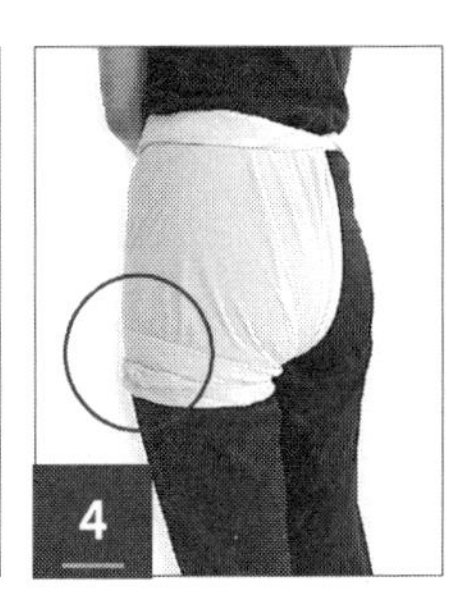

ㅁ 가슴 또는 등

창상 · 총상 · 화상 등을 입은 가슴에 한 넓은 드레싱을 고정시킬 때 사용한다.

- ▸ 부상당한 쪽의 어깨너머로 삼각건의 꼭짓점을 넘겨 놓고 상처부위를 덮은 다음 삼각건의 양끝을 등에 돌려 부상당한 어깨 바로 밑에서 묶되, 삼각건의 한 끝은 길게 하고 다른 끝은 짧게 남겨서 묶는다.
- ▸ 길게 남아 있는 삼각건의 끝을 등 위로 올려서 어깨 위에 넘겨진 삼각건의 꼭짓점과 함께 묶는다.

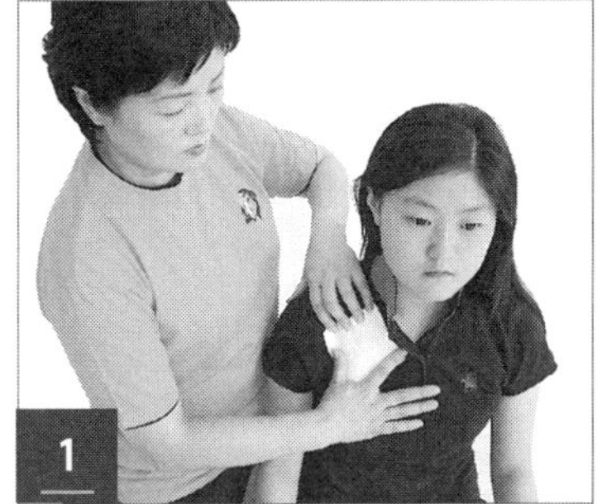

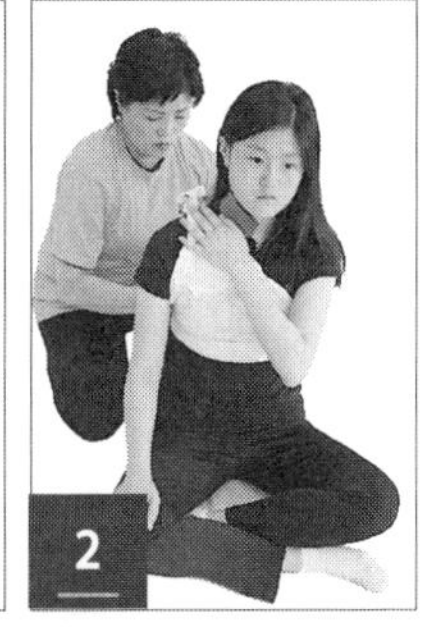

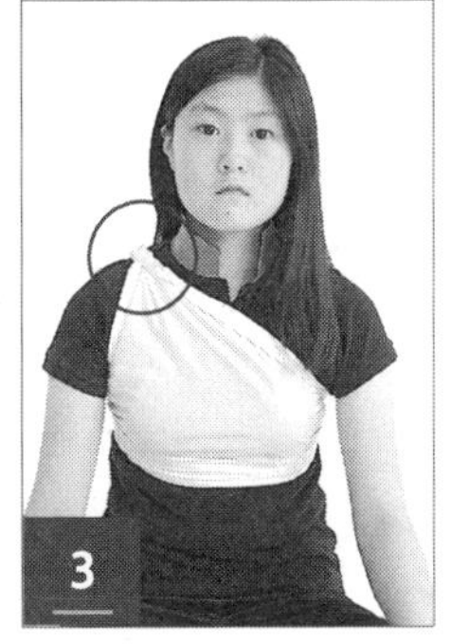

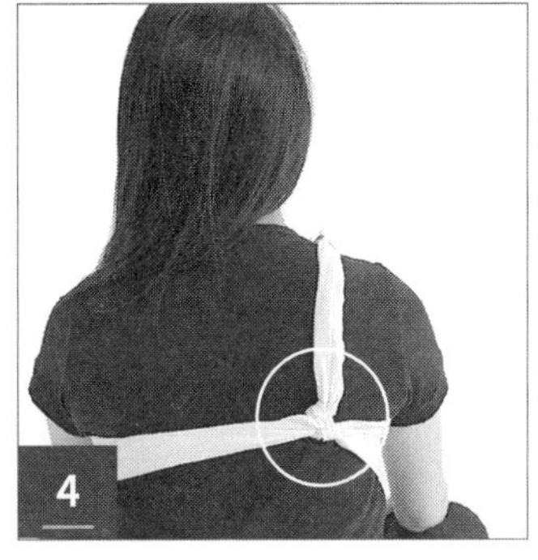

※ 등을 처치하는 방법은 가슴의 처치와 같지만, 차이점은 시작부위가 등이라는 것이다.

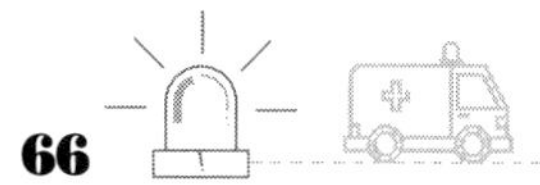

▫ 이마

이마의 상처에서 출혈이 심할 때 사용한다.

▸ 접은 삼각건을 드레싱 위에 놓는다.

▸ 삼각건 양끝을 돌려 머리를 감고 교차시켜 이마에서 양끝을 묶는다. 이때 이마의 상처부위를 피해서 묶어야 한다.

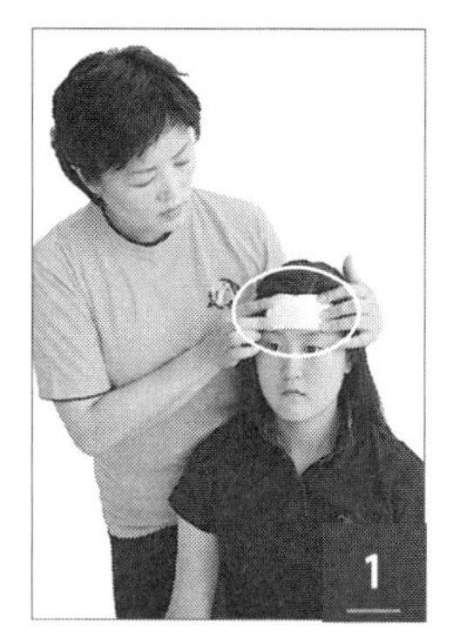
1

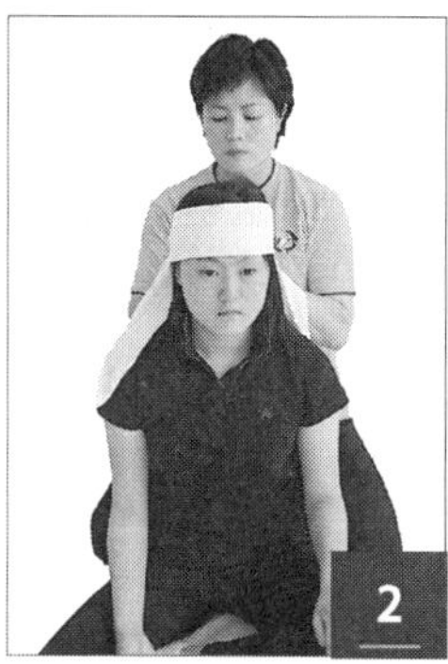
2

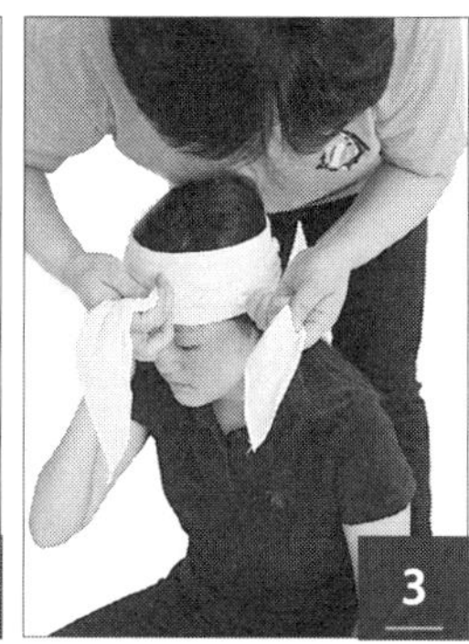
3

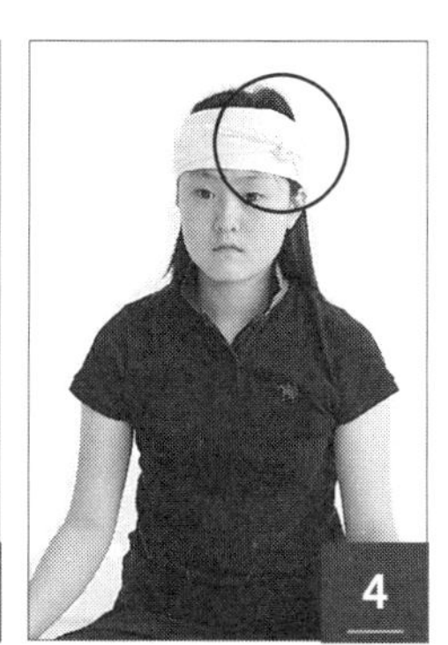
4

▫ 팔꿈치 또는 무릎

▸ 팔꿈치의 상처에 댄 드레싱을 고정시키고 팔꿈치의 운동도 가능케 한다.

▸ 팔꿈치를 ㄱ자로 구부린 자세로 삼각건을 감는다.

▸ 삼각건의 넓이를 7~10cm로 만든 후 중심을 드레싱 위에 놓고 감기 시작한다.

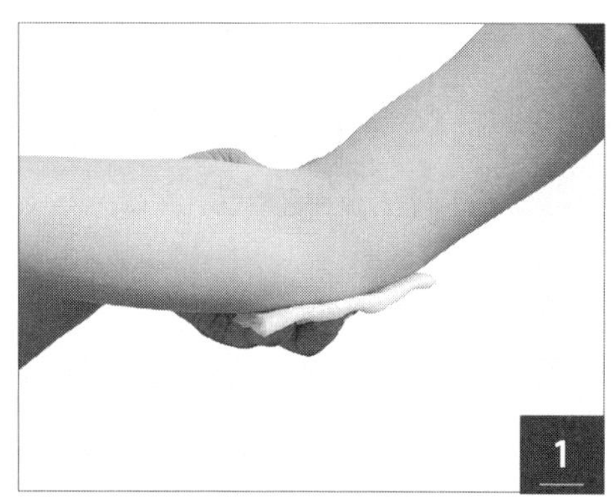
1

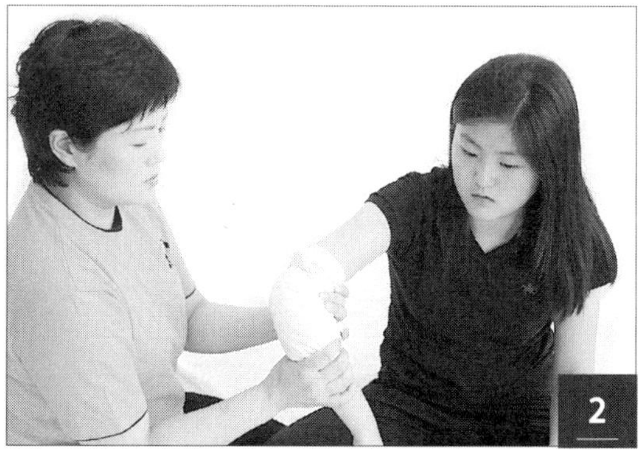
2

한 번 돌려 감은 후 한 쪽은 위팔 쪽으로 돌려 감아주고 다른 쪽은 아래팔쪽으로 돌려 감아준다.

▸ 삼각건의 양쪽끝이 팔꿉관절의 바깥쪽(다른 사람이 볼 수 있는 쪽)에서 만나게 한 후 묶어준다.

▸ 무릎에 댄 드레싱을 고정시키는 방법도 팔꿈치의 경우와 동일한데, 이때 너비를 좀더 넓게 하여 묶어주는 것이 효과적이다.

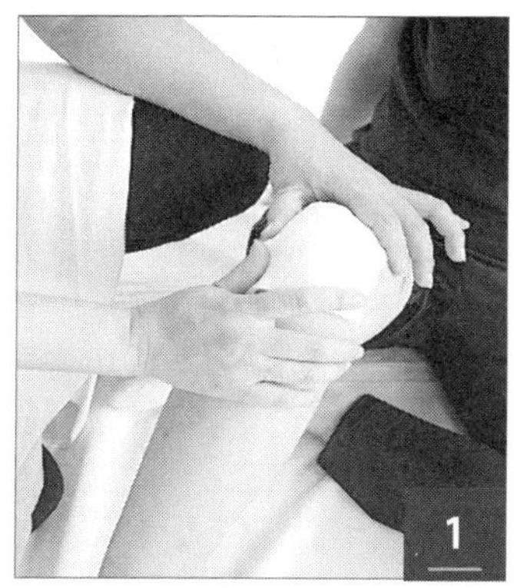
1

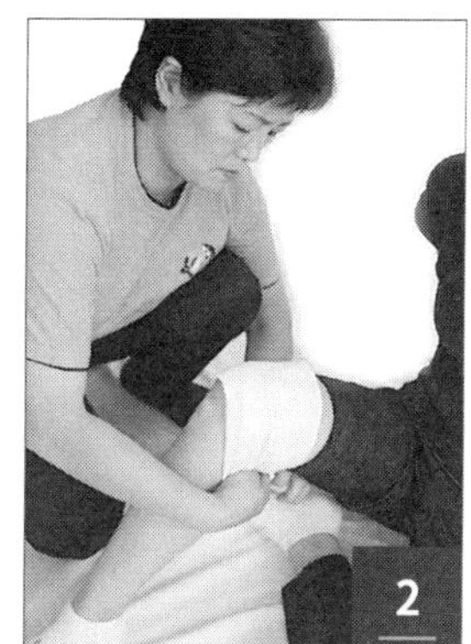
2

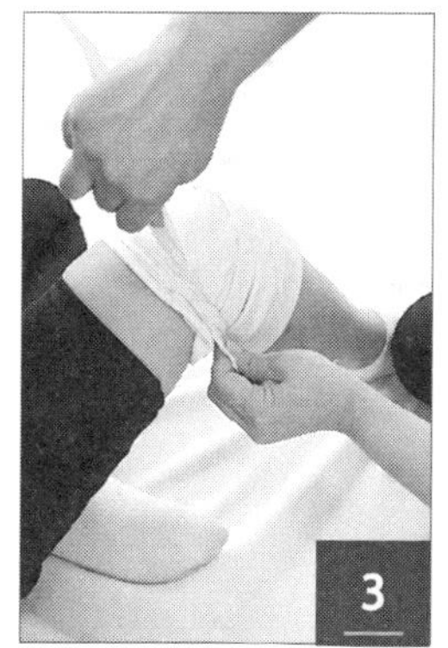
3

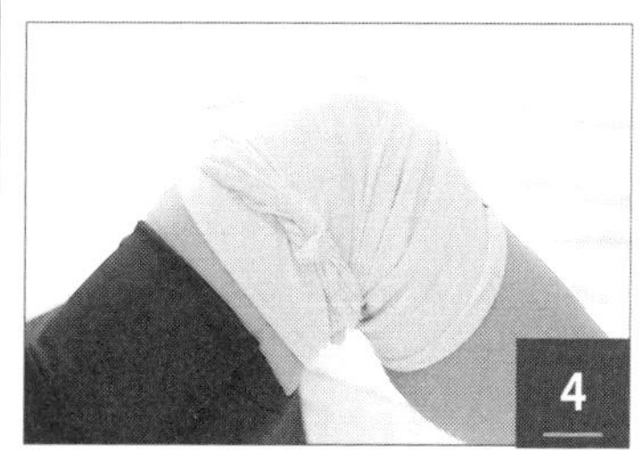
4

▫ 팔걸이

▸ 팔걸이는 어깨손상 시 팔을 지지하거나 고정시키기 위하여 사용한다.

▸ 삼각건의 한쪽 끝을 부상당하지 않은 어깨에 걸치고 다른 쪽끝은 가슴 앞에 늘어뜨린다.

▸ 삼각건의 꼭짓점은 부상당한 팔의 팔꿈치 위(밑)에 있게 한다.

▸ 부상당한 팔을 L자로 꺾어 가슴에 붙이고 앞으로 늘어뜨린 삼각건의 끝을 잡고 팔을 싸면서 부상당한 쪽 어깨에 가져가 목 뒤를 지나 다치지 않은 쪽 어

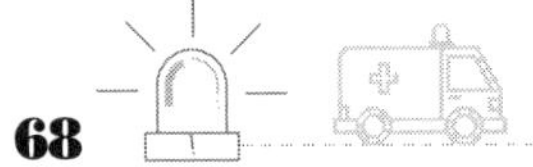
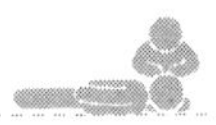

깨부위에서 묶는다.

▸ 손끝이 팔꿈치보다 5~10cm 정도 높게 한 자세로 묶는다.

※ 삼각건이 없을 때는 부상자의 셔츠 · 잠바 등의 안쪽으로 팔을 집어넣거나 벨트나 다른 끈을 팔걸이로 사용할 수도 있다.

✎ 탄력붕대 사용방법

▫ 탄력붕대를 감는 방법

▸ 붕대매기의 기본이며, 한자리에서 여러 번 돌려 감는다.

▸ 환행대로 감은 후 붕대너비의 2/3정도씩 겹치게 감는다.

▸ 팔이나 다리와 같이 한쪽이 점점 가늘어지는 부위를 감을 때에는 붕대너비의 2/3정도를 겹치게 감는다.

▸ 큰 거즈나 부목을 고정시킬 때에는 붕대의 너비만큼 또는 그 이상의 간격으로 벌려 나선형으로 감는다.

| 팔 또는 다리

▸ 안쪽과 바깥쪽으로 번갈아 가면서 감는다.

▸ 붕대끝을 접어 넣거나 클립이나 안전핀으로 고정시켜 마무리한다.

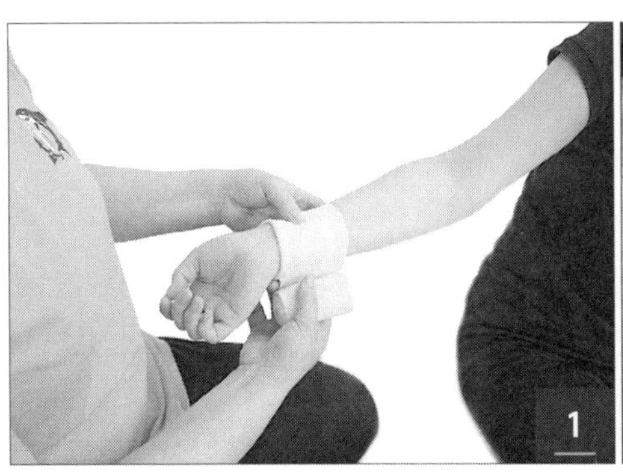

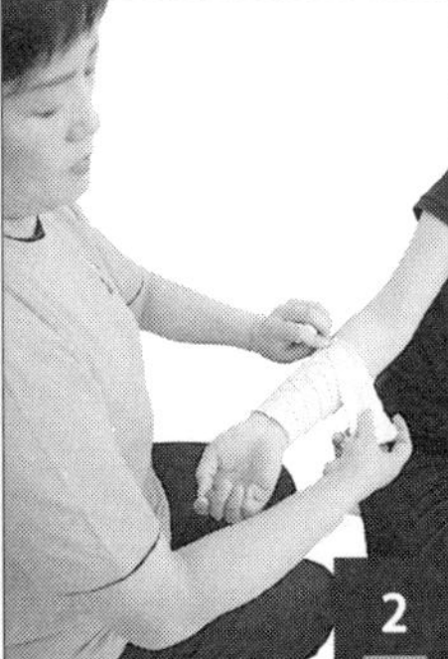

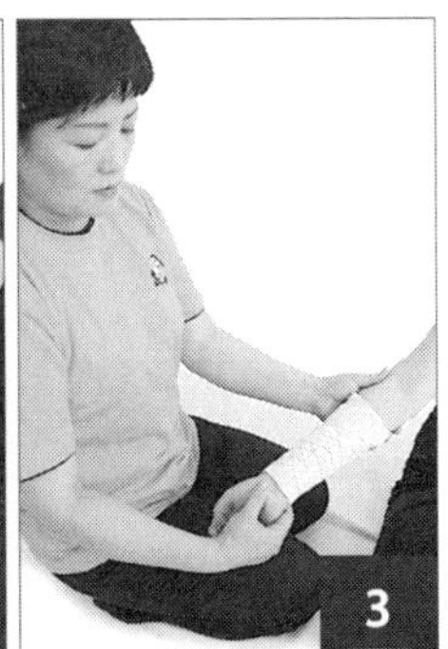

손 또는 발

- 환자가 자신의 상처부위를 지지하게 한다.
- 손(발)목에서부터 탄력붕대를 감기 시작한다.
- 손바닥(발바닥)과 손등(손바닥)을 감싸며 사선으로 감는다.
- 마지막은 손(발)목에서 마무리한다.
- 혈액순환 상태를 확인한다.

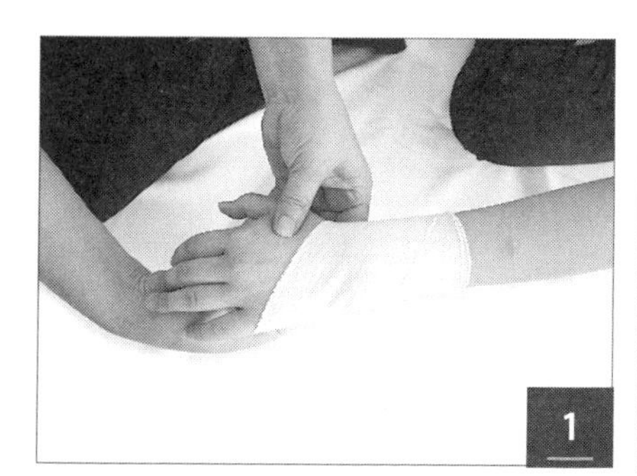
1

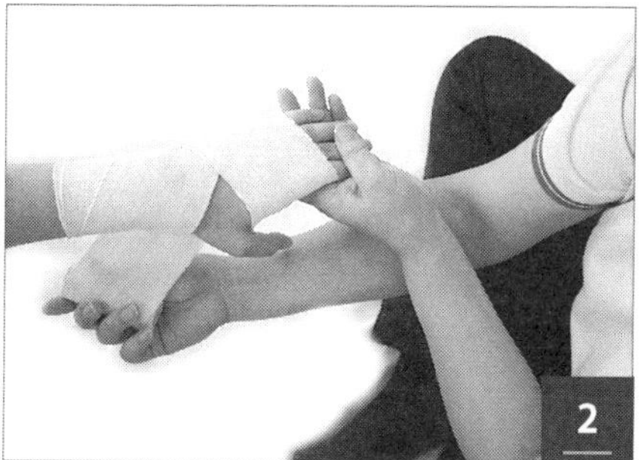
2

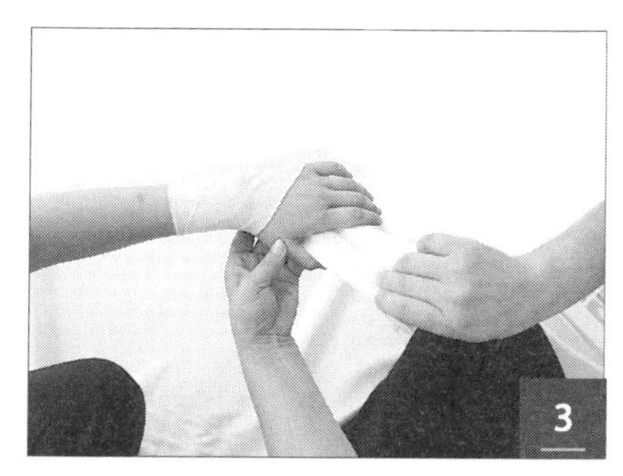
3

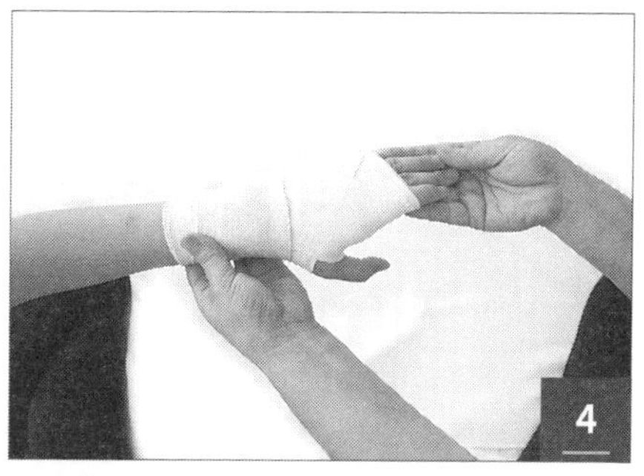
4

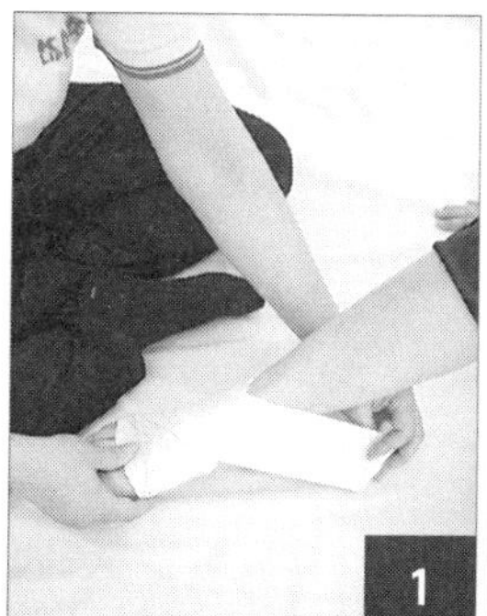
1

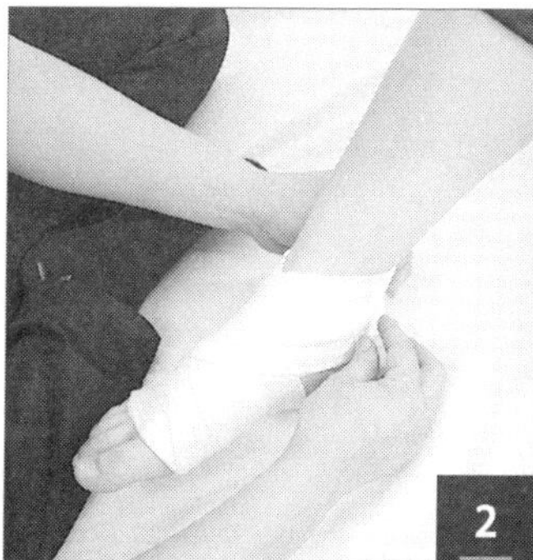
2

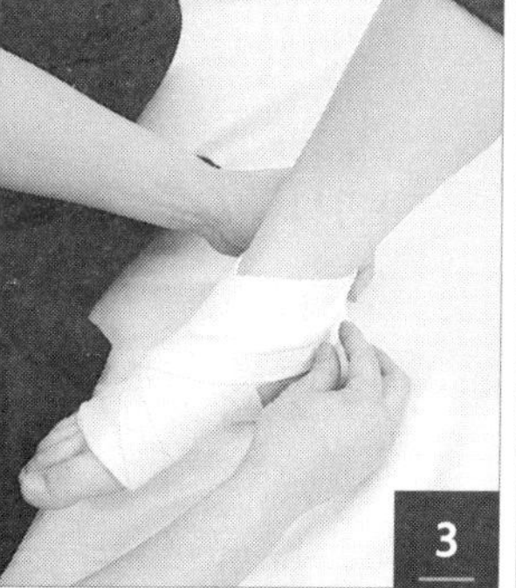
3

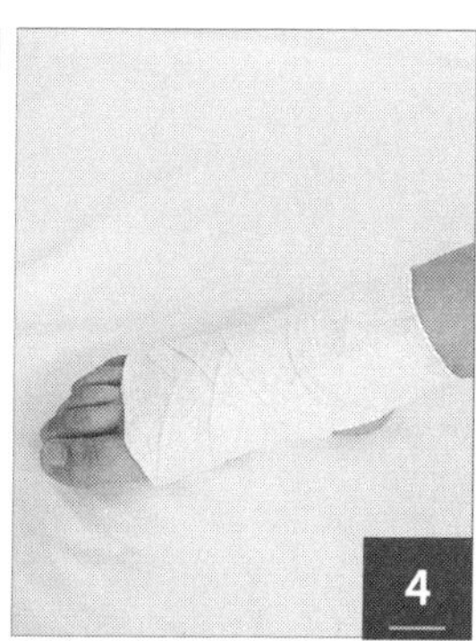
4

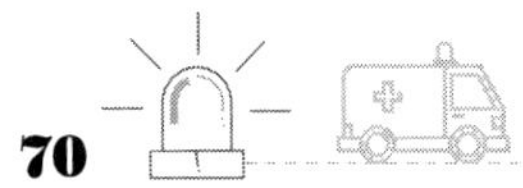

| 팔꿈치 또는 무릎

- ▸ 관절을 약간 구부린 자세로 유지한다.
- ▸ 탄력붕대의 끝을 관절에 두고 팔꿈치나 무릎의 상처부위를 감싼다.
- ▸ 관절 중심을 기점으로 시작하여 감는다.
- ▸ 관절의 위아래로 돌리며, 감은 붕대의 2/3를 덮으면서 감는다.
- ▸ 혈액순환 상태를 확인한다. 붕대가 너무 조이면 붕대를 풀어 느슨하게 감아 혈액순환이 회복되게 한다.

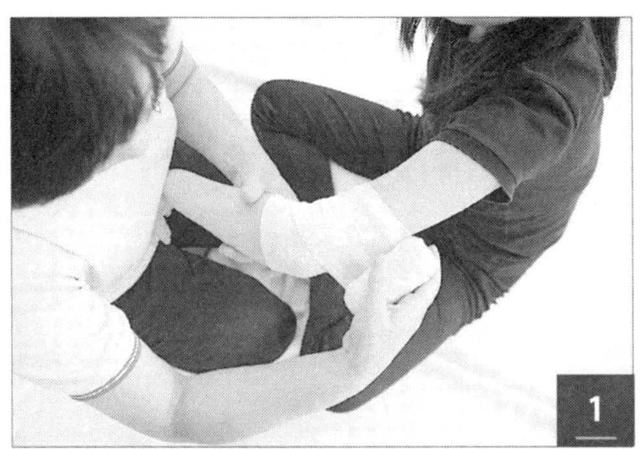

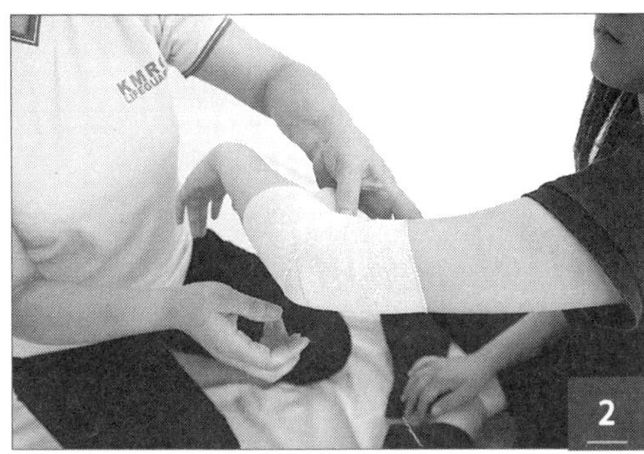

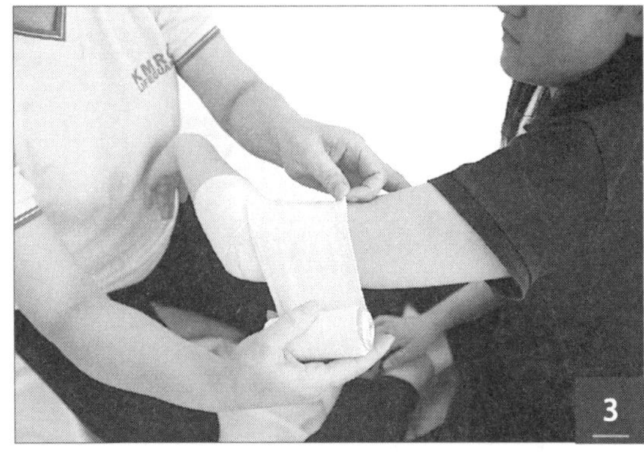

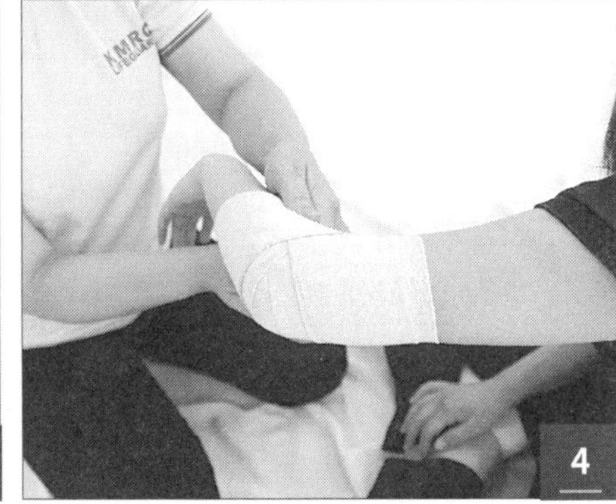

| 뺨 또는 귀

빰이나 귀에 상처가 났을 때 사용한다.

- 너비 7~10cm의 붕대를 사용한다.
- 뺨에 댄 드레싱을 싸면서 붕대의 한쪽 끝은 턱밑으로 하고, 다른 끝은 머리 위로 향하게 한 채 부상당하지 않은 반대편 귀 위에서 교차시킨다.
- 붕대의 짧은 끝은 이마로, 긴 끝은 머리 뒤로 돌려서 반대쪽 귀 위에서 묶는다.

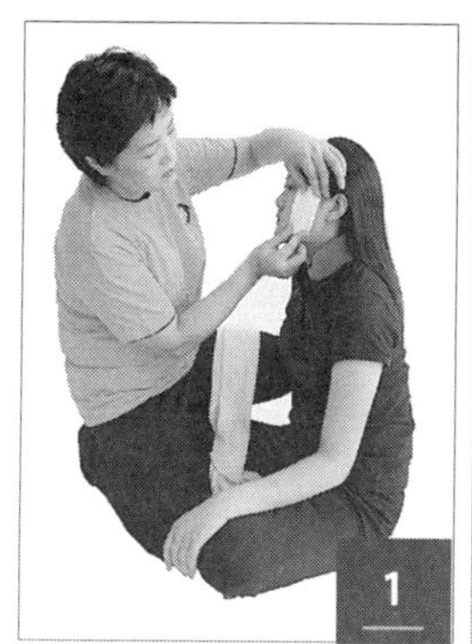

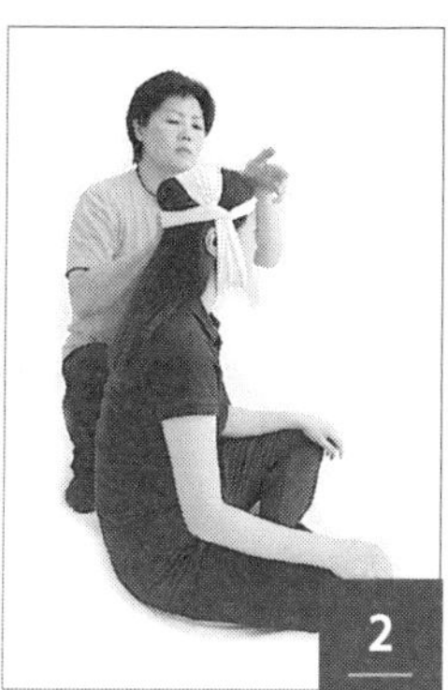

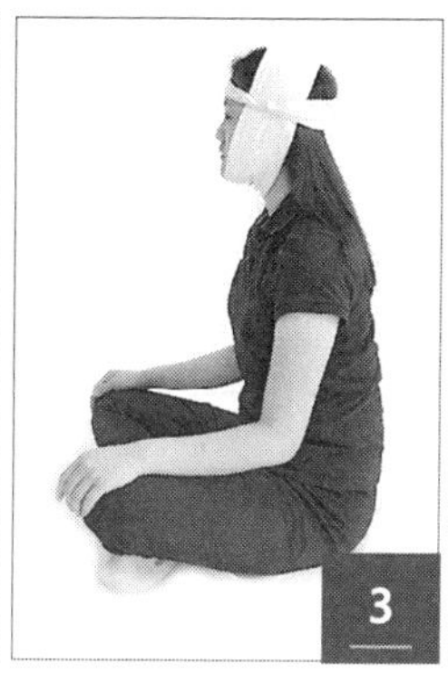

| 손바닥

- 엄지손가락을 제외하고 붕대의 중앙을 상처부위에 댄 드레싱 위에 놓는다.
- 붕대를 엄지손가락쪽의 손등으로 돌려 새끼손가락을 거쳐 엄지손가락 밑에 이르게 한다.

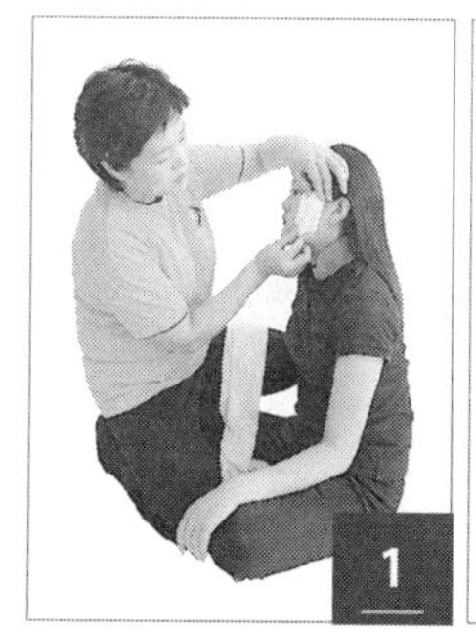

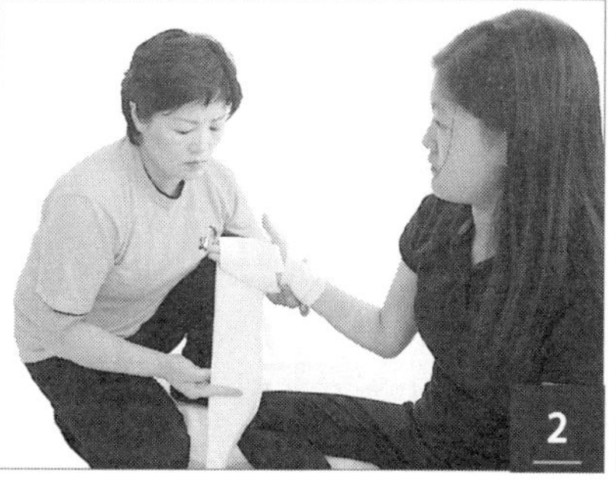

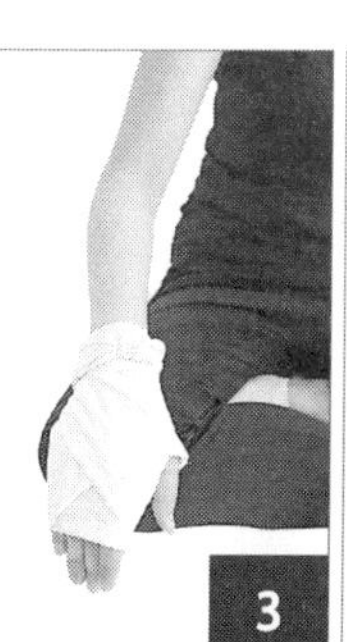

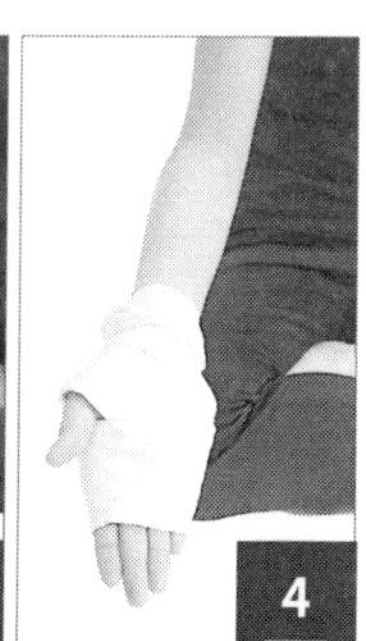

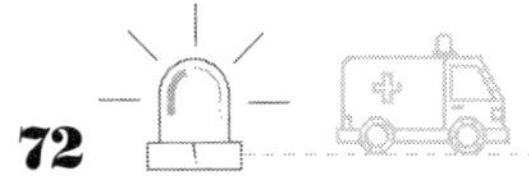

▸ 엄지손가락쪽의 붕대끝을 손등에 돌려 손목에 이르게 한 다음 붕대의 양끝으로 손목을 한두 번 돌려 그 끝을 묶는다.

※ 손바닥 압박붕대는 손바닥에 출혈이 있을 때 소독한 드레싱으로 압박용 고임을 하고 손가락을 구부려 주먹을 꽉 쥐게 한 다음 주먹을 붕대로 감는다.

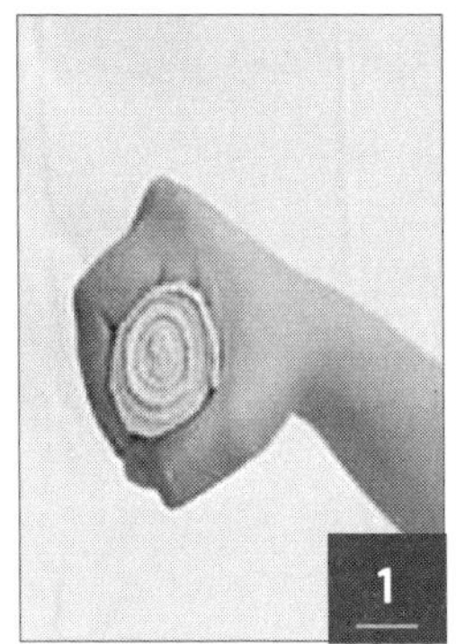
1

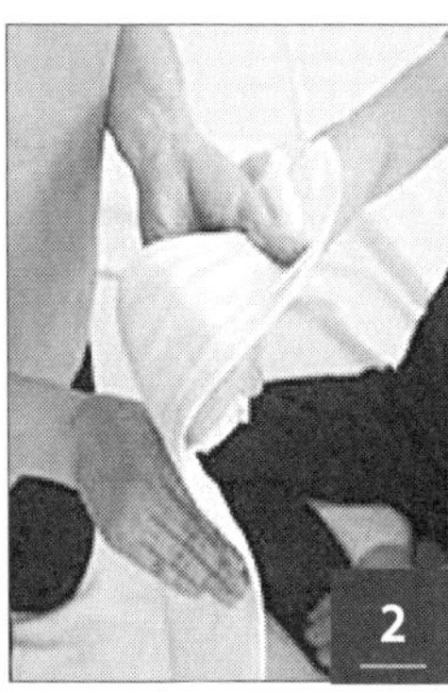
2

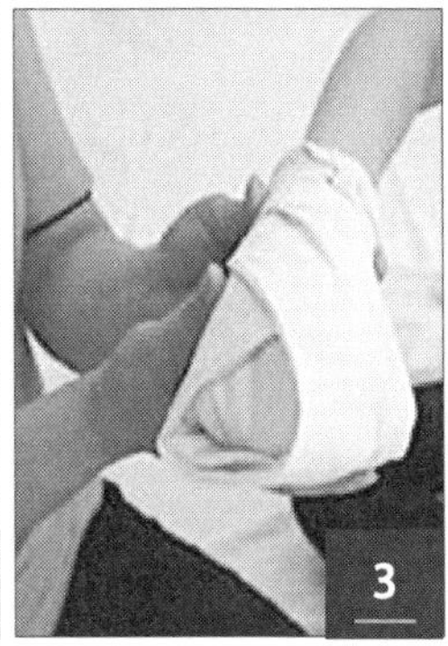
3

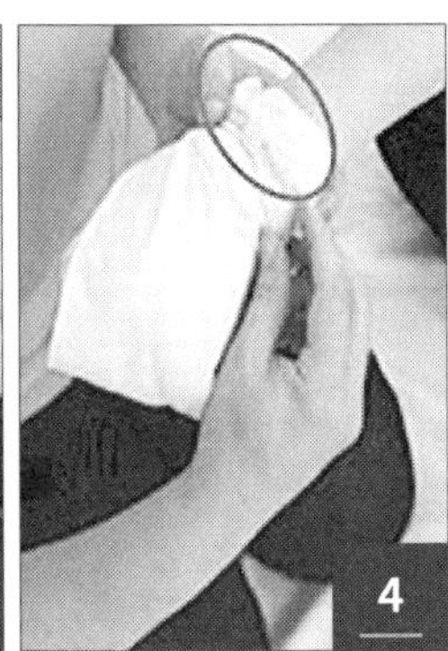
4

찔린 물체 고정

▸ 찔린 물체의 상태를 유지하면서 드레싱을 고정시킨다.

▸ 탄력붕대로 드레싱 부위를 감싸서 위 아래에서 고정시킨다.

▸ 혈액순환 상태를 확인한다.

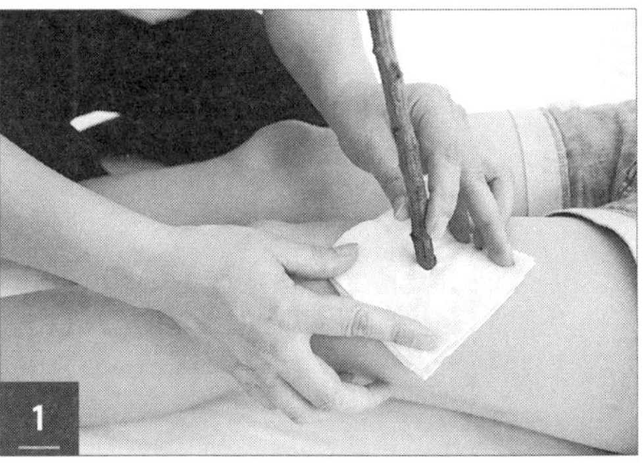
1

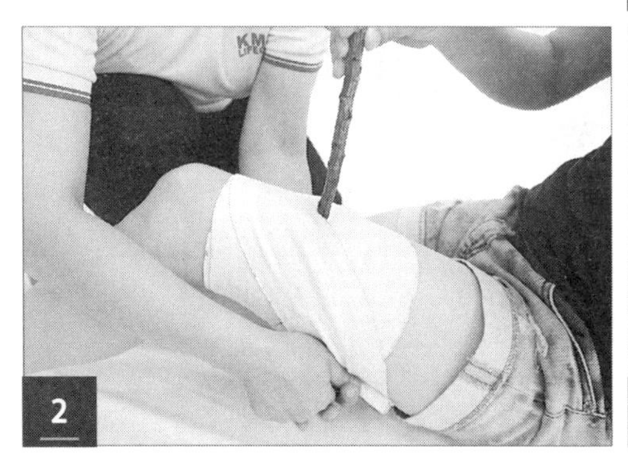
2

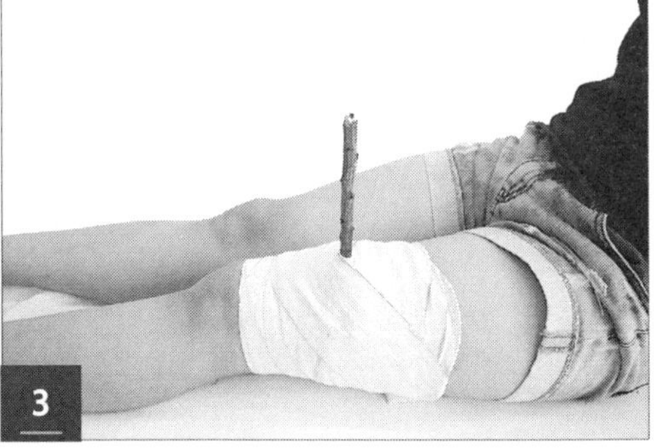
3

✎ 폐쇄성 상처의 처치

▫ 폐쇄성 상처의 특징

폐쇄성 상처에는 타박상이나 염좌와 같은 피부외상은 없고, 외부로 출혈도 하지 않으므로 가볍게 생각하기 쉽다. 그러나 피하조직에 장애가 있고, 상처부위가 붓거나 피하출혈로 인한 푸르스름한 그림자가 보이기도 한다. 타박상, 특히 머리 · 배 · 가슴의 타박상은 내출혈이나 내장손상을 동반할 수도 있기 때문에 주의가 필요하다. 팔다리에는 골절 · 탈구 · 염좌 등이 동반되는 경우도 있다.

※ 폐쇄성 상처에 대한 응급처치의 기본

폐쇄성 상처의 응급처치는 상처의 냉각과 안정 · 고정이 기본이며, 다음과 같은 절차로 실시한다.

- ▸ 타박상일 경우에는 손상부위를 차게 하여 안정시킨 다음 병원으로 이송한다.
- ▸ 염좌부위는 차게 하고, 골절 시에는 움직이지 않도록 고정시킨 다음 병원으로 이송한다.
- ▸ 따뜻하게 하거나 물에 넣으면 내출혈이 심해지고 부기가 더욱 커지므로 주의한다.

사고로 인한 손상자의 응급처치

머리손상

교통사고, 추락사고, 넘어짐, 난폭한 행동 등에 의해 머리손상이 발생할 수 있다. 이로 인한 손상의 종류는 다음과 같다.

머리의 피부 · 피부밑손상

직접적인 생명의 위험은 없지만, 머리의 피부에는 혈관이 많이 분포되어 있기 때문에 작은 상처에도 출혈이 많다. 피부밑이 손상되면 혹같은 것이 생기고, 붉은 색으로 부어오른다.

뇌진탕

머리에 손상를 입으면 일시적으로 의식을 잃어버리지만, 대부분 몇 분 이내에 어떠한 장애도 남기지 않고 회복된다.

머리뼈골절

머리뼈가 골절되면 머리 속 손상이 동반되는 경우가 많다. 골절만 있는 경우에는 생명의 위험은 적다.

머리 속 손상

머리 속 손상에는 출혈과 뇌좌상이 있다. 이때에는 시간경과와 함께 중증으로 변화하므로 신속하고 적절한 치료가 행해지지 않으면 치명상이 될 수 있다.

이러한 경우에는 다음과 같은 의식상태가 무엇보다 중요한 단서가 된다.

▸ 부상 직후부터 의식이 없는가, 혹은 불명료한 상태인가.

▸ 부상 직후에 일시적으로 의식을 잃어버렸지만 이윽고 회복되어 어느 정도 시간이 지난 후 의식장애가 나타나는 경우

▸ 최초에는 의식이 확실하게 있었지만 점차 의식장애가 발생하는 경우

이와 같이 의식장애, 격렬한 두통, 메스꺼움, 구토, 경련, 귀 출혈, 코 출혈 등이 있으면 머리 속이 손상되었다고 의심할 수 있다.

※ 현장에서 실시하는 머리손상환자의 응급처치

머리를 다쳤을 때 현장에서 실시할 수 있는 응급처치로는 안정과 지혈 정도이다. 의식장애 · 구토 · 경련 등의 증상이 있으면 즉시 병원으로 이송해야 한다.

이 경우의 응급처치방법은 다음과 같다.

▸ 머리를 다치면 편안하게 눕힌다.

▸ 처음에는 이상이 없는 것처럼 보여도 12~24시간은 안정을 취해야 한다.

▸ 머리를 약간 높게 한 다음 의식상태에 주의한다.

▸ 혹이 생겼다면 얼음찜질을 한다.

▸ 머리의 피부에 출혈이 있으면 지혈한다. 출혈이 가벼운 경우와 심한 경우가 있다.

▸ 머리는 상처가 적어도 출혈이 많기 때문에 청결한 거즈나 손수건 등으로 상처부위를 직접 압박하여 지혈한다.

▸ 구토 · 경련 · 의식장애 등이 있으면 곧바로 병원으로 이송한다.

» 기도를 확보하고 가능한 한 신속하게 병원으로 이송한다.

» 가능한 한 안정상태를 유지한 채로 이동한다.

» 호흡정지가 있으면 심폐소생술을 실시한다.

가슴손상

가슴손상는 타박이나 압박에 의한 무딘손상(blunt injury, 둔기손상)과 칼이나 총기 등에 의한 뾰족손상(sharp injury, 예상손상)이 있다. 무딘손상이란 넘어지거나, 책상모서리에 부딪치거나, 자동차에 치여서 입은 상처를 지칭한다. 대부분 교통사고, 스포츠사고, 기계 · 기재 등의 낙하나 압박, 난폭행위 등에 의해서 발생하고 있다. 뾰족손상이란 칼과 같은 날카로운 물건에 의해 입은 손상를 지칭하는데, 나이프 · 식칼 · 총 등에 의해서 입는 손상이다.

✎ 무딘손상

- 무딘손상에는 타박 정도가 가벼운 것이 있는가 하면, 갈비뼈골절도 있다. 특히 호흡을 할 때마다 타박부위에 강한 통증이 있다면, 골절 가능성이 높다고 할 수 있다. 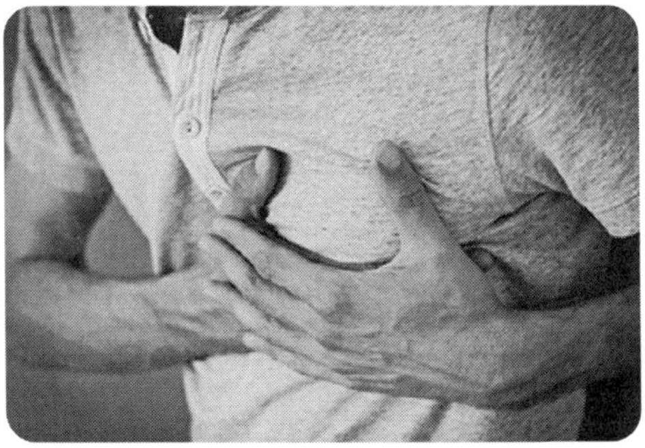
- 단순한 갈비뼈골절 시에는 심한 호흡곤란을 일으키는 경우는 없지만, 여러 개의 갈비뼈가 부러지거나, 양쪽 갈비뼈가 부러진 경우에는 호흡곤란이 동반된다.
- 골절된 뼈의 끝부분이 허파나 혈관에 손상을 입히는 경우에는 가슴 내에 공기나 혈액이 쌓여(기흉(氣胸), 혈흉(血胸)) 호흡곤란을 일으켜 기침이나 혈담이 배출된다.
- 입술이나 손끝이 청자색으로 변하면(시아노제) 중증 호흡곤란으로 위험한 상태라 할 수 있다.

✎ 뵤족손상

▸ 뵤족손상에서는 갈비뼈골절보다도 허파 · 심장 · 대혈관 · 기관 · 식도의 손상이 중점적으로 부각된다.

▸ 어떠한 경우에도 호흡곤란이나 출혈성쇼크 등의 증상이 나타나고, 즉시 응급처치를 실시하지 않으면 치명적인 상태가 될 수 있다.

※ 현장에서 실시하는 가슴손상환자의 응급처치

▸ 입은 옷을 풀어헤치고 수평으로 눕힌다.

▸ 상반신을 약간 높이는 편이 편안하다면 이불이나 담요 등에 기대게 한다.

▸ 큰 소리를 내거나 몸이 굽혀지지 않도록 주의한다.

▸ 호흡곤란과 함께 기침이나 담(가래)이 나올 때에는 가능한 한 소리가 나오지 않도록 한다.

▸ 호흡할 때 손상부위에서 출혈이 과다한 경우에는 청결한 거즈나 수건을 대고 손상부위를 막는다. 이때 너무 강하게 압박하지 않도록 한다.

▸ 칼 등에 의해 벤 상처는 손상부위가 작고 최초 증상이 없다고 해도, 시간이 지남에 따라 호흡곤란이나 출혈성쇼크가 나타나는 경우가 발생하기 때문에 주의가 필요하다.

▸ 호흡정지가 되면 인공호흡을 실시한다. 심장마사지를 실시할 때 갈비뼈골절이 있으면 부러진 뼈끝으로 인해 심장이 손상될 위험이 있으므로 주의한다.

» 타박 등의 무딘손상인 경우에는 편안하게 눕힌다.

» 칼 등에 의한 뵤족손상인 경우에는 손상부위를 거즈나 수건으로 막고 지혈한다.

 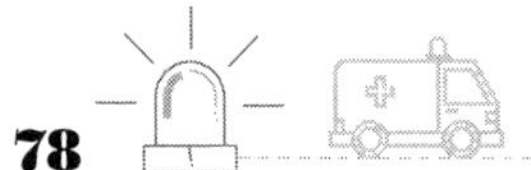 

배손상

배는 교통사고, 높은 곳에서 추락, 넘어짐, 스포츠, 폭력행위 등으로 배를 강하게 맞거나 기계 · 자동차 등에 의해서 배를 강하게 압박받으면 배손상이 발생한다. 또한 칼이나 총기에 의한 손상도 자주 있으며, 교통사고 · 산업재해 시에는 강력한 외부의 힘에 의해 복부가 갈라져 내장이 밖으로 튀어나온 경우도 있다.

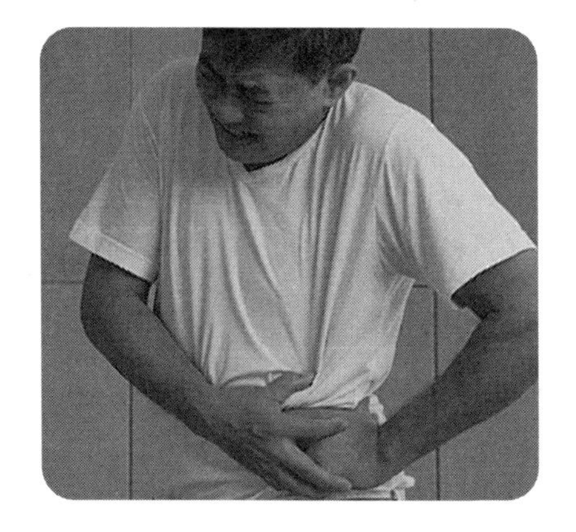

배에 강한 타박이나 압박이 가해지면 간 · 지라(비장) · 심장 등이 파열되는 경우도 있으며, 출혈이 과다하면 출혈성쇼크를 일으키기도 한다. 이러한 경우에는 가능한 한 신속하게 수술을 실시하여 출혈을 멈추게 하지 않으면 생명을 잃을 수도 있다.

부상 직후부터 강력한 복통이 있고, 순식간에 얼굴이 창백해지고, 호흡이 약해지고 배가 부풀어오르면 내장파열에 의한 다량출혈이라 생각하면 된다. 또한 위나 큰창자 · 작은창자 등의 소화기 파열을 일으키는 경우도 있는데, 이와 같은 경우에는 시간의 경과와 함께 배막염(복막염)으로 진전되어버린다. 배막염의 증상은 부상을 입은 후부터 몇 시간이 지나서 나타나는 경우가 많고, 발열이나 구토를 동반하고 배가 나무판자처럼 딱딱하게 굳어버린다. 이와 같은 배막염 증상이 발생하면, 긴급수술이 필요하다.

나이프나 식칼 같은 물건에 의한 상처, 총기류에 의한 총상 등도 중요 장기를 손상시키고, 출혈과 배막염을 일으키는 경우가 대부분이다. 배는 부드러워서 누르면 움푹 들어간다. 이 때문에 배가 나이프 등에 찔리면 표면적으로는 작은 상처자국에 불과해도 의외로 깊어서 내부에 커다란 손상을 일으킬 수도 있다. 그렇기 때문에 배손상 시에는 표면적인 상처에 현혹되지 않도록 주의해야 한다.

※ 현장에서 실시하는 배손상환자의 응급처치

- ▸ 복통이 심하면 의복을 풀어헤치고 편안하게 눕힌다.
- ▸ 메스꺼움이나 구토가 있으면 머리를 낮게 하고 얼굴을 옆으로 향하게 한다.
- ▸ 복통이 있어도 배를 따뜻하게 하지 않는다.
- ▸ 베개나 담요를 오금에 받쳐 다리를 굽혀 배의 긴장을 풀어준다.
- ▸ 복통이 가벼운 경우에도 몇 시간은 안정을 취하게 하고 상태를 살펴본다.
- ▸ 물이나 음식물을 주어서는 안 된다.
- ▸ 배의 장기가 노출된 경우에는 청결한 거즈나 수건을 덮고, 옷이나 복대로 배를 가볍게 감는다. 노출된 장기를 속으로 집어넣으려고 해서는 안 된다.
- ▸ 칼 등에 의한 손상 시에는 성급하게 칼을 빼지 말고, 찔린 채로 거즈나 타월로 감싼 후에 병원으로 이송한다. 당황하여 빼면 오히려 상처를 심하게 만들 위험성이 있다.
- ▸ 출혈성 쇼크가 발생하면 가능한 한 신속하게 병원으로 이송한다.

팔다리 · 골반부손상

팔다리(팔과 다리)손상에는 타박상, 염좌, 탈구, 골절 등이 있다. 골반부의 손상은 타박상과 골절이 대부분이다.

✎ 타박상

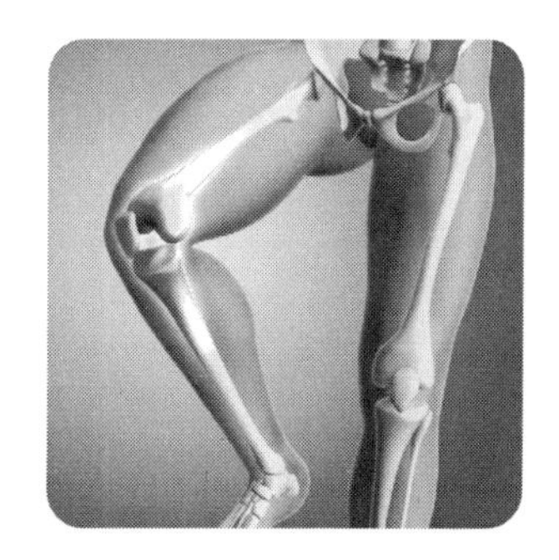

타박상은 막대기 등에 맞았을 때와 물건에 강하게 부딪쳤을 때 일어나는 손상인데, 이때에는 피하조직이 일부 잘려 내부출혈을 일으킨다. 그래서 부어오른 상태가 되어 그 부분을 누르면 통증이 있다. 타박상은 팔다

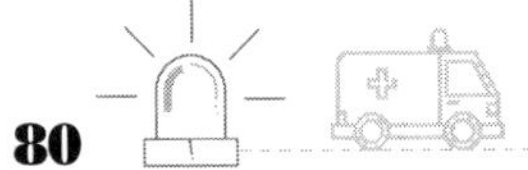
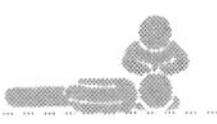

리의 어느 부위에서도 일어날 수 있으며, 관절타박상은 무릎에서 많이 발생한다.

※ 현장에서 실시하는 타박상환자의 응급처치

▸ 가능한 한 신속하게 얼음찜질을 하고 움직이지 않도록 붕대로 고정한다.

▸ 상처가 있을 때는 상처를 물로 씻고, 거즈 등으로 덮은 후에 냉습포를 대고 붕대를 감는다.

✎ 염좌

염좌(삠)는 관절 및 그 주변에서 일어나는 외상으로, 관절주머니 · 인대 · 힘줄 · 관절 주위의 근육 등 관절을 형성하는 요소들 중 일부가 끊어지는 것이다.

염좌는 관절이 어긋난 상태는 아니기 때문에 관절을 움직일 수는 있지만, 매우 심한 통증이 수반되고, 몇 시간이 지나면 관절 내부 혹은 주위에 내출혈이 발생하고 부어오른다. 이것은 관절을 중심으로 한 손상이므로 가동범위가 넓은 관절(어깨관절, 엉덩관절)에는 일어나기 어렵고, 가동범위가 높은 관절(발목관절, 무릎관절, 손목관절)을 무리하게 움직였을 때 쉽게 발생한다. 그중에서도 발목관절염좌가 가장 흔하다.

※ 현장에서 실시하는 염좌환자의 응급처치

▸ 손상염좌부위에 얼음찜질을 한다.

움직이지 않도록 하고,
재빨리 얼음찜질 또는
냉찜질을 한다.

▸ 손상부위를 고정시킨다.

병원으로 이송하기 전의 응급처치는 목욕타월, 수건, 삼각대, 스타킹 등으로 고정시키는 것이다.

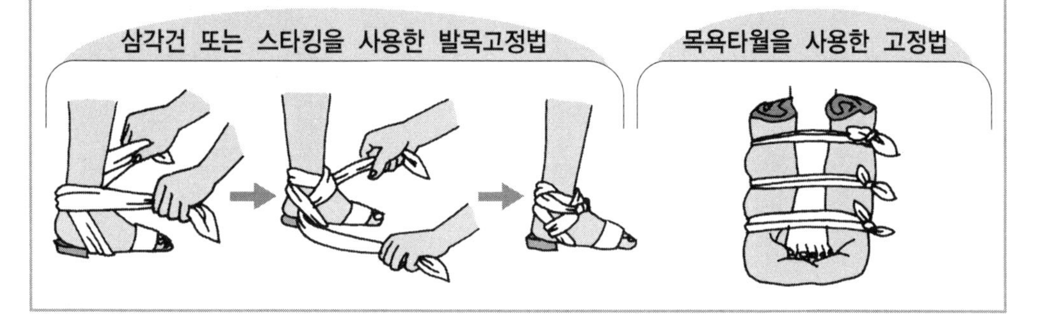

▸ 손상부위를 안정시킨다.

냉습포제 등을 바르고 움직이지 않도록 고정부위의 위쪽을 얼음주머니 등으로 약 하루 정도 지속적으로 냉찜질하면서 안정시킨다.

발목고정

탄력붕대를 사용한 발목고정 시에는 8자로 감는다.

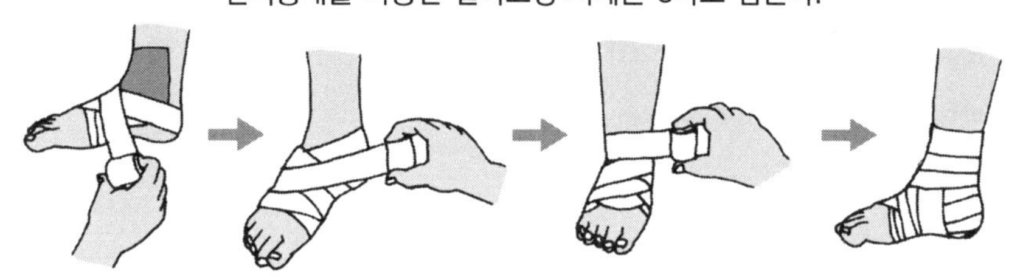

무릎고정

무릎관절을 붕대로 고정할 때에는 밑에서부터 위로 감는다.

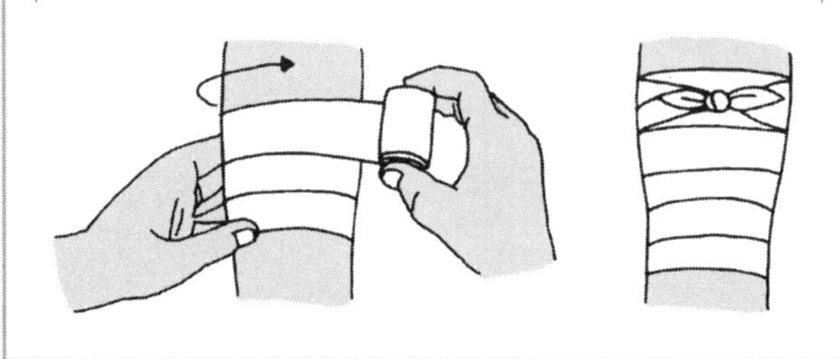

부목을 사용한 발목고정법

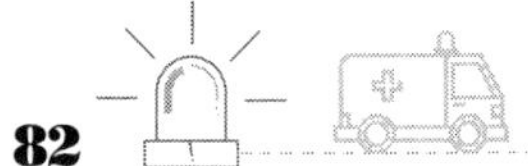

✎ 손가락돌출

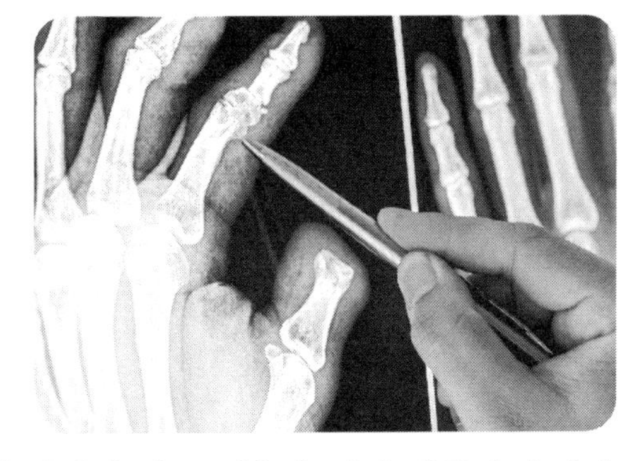

손가락이 무엇인가에 충돌하거나, 공에 맞거나, 외부에서 순간적으로 강력한 힘이 가해지면 손가락마디가 돌출하게 된다. 일종의 염좌로 볼 수 있지만, 때로는 골절 · 탈구 · 힘줄단열 등을 동반하는 경우도 있기 때문에 대단하지 않다고 경시해서는 안 된다. 골절이나 탈구가 동반되면 변형이 남는 경우가 있기 때문에 손가락이 움직이지 않을 때는 반드시 병원에 가서 진찰을 받도록 한다.

※ 현장에서 실시하는 손가락돌출환자의 응급처치

▸ 가능한 한 신속하게 환부를 차게 한다. 절대로 당겨보거나 눌러서는 안 된다.

» 세면기의 물로 환부를 차게 할 때에는 얼음을 넣는 편이 좋다.

» 얼음을 비닐주머니에 넣어 환부를 차게 할 때에는 환부에 거즈를 댄다.

▸ 30분 이상 차게 한 후에 반창고 등으로 고정한다. 냉습포를 사용하여 붕대로 고정해 두는 편이 바람직하다.

✎ 근육파열

근육파열은 격렬한 운동을 할 때 갑자기 근육에 무리하게 힘을 주면 일어나기 쉽다. 이것은 근육섬유의 파열이나 그것을 감싸고 있는 근막손상이 원인이다. 일반적으로는 넙다리나 장딴지근에 많고, 배근육에서 일어나는 경우도 있다. 붓거나 내출혈은 거의 일어나지 않지만, 갑자기 통증을 느끼거나 걸을 수 없게 되며, 그 근육을 사용하거나 압박하면 상당한 통증이 있다. 운동을 하기 전에 스트레칭 등의 준비운동을 철저히 함으로써 예방이 가능하다.

※ 현장에서 실시하는 근육파열환자의 응급처치

▸ 근육파열을 일으켰다고 생각되면 환부에 탄력붕대를 감고 압박을 하든가, 지지대를 대서 환부를 안정시킨다.

▸ 그 위에다 얼음주머니 등으로 환부를 차게 한다.

▸ 환부를 차게 하고 안정을 유지한 채 병원에 가서 진찰을 받는다. 병원에 갈 때에는 환자를 걷게 해서는 안 된다.

✎ 탈구

탈구는 관절이 어긋난 것으로 어깨관절에 많으며, 다음으로 팔꿉관절에서 많이 일어난다. 외상성탈구는 관절주머니가 끊어져 있거나, 뼈의 일부가 관절주머니 밖으로 나온 상태이다. 그렇기 때문에 인대 · 힘줄 · 근육 등이 끊어져 있는 경우가 있다. 탈구 가운데는 손가락은 움직여지지만, 환부를 조금이라도 움직이면 심한 통증을 느끼는 경우도 있다.

※ 현장에서 실시하는 탈구환자의 응급처치

※ 통증이 적은 부위에서 고정시켜 병원으로 이송한다.

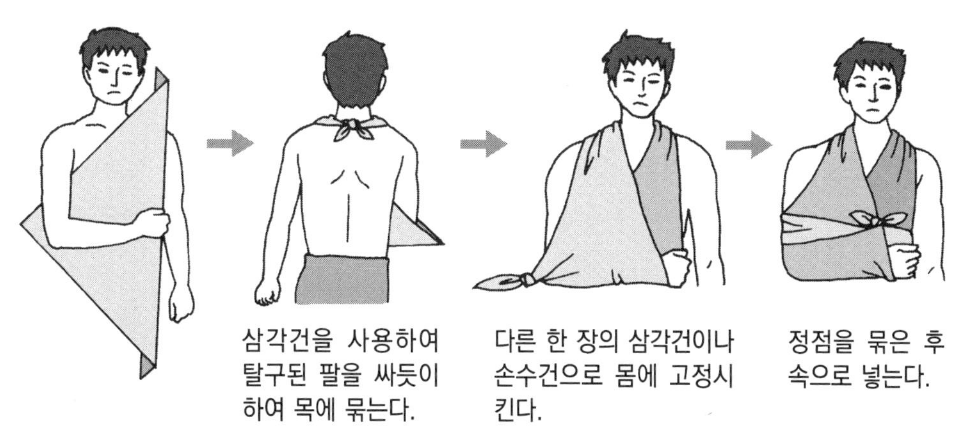

삼각건을 사용하여 탈구된 팔을 싸듯이 하여 목에 묶는다.

다른 한 장의 삼각건이나 손수건으로 몸에 고정시킨다.

정점을 묶은 후 속으로 넣는다.

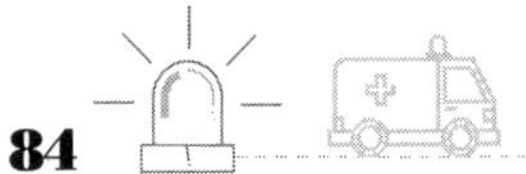

어깨관절의 탈구라고 의심되는 경우에 통증이 심하면 가장 통증이 약한 위치에서 움직이지 않도록 고정시킨다. 탈구일 때는 골절이 수반되거나 주변의 근육 · 신경 · 혈관 등의 손상을 동반할 수도 있으므로 무리하게 회복되었는가를 시험해서는 안 된다.

✎ 골절

뼈가 부러지거나 금이 가는 등의 상처를 골절이라 한다. 골절에 의해서 피부가 찢어지거나 골절된 뼈가 보이는 상태를 개방골절(복합골절)이라 하고, 피부에는 손상이 없는 골절을 피하골절(단순골절)이라 한다.

골절은 외부에서 강력한 힘이 가해져서 일어나는데, 일반적으로 넘어짐 · 추락 · 충돌 등에 기인한다. 손상를 입으면 곧바로 격렬한 통증이 따르고, 부기가 나타나며, 움직일 수 없게 되며, 외견상으로도 골절부의 변형이 나타나는 등 얼핏보아도 중증이라고 생각되는 경우가 많다.

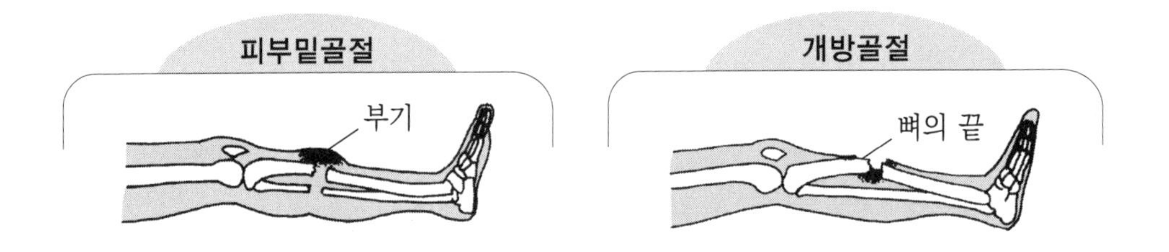

※ 현장에서 실시하는 골절환자의 응급처치

피부밑골절인 경우에는 골절된 손발이 움직이지 않도록 부목을 대고 고정시킨다. 부목에 사용하는 재료는 나무판, 우산, 골판지, 잡지 등 골절부를 고정시킬 수 있는 것이라면 무엇이든지 가능하다. 이것은 부상부위를 보호하고, 통증을 완화시키며, 악화를 방지하기 위한 조치이다.

골절이 되면 서둘러서 병원으로 이송하기보다는 현장에서 확실하게 고정한 다음 이송하는 편이 회복에도 좋다. 뼈가 상처 밖으로 삐져나온 개방골절인 때에는 나온 뼈를 원상태로 회복시키려고 해서는 안 된다. 상처 위에 보호용거즈를 덮어서 상처 부위가 닿지 않도록 고정시킨다.

▫ 골절부위별 고정법

▸ **어깨뼈골절 |** 빗장뼈 · 어깨뼈의 골절은 넘어질 때 어깨부터 바닥에 닿을 때 발생하기 쉬우며, 이때에는 삼각건으로 팔을 들어올려 팔 전체를 고정시킨다. 이 방법은 탈구 시 고정법과 같다.

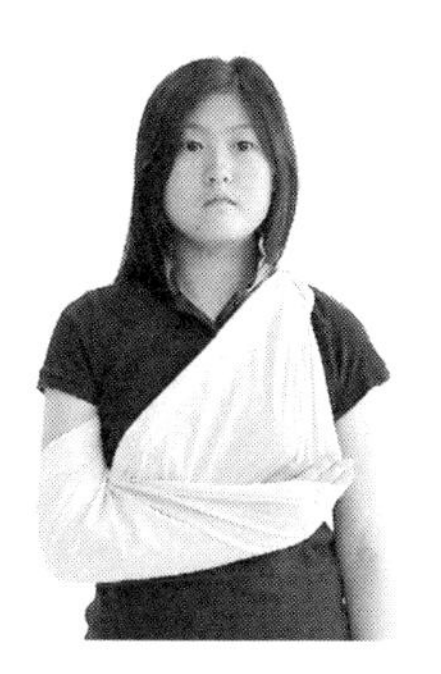

▸ **위팔뼈골절 |** 바깥쪽에 잡지나 골판지와 같은 두꺼운 종이를 대고 고정시키며, 삼각건이나 넥타이 등으로 잡아맨다. 어깨에 메는 대신 웃옷의 단추 위에 손목을 넣어도 된다. 손바닥은 가슴쪽을 향하게 하여 손가락끝이 보이도록 하고, 팔꿈치가 위로 올라가지 않도록 몸에 고정시킨다.

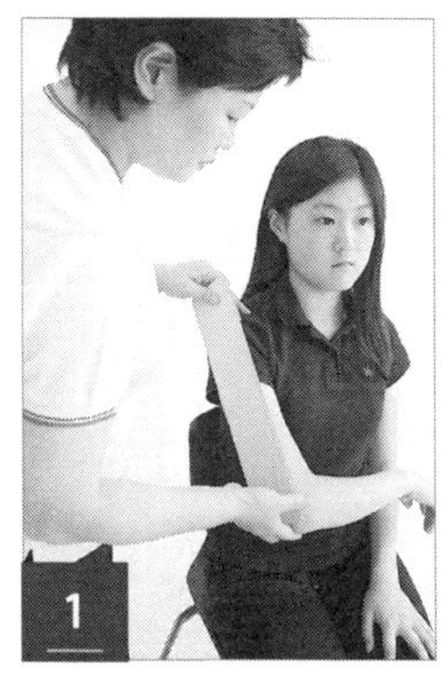
1

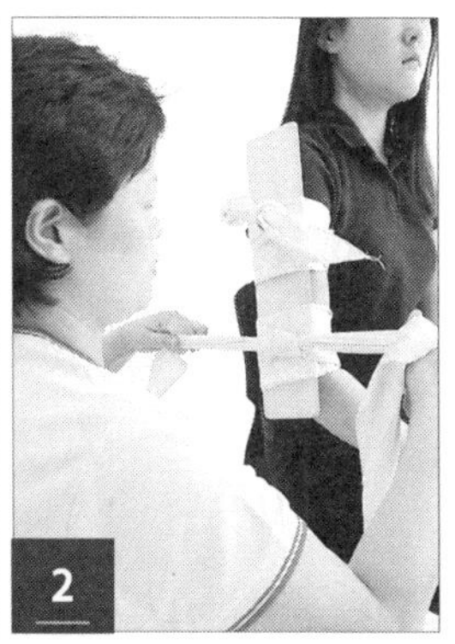
2

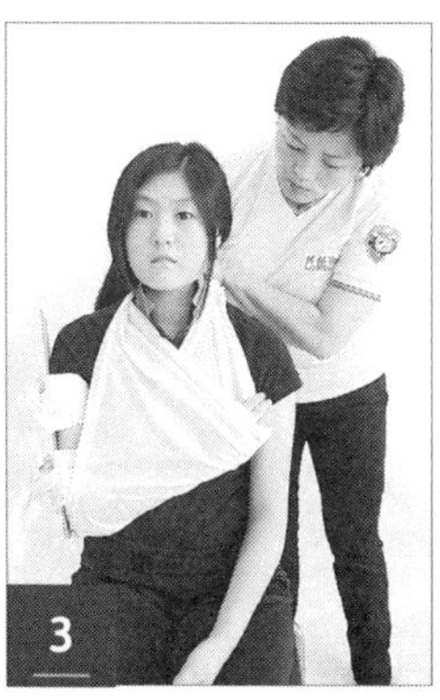
3

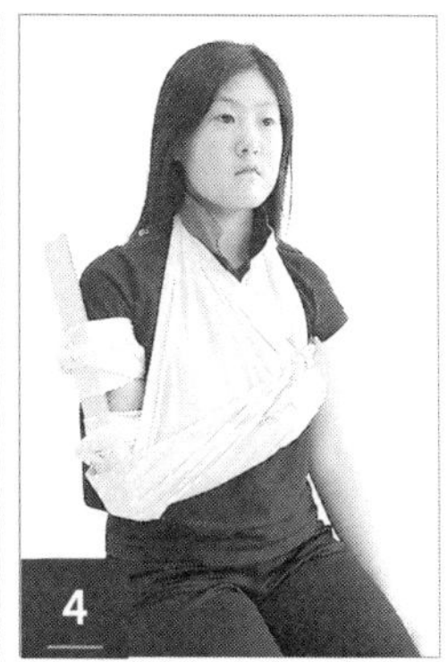
4

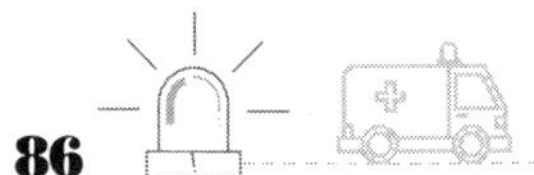

▸ **팔꿈치골절** | 팔꿈치골절 시에는 팔꿈치 가까운 위팔이나 아래팔의 골절가능성도 고려해야 한다. 팔꿈치가 젖혀져서 부러지거나 구부려도 통증이 없으면 아래팔뼈의 골절과 같은 방법으로 고정시킨다. 팔꿈치가 늘어나 부러진 경우 통증이 심해서 참을 수 없으면 손바닥을 몸쪽으로 향하게 하고, 팔을 살짝 몸으로 붙이고, 팔과 몸 사이에 부목을 넣어서 위팔과 손목과 팔꿈치 사이를 조금 들어올려서 고정시킨다. 부목이 없으면 방석으로 팔 주위를 감싸도 된다.

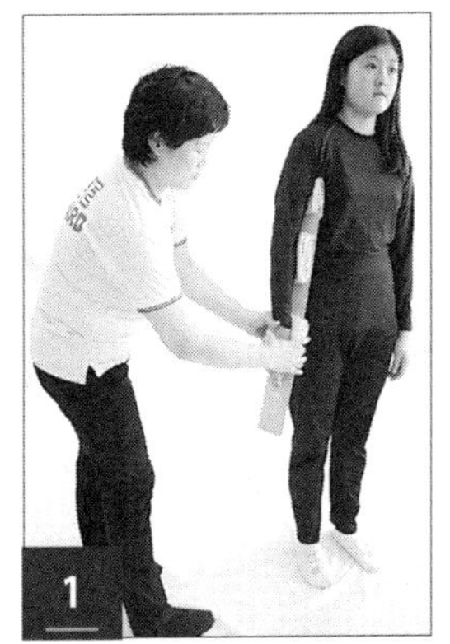

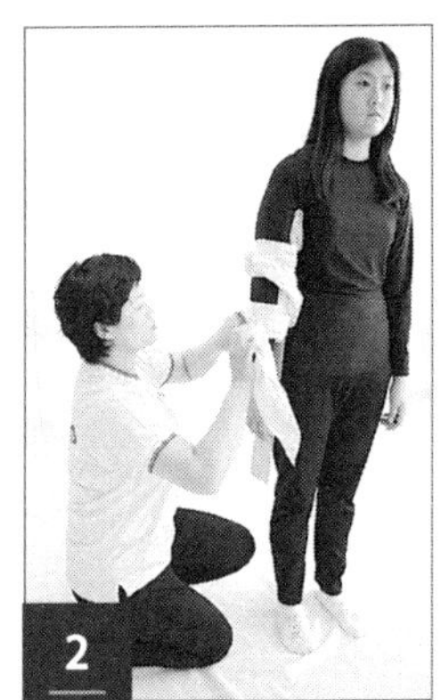

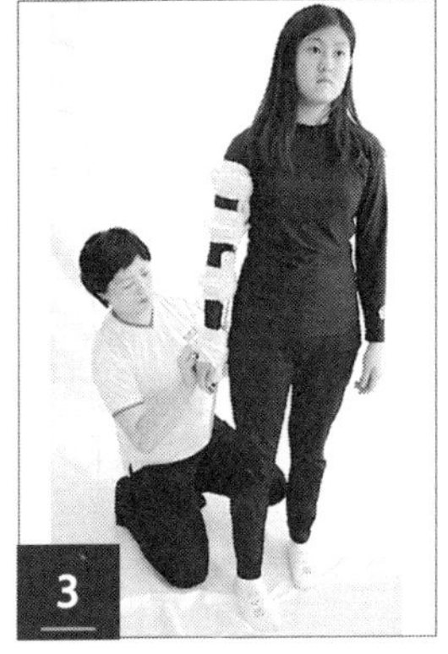

▸ **아래팔뼈골절** | 잡지 등을 부목으로 활용하여 고정시킨다. 이때에는 손바닥

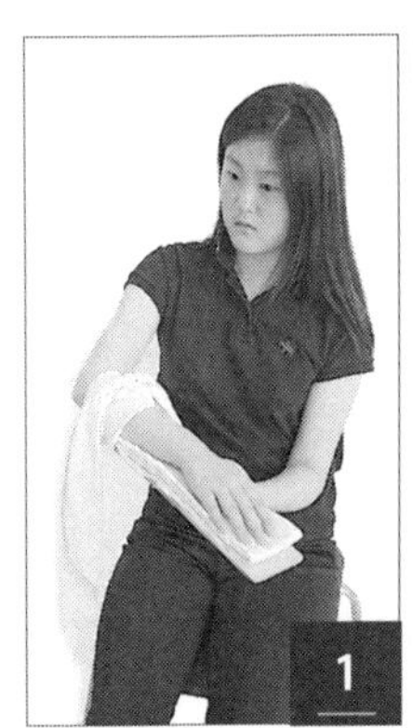

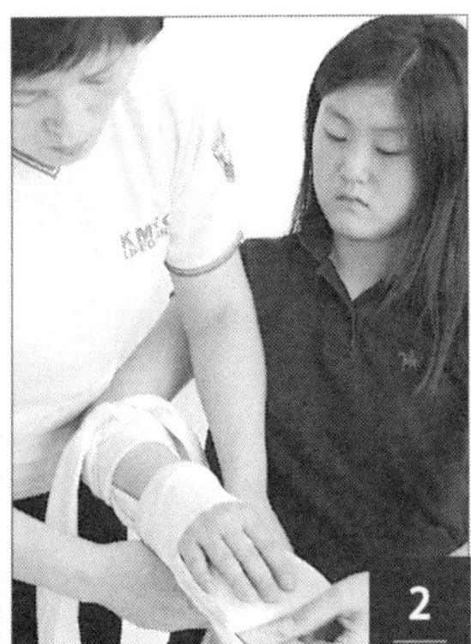

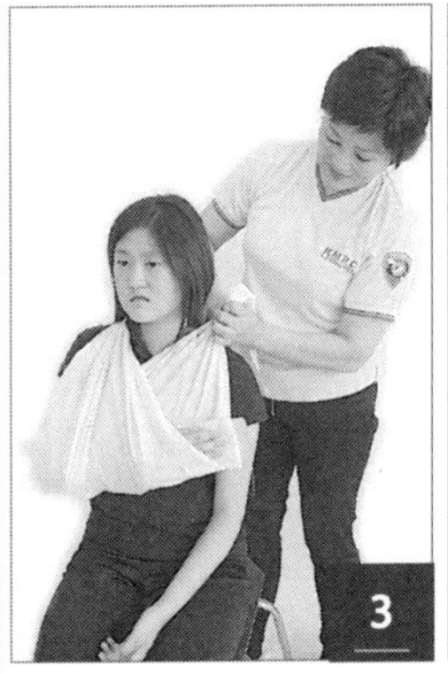

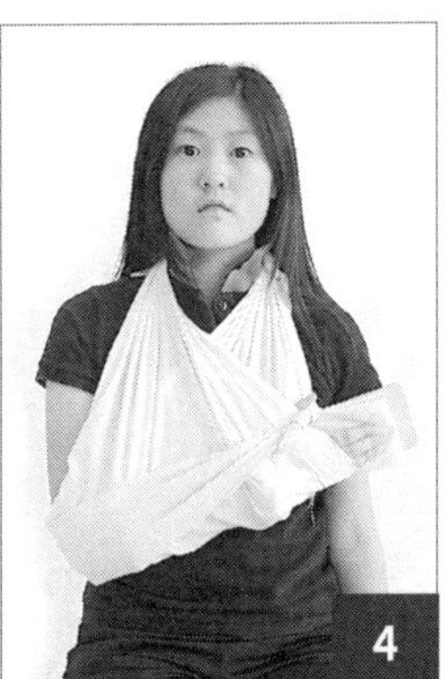

을 몸쪽으로 향하게 하며, 손이 수평이든지 약간 높이 올린다. 묶는 방법은 삼각건을 완전히 펼친 상태로 묶고, 무게를 균일하게 한다. 손바닥을 몸쪽으로 향하게 하는 이유는 아래팔에 있는 2개의 뼈가 교차해서 뒤틀리는 것을 방지하기 위함이다.

▸ **손목 · 손등 · 손가락의 골절** | 손목이나 손등이 골절된 때에는 내출혈이 있거나 부기가 나타나기 때문에 너무 강하게 묶지 않도록 하며, 손바닥을 밑으로 향하게 하여 고정시킨다. 손가락골절 시에는 통증이 없는 부위에 연필 등을 부목으로 활용하여 고정시킨다. 펴지지 않는 손가락을 고정시킬 때에는 손에 무엇인가를 쥐게 하고 고정시키면 된다.

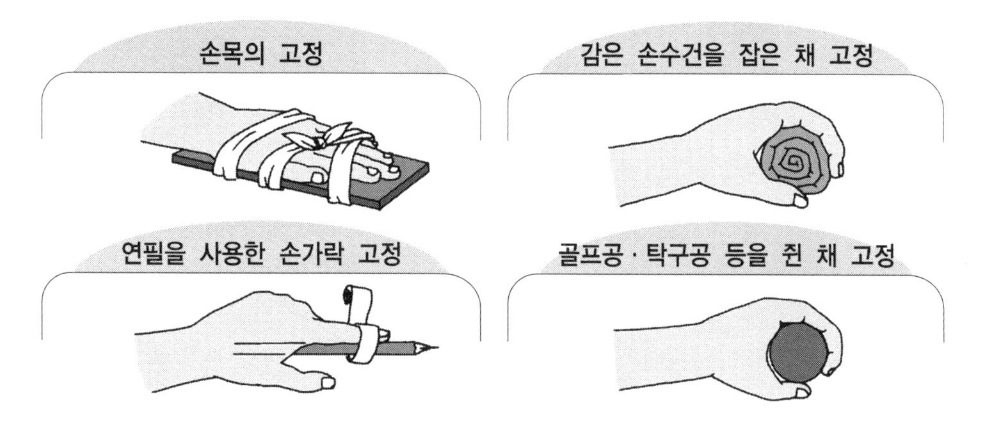

▸ **골반골절** | 골반골절 시에는 골반뿐만 아니라 다른 부위도 손상된 경우가 대부분이다. 따라서 다른 부위를 함께 치료하는 것이 무엇보다도 중요하다. 특히 골반 내에는 내장이나 혈관이 있기 때문에 그러한 것들이 손상을 입으면 중상이 된다. 골반골절이라 생각되면 환자를 똑바로 눕혀 무릎을 조금 굽힌 채 편안한 체위로 유지시키고, 골반 주위에는 목욕타월이나 셔츠를 감고 고정시킨 후 전신의 상태에 주의하면서 몸이 움직이지 않도록 하여 신속하게 병원으로 이송한다.

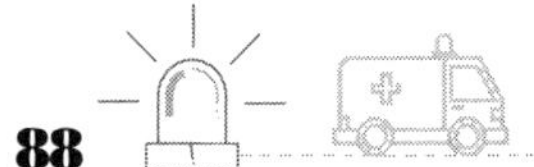

▸ **넙다리뼈골절** | 통증이 없도록 주의하면서 건강한 발로 평형을 유지시킨다. 병원으로 이송할 때에는 양발 사이에 모포를 넣어 양발을 묶는다. 부목을 사용하여 고정시킬 경우에는 발목에서 허리밑까지 대고, 무릎이나 발목에 패드를 넣어 고정시킨다. 이것은 상하 관절까지 고정하고, 골절부위의 안정을 도모하기 위함이다.

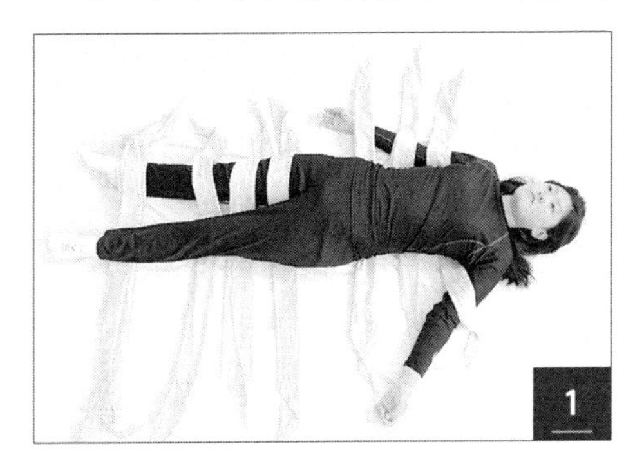

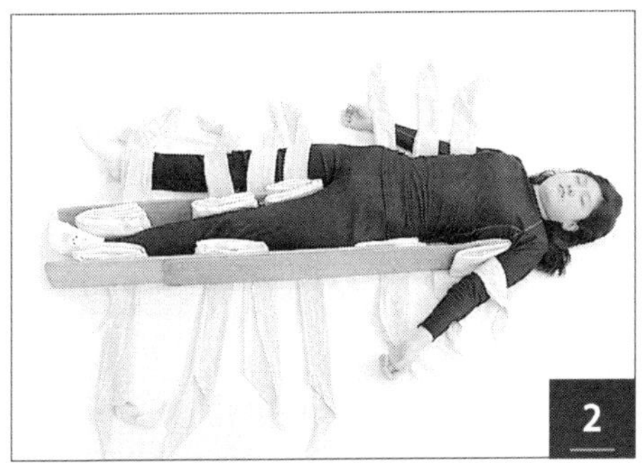

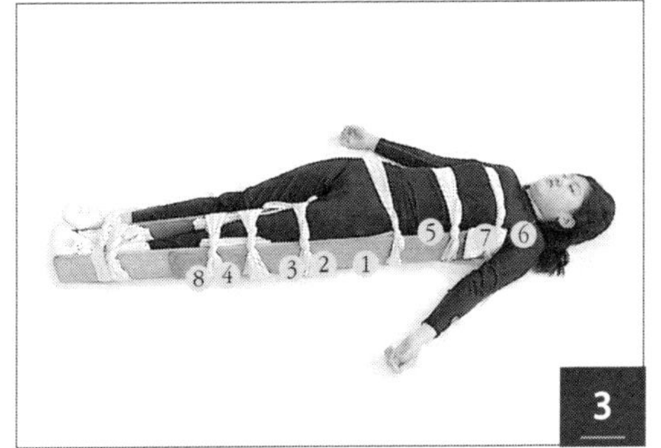

▸ **무릎골절** | 무릎이 골절되면 다리를 움직일 수 없게 되고, 곧바로 무릎 부위에 부기가 나타난다. 그렇기 때문에 부목을 발목에서 엉덩이밑 부분까지 댄다. 부기를 방지하기 위해서 냉습포를 하거나 양발밑에 방석 등을 받쳐 양발의 발끝을 높여준다.

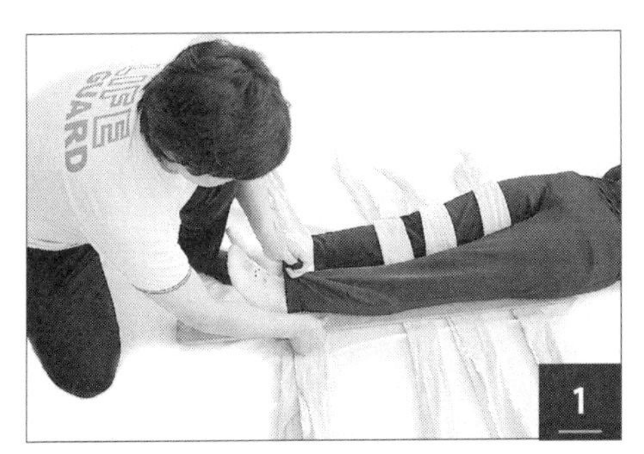

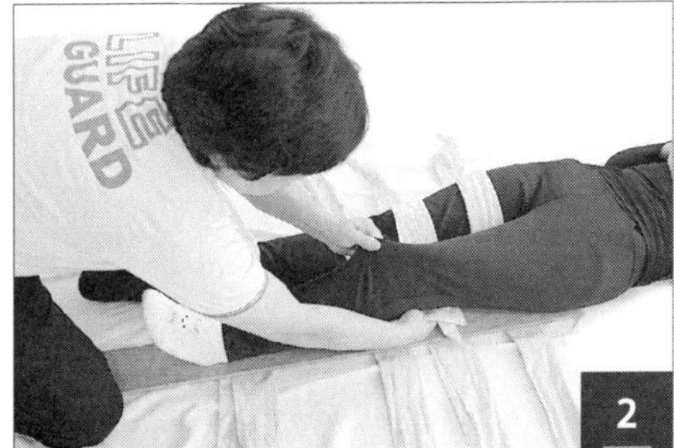

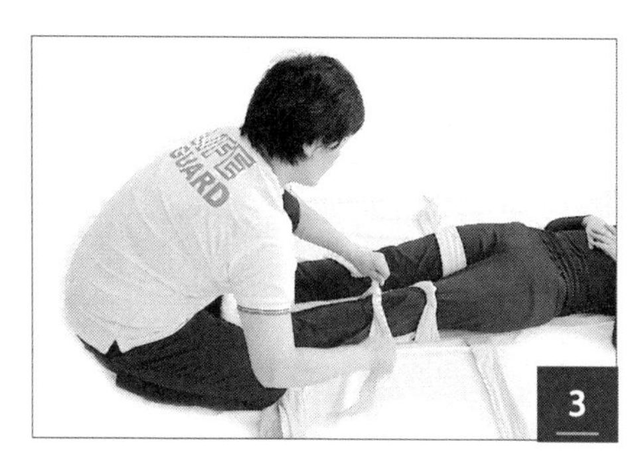

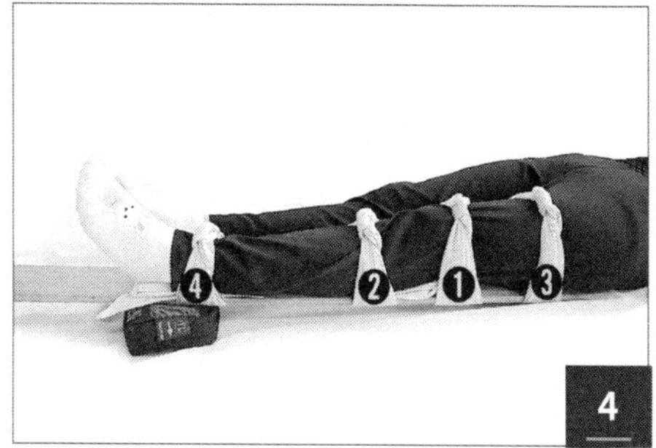

▸ **종아리골절** | 부기가 나타나기 전에 신발이나 양말을 벗기고, 부목은 골절된 다리의 양쪽에 대고 충분하게 패드를 넣어서 움직이지 않도록 고정시킨다. 또한 발끝을 관찰하고 피의 흐름에 주의한다.

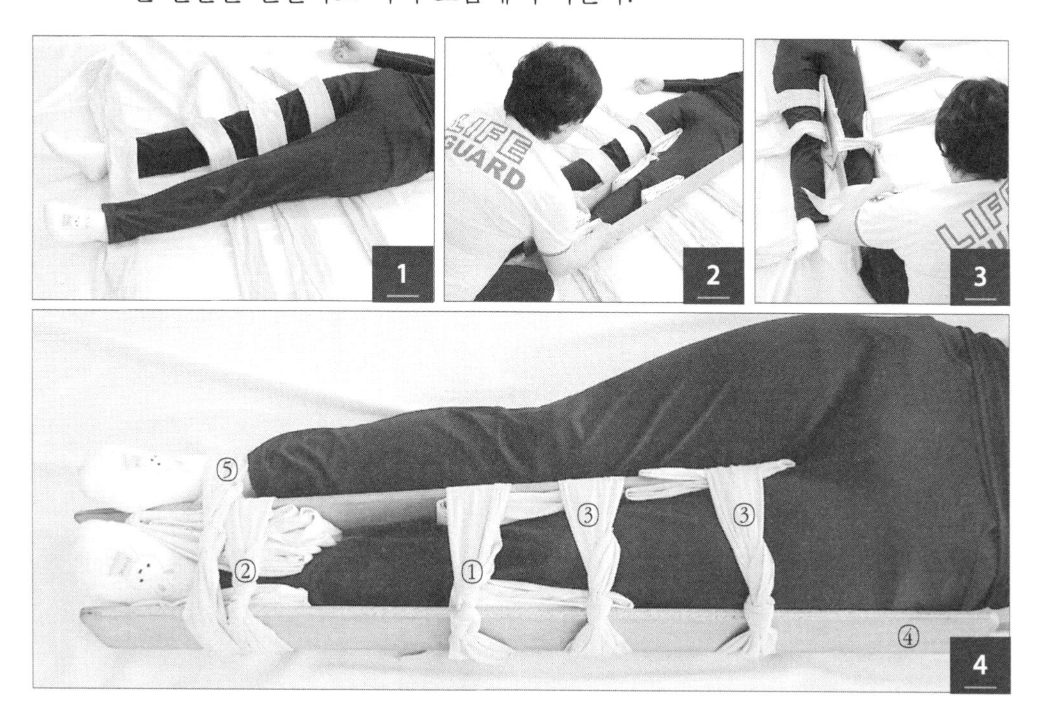

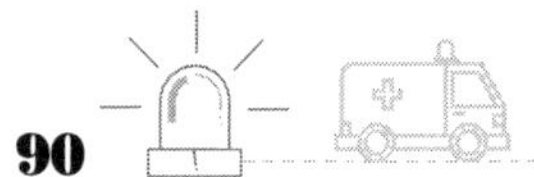
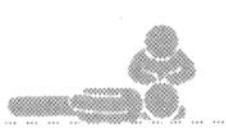

▸ **발목골절 |** 골절뿐만 아니라, 근 · 근육 · 신경 등의 손상을 동반하는 경우가 많으며, 염좌와 구별하기 어려운 손상이다. 곧바로 통증이나 부기가 나타나기 때문에 신발이나 양말을 벗기고, 모포나 L자형 부목을 사용하여 고정시킨다.

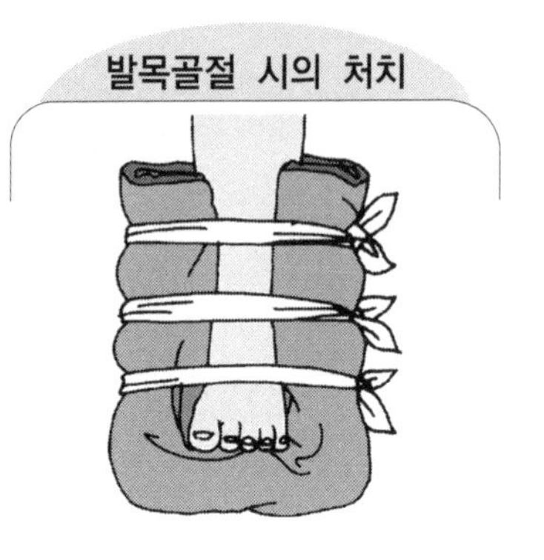

✎ 아킬레스힘줄단열

스포츠 등으로 갑자기 무거운 하중이 아킬레스힘줄에 부하되면 '퍽' 하는 소리와 함께 아킬레스힘줄이 끊어질 수가 있다. 끊어지는 순간 환부에 격렬한 통증이 수반되고, 완전히 끊어지면 걸을 수 없거나 설 수 조차 없게 된다. 부기가 매우 심해지고, 만져보면 끊어진 부분이 움푹 패인 상태임을 알 수 있다.

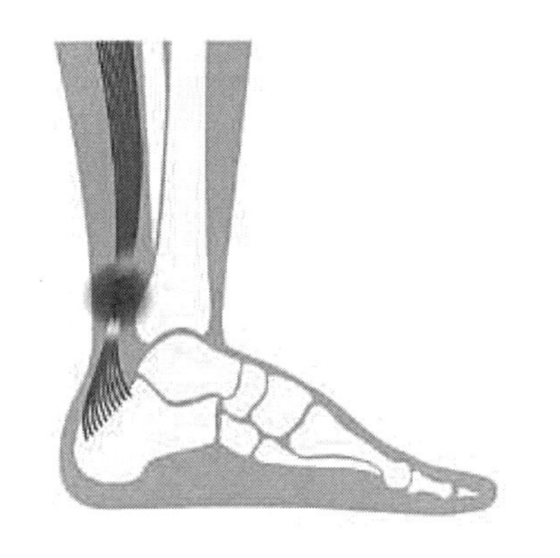

※ 현장에서 실시하는 아킬레스힘줄단열환자의 응급처치

▸ 환자를 똑바로 엎드리게 하고, 절대 서거나 걷게 해서는 안 된다.

▸ 발끝을 편 채로 장딴지에서부터 발끝까지 부목을 대고 발목에 타월을 겹쳐서 고정시킨다.

▸ 끊어진 힘줄의 양끝이 가능한 한 가깝게 되도록 발목이 굽어지지 않게 테이프나 폭이 넓은 반창고를 발바닥에서 장딴지까지 붙여서 고정시킨다.

✎ 장딴지근육경련

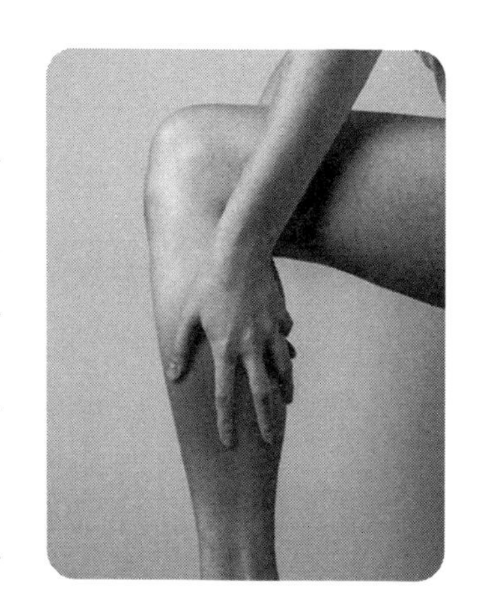

달리거나 수영을 할 때 장딴지근육(비복근)이 갑자기 경련을 일으켜 뻣뻣해지거나 당기고 아파서 움직일 수 없게 되는 것이 장딴지근육경련인데, 이것을 쥐가 났다고도 한다. 원인은 그 부위의 근육피로, 일시적인 피로, 저온에 의한 혈액순환장애 등이다. 쥐가 났을 때 방치해두면 회복되지 않으므로 곧바로 현장에서 치료를 해야 한다.

※ 현장에서 실시하는 장딴지근육경련환자의 응급처치

▸ **수영 중에 일어난 장딴지근육경련 |** 해파리처럼 떠서 몸을 굽혀 환부를 잘 문지른 후에 발끝을 양손으로 잡은 채 장딴지근육을 펴준다.

» 크게 숨을 들이쉰 뒤에 양손을 약간 굽힌 채로 해파리처럼 뜬다.
» 쥐가 난 쪽의 무릎을 굽혀 양손으로 환부를 잡고, 근육을 강하게 문지른다.
» 그다음 발가락을 양손으로 잡고 위로 잡아당기면서 장딴지근육을 확실히 늘려준다.
» 상태가 좋아졌다면 다리와 발에 부담을 주지 않는 수영법으로 헤엄쳐서 물 밖으로 나온다.

▸ **달리기 중에 일어난 장딴지근육경련 |** 신발을 벗기고 다음과 같은 방법으로 처치한다. 증상이 완화되었다고 해도 곧바로 움직이지 말고 안정을 취하는 것이 좋다.

» 무릎을 누른 상태에서 발끝을 무릎쪽으로 밀어올린다.
» 발바닥에도 함께 경련이 일어난 경우에는 발바닥 중앙부분을 강하게 눌러준다.
» 경련이 일어난 부분을 반대쪽으로 젖히고 늘려준다.
» 장딴지부위를 따뜻하게 해주고, 잘 주물러준다.

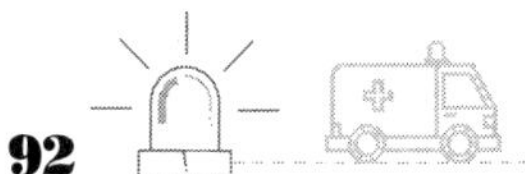

척주손상

척주는 등뼈를 지칭하는데, 7개의 목뼈, 12개의 등뼈, 5개의 허리뼈, 5개의 엉치뼈, 3~5개의 꼬리뼈로 구성된다. 이 척주 속에는 뇌에서 이어지는 척수가 있어서 척추뼈골절이나 탈구에 의해 척수에 손상를 입으면 손발을 움직일 수 없을 뿐만 아니라, 심한 경우에는 호흡조차 불가능하다. 그렇기 때문에 교통사고나 추락 등에 의한 척추뼈나 척수손상 시에는 신중하게 취급할 필요가 있다.

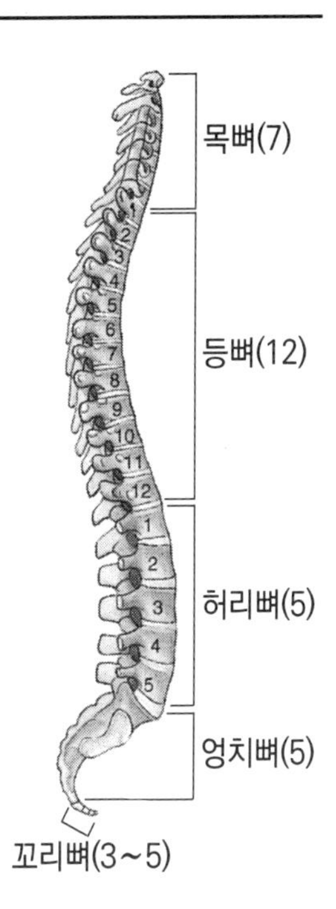

※ 현장에서 실시하는 척주손상환자의 응급처치

- 척추뼈가 골절되면 척수가 손상되어 손발의 마비와 호흡마비를 일으키는 경우가 있기 때문에 안이하게 움직이게 해서는 안 된다.
- 척수손상으로 의심되면 가능한 한 현장에서 움직이지 말고, 담요를 덮은 채 보온상태로 구급차나 의사의 도착을 기다린다.
- 어쩔 수 없이 환자를 움직여야 할 때에는 몸 전체를 그대로 움직이며, 상하좌우로 굽히거나 꺾이지 않도록 한다.
- 이동 시에는 들것보다는 판자 등을 이용하여 움직이지 않도록 고정시킨다.
- 기도확보에 주의하면서 이송한다.
- 비닐 등에 모래를 넣어 만든 모래주머니로 목이 움직이지 않도록 양쪽을 받쳐준다.

화상과 동상

✎ 화상

화상은 일상생활에서 누구나 경험할 수 있는 작은 화상, 햇빛에 의한 화상, 사망에 이를 수 있는 심한 화상까지 정도에 따라 여러 등급으로 나눌 수 있다. 특히 중증화상은 단순한 피부손상에만 머무르지 않고, 쇼크증상과 함께 여러 가지 합병증을 일으켜 사망에 이를 수도 있다. 일반적으로 화상의 정도는 화상을 당한 면적과 깊이, 그리고 환자의 연령으로 결정된다.

▫ 화상면적

화상면적은 체표면적의 몇 % 정도 화상을 입었는지로 표현한다. 면적의 계산은 체표면적의 1영역을 9%로 하여 9배수로 나타내는 방법(음부는 1%로, 합계 100%)

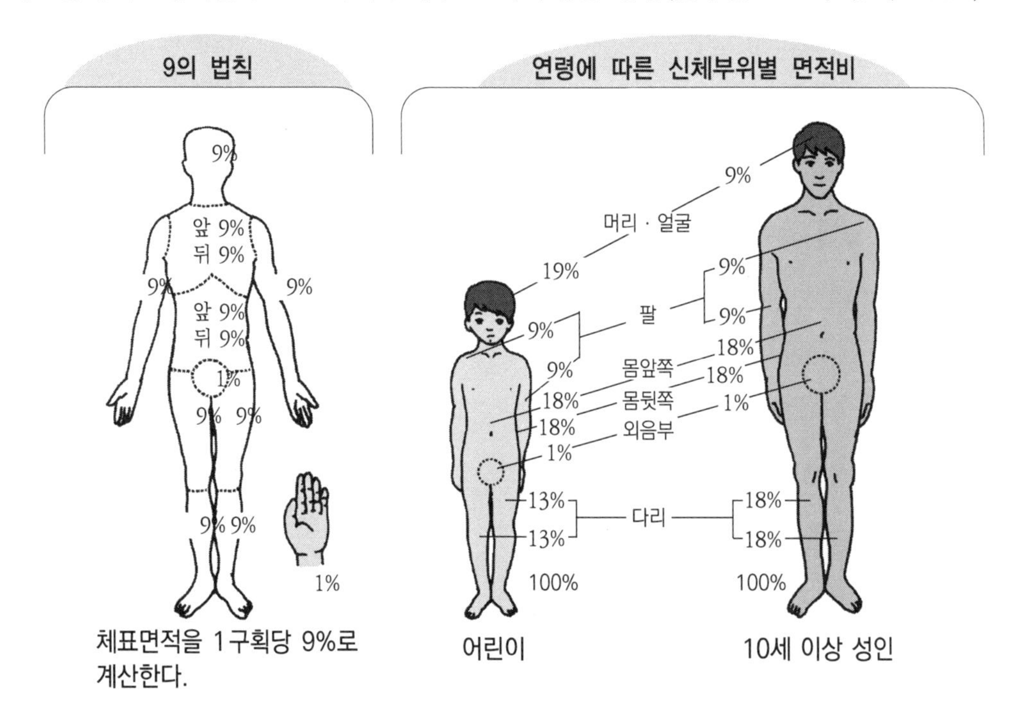

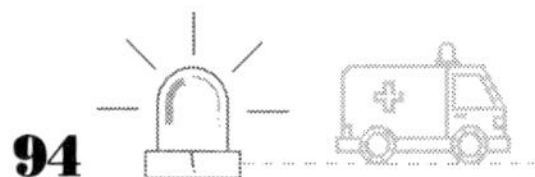

이 활용되는데, 이것을 '9법칙'이라 부른다. 그밖에 손바닥은 그 사람의 체표면적의 1% 정도이므로, 여러 곳에 흩어져 있는 화상인 경우는 손바닥으로 측정하여 면적을 산정할 수도 있다.

한편 신체부위별 면적으로부터 산정할 수도 있다. 이 경우 어린이와 성인은 부위별 면적비율이 틀리기 때문에 주의해야 한다. 일반적으로 체표면적 중 20% 이상 화상을 입으면 입원치료가 필요하며, 30% 이상은 중상으로 분류된다.

ㅁ 화상의 심도

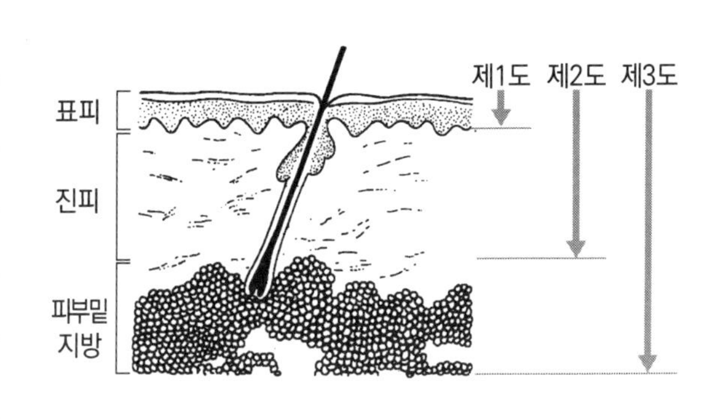

- **제1도(표피화상)** | 피부표면(표피)에만 입은 화상으로 수포는 나타나지 않는다. 피부가 붉어지고, 화끈거리는 정도의 통증을 동반한다. 며칠 지나면 흔적도 없이 낫는다. 제1도 화상은 면적이 넓더라도 중증은 아니다.
- **제2도(진피화상)** | 진피까지 화상을 입은 것으로 수포가 생긴다. 또한 표피가 심하게 손상되고, 강한 통증을 동반한다. 1~2주 정도 지나면 회복된다.
- **제3도(전층화상)** | 진피보다 깊고, 혈관 · 신경 등이 파괴된 화상을 말한다. 피부가 손상되어 하얗게 되며, 심한 경우에는 검게 변한다. 치료가 끝나더라도 피부에 쭈글쭈글한 흔적이 남는다.

기도화상

방이나 터널 등과 같은 폐쇄된 장소에서 화재나 폭발이 일어나면 유독가스, 연기, 뜨거운 바람 등이 기관이나 허파를 손상시켜 질식하거나 의식을 일어버리는 등 중상을 입을 위험이 있다.

▫ 연령

연령은 심한 정도를 좌우하는 중요한 요소가 되며, 체력이 약한 어린이나 노인은 10% 전후의 화상으로도 중상이 되기도 한다.

※ 현장에서 실시하는 화상환자의 응급처치

▸ 가능한 한 신속하게 수돗물이나 찬물로 화상부위를 차갑게 한다. 차게 함으로써 통증을 치유함과 동시에 화상이 깊어지는 것을 방지할 수 있다.

» 물은 얼음 등을 넣어 차게 하는 것이 좋다.

» 차게 하는 시간은 15분 이상이 필요하며, 통증을 느끼지 못할 때까지 차게 한다.

얼굴화상인 경우 차게 하는 방법

얼굴 전체를 세면대 속에 넣는다.

▸ 옷을 입은 채 화상을 입은 경우에는 무리하게 벗기거나, 찢어서는 안 된다.

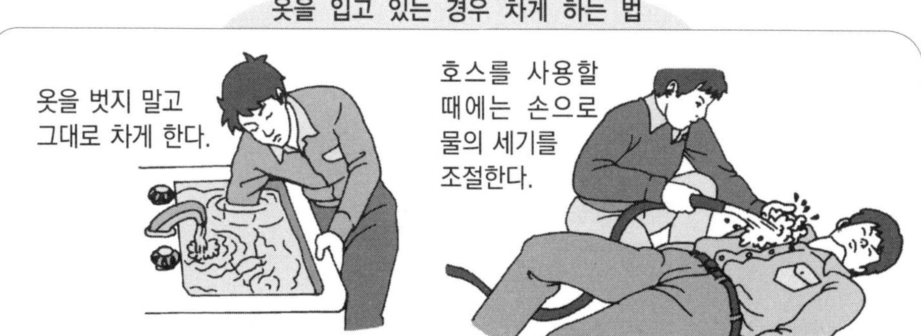

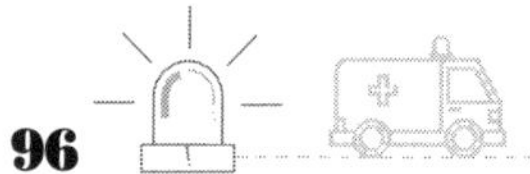
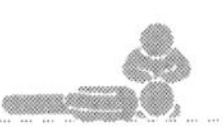

무리하게 벗기게 되면 상처부위를 손상시킬 수 있다. 또한 수포가 만들어지면 터뜨리지 않도록 한다. 절대로 연고 · 찡크(zink)유(화상 시 바르는 기름약) 등의 약품을 사용해서는 안 된다.

수돗물을 사용할 수 없는 경우 차게 하는 방법

젖은 수건을 댄다.

주전자로 물을 붓는다.

등산 중에는 수통에 담긴 물을 이용한다.

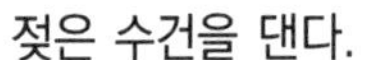

- 다음으로 세균감염을 방지하기 위하여 청결한 거즈나 헝겊으로 화상부위를 덮거나, 병원으로 신속하게 이송한다.
- 화상면적이 넓으면 쇼크예방이나 치료도 필요하다.

※ 주의사항

- 무엇보다도 먼저 화상면적 · 깊이를 확대시키지 않도록 한다.
- 상처부위에는 사용 후에 섬유질의 이물질이 남지 않도록 하고, 가능한 한 멸균거즈를 대는 것이 좋다.
- 여러 손가락에 화상을 입은 경우에는 하나씩 붕대로 감는다.
- 제2~제3도 화상과 같은 중상일 때에는 수액 등의 특별한 치료가 필요하므로 곧바로 구급차를 부른다.
- 광범위한 화상은 청결한 거즈나 시트로 살짝 감싸두고 구급차를 부른다.
- 화상에 의한 쇼크에 주의한다.
- 필요하다면 물 등의 음료수를 주어도 된다.

✎ 동상

동상은 과도한 추위가 혈액흐름을 방해하여 일어난 손상으로, 0도 이하의 저온에서 일어나는 화상의 일종이다. 따라서 그 심도는 화상의 경우와 같다.

- ▸ **제1도 |** 처음에 찌르는 듯한 통증이 있지만, 얼마 후에 지각이 없어지고 창백해진다. 손상부위를 따뜻하게 하면 붉게 변하고 가렵다.
- ▸ **제2도 |** 수포가 형성된다. 화농되기 쉽기 때문에 감염예방이 중요하다.
- ▸ **제3도 |** 조직이 파괴되며, 회복되어도 흉터가 남는다.

동상은 얼음이나 드라이아이스를 맨손으로 집는 경우에도 일어나는데, 대부분 겨울철 산에서의 조난, 겨울바다에서의 추락사고 시에 발생한다. 신체부위 중에서 귀, 코, 손 · 발가락 등 외부환경의 영향을 받기 쉬운 부위에 많다.

※ 현장에서 실시하는 동상환자의 응급처치

- ▸ 환자를 따뜻한 방으로 이동시킨다.
- ▸ 피부가 창백해지면 약 38℃ 정도의 따뜻한 물에 1~2시간 담근 후 계속 보온시킨다.
- ▸ 갑자기 뜨거운 온도로 따뜻하게 하거나, 수포가 생겼다고 터뜨려서는 안 된다.
- ▸ 따뜻한 설탕물, 우유, 된장국, 스프 등을 마시게 한다.
- ▸ 알코올과 같은 자극성 음료를 마시게 해서는 안 된다.
- ▸ 제1도 동상이면 환부를 소독하고 나서 멸균거즈를 대고 붕대로 감는다.
- ▸ 제2도 이상의 동상은 거즈나 붕대를 감고 신속하게 병원으로 이송한다.
- ▸ 전신동상인 경우에는 모포 등으로 감싸는 등 보온조치를 하고 병원으로 이송한다.

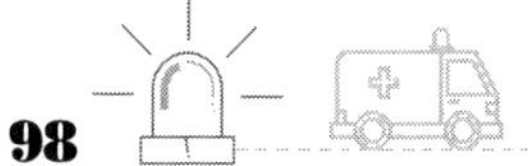

교상

개 · 고양이 · 뱀 · 쥐 등의 동물에 물리면 그 동물이 가지고 있는 특유의 병균에 의해 감염되는 경우가 있으며, 상처부위의 불결함으로 인해 파상풍의 위험도 따른다.

※ 현장에서 실시하는 교상환자의 응급처치

▸ **개나 고양이에게 물린 경우 |** 개나 고양이에게 물리면 광견병에 걸릴 가능성이 있다. 광견병은 자주 발생하지는 않지만, 상처가 깊어서 화농이 생기거나 파상풍의 위험이 있으므로 병원에서 치료를 받는 것이 좋다.

▸ **뱀에게 물린 경우 |** 독이 있는 뱀은 2개의 독이 든 치아가 있어서 물리면 2개의 상처자국이 남으며, 독이 퍼지면 통증이 점점 강해지고 부어오른다. 방치해두면 위험하므로 병원으로 이송하여 치료해야 한다. 독이 없는 뱀은 그 밖의 물린 상처와 같이 처치하면 된다.

» 독뱀에게 물리면 상처부위에 입을 대고 힘껏 빨아 뱉어낸다.

» 상처부위 보다 약간 위쪽을 가볍게 묶고 곧바로 병원으로 이송한다.

▸ **벌에 쏘인 경우 |** 독침을 빼고, 독을 빨아낸 후 항히스타민 연고를 바른다.

▸ **독충에게 쏘인 경우 |** 비누로 상처부위를 깨끗하게 씻는다. 연고를 잘 문지르면서 발라준다.

▸ **지네에게 물린 경우 |** 상처부위를 누르면서 독을 빨아준다. 비누로 상처부위를 깨끗하게 씻는다. 얼음찜질 후 병원으로 이송한다.

▸ **해파리에게 쏘인 경우 |** 모래를 모아서 공처럼 만든 모래공으로 문지른 후 연고를 바른다.

감전 및 뇌격

✎ 감전

감전은 전기기구나 고압선 등에 접촉하여 일어난다. 가벼운 경우에는 쑤시는 정도이지만, 강한 전류는 근육을 일시적으로 마비시키거나, 뇌나 심장에 흘러 들어가면 낮은 전류라도 쉽게 의식장애 · 경련 · 심장박동이상이나 심장정지를 일으킨다. 신체가 젖어 있으면, 100V 이하의 전류에도 사망에 이를 수 있으며, 고압선 사고의 경우는 실족하거나 강력한 열작용에 의해 화상을 입기도 한다.

✎ 뇌격

낙뢰(번개)의 직격을 받으면 고압전류가 순간적으로 몸에 흘러들어 즉사하는 경우가 대부분이며, 사망하지 않더라도 강한 전류에 의한 감전과 비슷한 증상이 나타난다.

※ 현장에서 실시하는 감전 · 뇌격환자의 응급처치

감전이나 낙뢰로 쓰러져 있는 사람을 발견하면, 다음과 같은 조치를 취한다.

- ▸ 우선 전원을 차단하고, 마른 대나무나 막대기를 사용하여 환자에게 접촉된 전선이나 기구를 치운다. 이때 구조자가 감전되지 않도록 주의한다.
- ▸ 심장이 움직이고 있는가를 확인한다.
- ▸ 실족한 경우에는 머리나 가슴에 충격이 있지 않은지 확인한다.
- ▸ 감전의 유입 · 유출부는 심한 화상을 유발하는 경우가 있으므로 기본적 응급처치 후에 병원으로 이송한다.

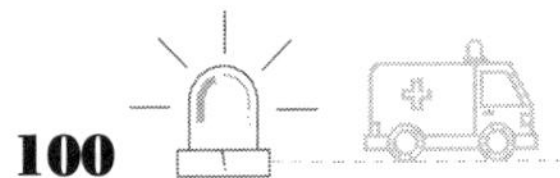
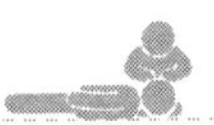

익수

어린이들의 익수사고는 불의의 사고 · 사망 중에서 높은 비율을 차지한다. 익사는 기관이나 허파 등에 물이 침투하여 질식사하는 경우이며, 때로는 심장마비가 동반되기도 한다. 그렇기 때문에 익수자에 대한 응급처치는 심폐소생술 위주로 행해진다.

▫ 익수자를 발견한 경우의 구조방법

▸ 가능한 한 물가에서 구조하는 것을 원칙으로 한다. 즉 로프나 장대 등을 긴 물건을 익수자에게 건네는 방법으로 구조한다.

▸ 헤엄쳐서 구조해야 할 경우에는 튜브 등 물에 뜨는 물건을 익수자의 몸에 걸리게 하는 것이 좋다.

물가에서 구조하는 방법

물가에서 발을 내민다.

수건이나 로프를 던진다.

물에 뜨는 물건을 로프에 묶어 던져준다.

긴 막대기를 던져준다.

헤엄쳐서 구조하는 방법

물에 뜨는 물건을 익수자의 몸에 걸리게 한다.

턱에 손을 건다.

머리카락을 잡는다.

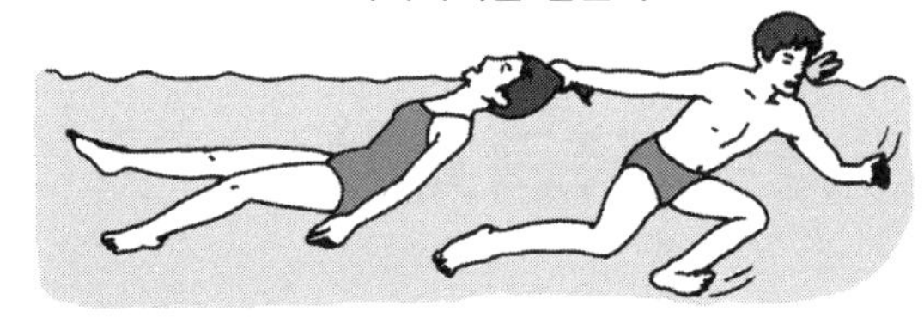

※ 구조 시 주의사항

- 우선 큰 소리로 도움을 요청한다.
- 구조하는 사람은 한 사람이라도 많은 편이 좋다.
- 헤엄치는 데 자신이 있다고 해도, 되도록 물가에서 안전한 구조법을 강구한다.
- 헤엄쳐서 구조할 때에는 익수자에게 빨려들어가지 않도록 주의한다.

※ 현장에서 실시하는 익수자의 응급처치

- 의식이 있으면 모포 등으로 감싸 보온한 채로 병원으로 이송한다.
- 의식이 없어도 숨을 쉬고 있다면 물을 토할 경우를 대비해서 옆으로 눕혀놓고 구급차를 부른다.
- 의식이 없고, 호흡도 없으면 가능한 한 신속하게 기도를 확보하고 인공호흡을 실시한다.

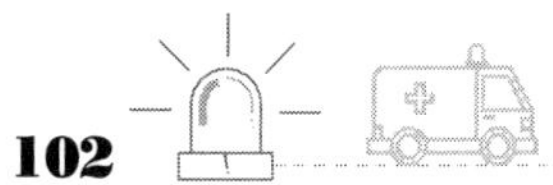

▸ 심장정지 시에는 심장마사지와 인공호흡을 실시한다. 인공호흡 도중에 물을 토하면 허파에 물이 흘러들지 않도록 자세를 옆으로 유지한다.

▸ 위 속의 물을 무리하게 토하게 할 필요는 없지만, 호흡이 불편할 때는 몸을 옆으로 눕혀 입에서 물이 흘러나오도록 유도하여 토하게 한다.

▸ 익수자를 구조할 때 호흡이 정지되었으면 물속에서도 곧바로 입으로 공기를 몇 회 정도 불어넣고, 가능한 한 신속하게 인공호흡을 개시한다.

중독 시의 응급처치

세균성식중독, 독버섯중독, 복어중독

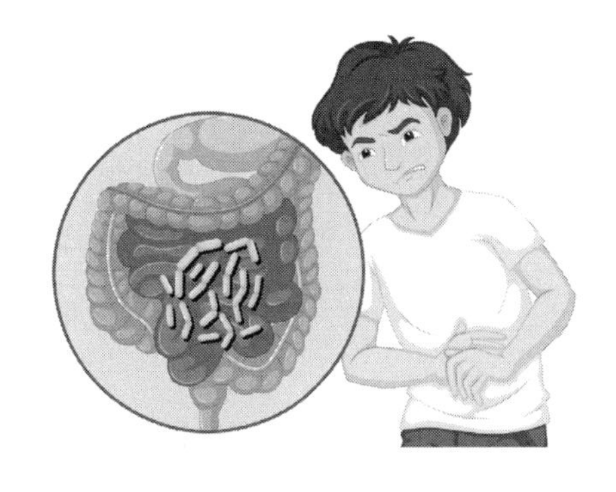

식중독은 살모넬라(salmonella)균 · 장염비브리오(vibrio)균 · 포도구균 등과 같은 세균이나 보틀리누스균(clostridium botulinum)과 같은 세균이 만들어내는 독소에 의한 것, 복어나 독버섯 등의 자연독에 의한 것, 알레르기성으로서 홍역을 일으키는 것 등이 있다.

▸ **세균성식중독** | 일반적으로 위장염증상에는 복통, 설사, 메스꺼움, 구토, 발열 등이 있다. 보틀리누스균중독은 신경마비 등을 일으키고 시력 · 언어 · 운동장애를 유발한다.

▸ **독버섯중독** | 식물성알칼로이드가 독으로 작용한 것으로, 독버섯의 종류에 따라 증상이 다르다. 그중에는 1~2시간 이내에 발병하여, 급성 위장증상(격

렬한 구토, 설사)을 일으키는 것, 뇌증상(일시적인 광기상태)을 일으키는 것, 침을 흘리거나 경련을 일으키는 것 등이 있다.

▸ **복어중독** | 복어의 난소, 간, 혈액 등에 포함되어 있는 테트로도톡신(tetrodotoxin)이 원인으로 신경에 영향을 미친다. 먹은 후 30분에서 1시간 정도 경과하면 입술이나 혀가 비틀어지고, 언어장애가 나타난다. 점차로 운동장애를 일으키며, 중증이면 의식상실 · 호흡마비를 유발한다.

※ 현장에서 실시하는 세균성식중독, 독버섯 · 복어중독환자의 응급처치

| 세균성식중독

- ▸ 환자를 안정시키고, 모포 등으로 배를 덮어 보온한다.
- ▸ 토할 것 같으면 몸을 옆으로 향하게 하여 음식물을 토하게 한다.
- ▸ 중독의 증상은 급성충수염 등 다른 병과 혼동될 수 있으므로 설사약은 함부로 사용해서는 안 된다.
- ▸ 식중독의 원인으로 짐작되는 식품, 구토물, 대변을 보관하여 의사에게 보인다.

| 독버섯이나 복어중독

- ▸ 중조수나 물을 많이 마시게 하고, 목 깊은 곳에 손가락을 넣어 구토를 유발시킨다.
- ▸ 호흡마비가 일어나면 끈기 있게 인공호흡을 실시하면서 전문적 치료가 가능한 병원으로 이송한다.

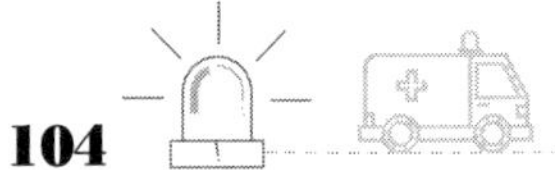

가스중독

가스중독에는 일산화탄소에 의한 중독이 무엇보다도 많고, 그다음으로 이산화탄소 중독이 많다. 일산화탄소는 공기 중에 포함된 농도가 극소량일지라도 중독증상을 일으킨다. 이러한 가스중독은 가정에서의 가스누출, 밀폐된 실내에서 연탄이나 스토브의 불완전연소, 탄광의 폭발사고, 화재현장 등에서 많이 발생한다. 자동차배기가스가 차내에 흘러들어가 가스중독사고를 발생시키기도 한다.

이산화탄소 자체는 유독물질이 아니지만, 공기보다 무겁기 때문에 밀폐된 방 · 폐광 · 동굴 등에 쌓여 있어 무방비로 노출되면 산소결핍으로 문제가 발생할 수 있다.

도시가스는 일산화탄소가 포함되어 있지 않은 천연가스가 주로 사용되지만, 불완전연소인 경우에는 일산화탄소를 발생시키고, 가스누출이 일어나면 폭발위험이 있으며, 다량으로 흡수하게 되면 마비작용으로 의식을 잃어버리게 된다.

가스중독은 초기에 두통 · 현기증 · 메스꺼움 · 구토 등과 같은 자각증상이 있고, 의식장애나 경련발작을 일으키며, 의식을 잃게 만든다. 약간 느린 중독증상인 경우 본인이 몸의 위험을 감지하고 그 자리에서 벗어나거나 발생원인인 가스 등을 큰 위험은 없지만, 의식이 불안하거나 손발마비가 초래되면 위험에 빠질 수 있다. 그렇기 때문에 머리가 무겁고, 현기증이나 메스꺼움 등 자각증상이 있거나, 가스중독으로 의심되면 즉시 자리를 벗어나거나, 발생원인을 제거할 필요가 있다. 시간적으로 아주 간발의 차이를 두고 생사가 갈리기 때문에 매우 조심해야 한다. 중상이면 식물인간이 되거나, 의식을 되찾아도 시각장애 · 심근장애 등의 후유증이 남는다.

※ 현장에서 실시하는 가스중독환자의 응급처치

| 구조 시의 주의사항

- 구조하는 사람이 가스에 중독되지 않도록 주의하면서 구조에 임한다.
- 먼저 창문이나 입구를 개방하여 환기시키고, 중간밸브를 잠그는 등 가스누출의 원인을 제거한다.
- 가스에 따라서는 폭발하는 경우도 있으므로, 전기기구를 만지거나 화기를 가까이 해서는 안 된다.
- 화재 시에는 젖은 수건을 코나 입에 대고 가능한 한 연기를 마시지 않도록 한다.

| 구조 후의 응급처치

- 통증이 가벼우면 가능한 한 신속하게 신선한 공기가 있는 곳으로 운반하여 안정시킨다. 산소부족상태인 경우에는 큰 움직임을 삼간다.
- 의식이 없는 경우에는 신선한 공기가 있는 곳으로 운반하거나, 창문을 활짝 열고 창문가에 하늘을 향하게 눕히고, 기도를 확보하고 보온한다.
- 호흡정지나 심장정지의 경우 심폐소생술을 실시한다.
- 중상일 때에는 가능한 한 신속하게 병원으로 이송한다.

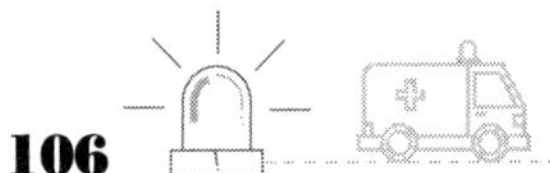
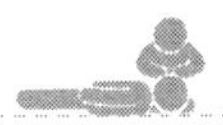

급성 중독

약을 한번에 마시거나, 농약 등을 잘못 마시면 중독을 일으킨다. 이밖에도 소독제, 세제, 화장품 등에 의해 일어나는 약물중독이 있는데, 특히 수면제중독 · 농약중독 · 신나중독 등은 자주 발생한다.

✎ 수면제중독

복용 후 어느 정도 시간이 경과해서 발견되느냐에 따라서 다르겠지만, 보통 30분 이상 경과하였다면 약은 이미 장에서 흡수되기 시작했다고 볼 수 있다. 다량을 복용하여 중독을 일으킨 경우에는 일시적 흥분상태를 나타내고 이윽고 의식이 몽롱해지며, 중증이면 혼수상태에 빠져 안면이 창백해지고 손발은 축 늘어지고 호흡이 매우 약해진다. 또한, 맥박수는 늘어나고 약해지며, 호흡마비를 일으킨다.

※ 현장에서 실시하는 수면제중독환자의 응급처치

- ▸ 옆으로 눕히고, 턱을 앞으로 내밀고 기도확보 자세를 유지시킨다.
- ▸ 복용한 후 2~3시간 이내로 의식이 있으면 미지근한 물을 마시게 하고, 목 깊숙이 손가락을 넣어 구토를 유도한다.
- ▸ 전신을 담요로 감싸고, 보온을 유지하면서 동시에 신속하게 응급차를 부른다.
- ▸ 가능한 한 잠이 들지 않도록 이름을 부르거나, 뺨이나 손발을 때리거나 하여 자극을 준다.
- ▸ 호흡이 약해지거나 호흡정지시에는 인공호흡을 실시한다.

✎ 농약중독

농약은 그 사용목적에 따라 살충제 · 제초제 · 살균제 등이 있고, 그 종류도 다양하며 위험성이나 중독증상에도 차이가 있다. 일반적으로 사람의 피부나 점막으로 흡수되는 것, 마심으로써 위나 장에서 흡수되는 것, 코나 입으로 흡입되어 폐에서 흡수되는 것 등으로 나누어진다.

증상으로는 가벼운 경우 두통 · 현기증 · 메스꺼움 · 구토 등을 일으키고, 침을 흘리고 전신이 나른해진다. 중증인 경우에는 의식장애 · 전신경련 · 호흡곤란이 되고 위험하다.

※ 현장에서 실시하는 농약중독환자의 응급처치

- ▸ 응급처치로는 농약을 가능한 한 신속하게 체내에서 배출시키고, 체내의 흡수를 차단하는 것이 필요하다.
- ▸ 피부에 농약이 묻은 경우는 옷을 벗겨내고 비누를 사용해서 몸을 깨끗하게 씻겨 내리고 세수나 양치질을 하게 한다.
- ▸ 입으로 농약을 마신 경우에는 입속 깊숙한 곳을 자극하여 토하게 한다.
- ▸ 입이나 코로 들어온 농약은 코를 씻고 양치질을 하며, 신선한 공기가 있는 곳으로 옮기고 심호흡을 시킨다.
- ▸ 의식장애가 있으면 기도를 확보하고, 타액 등의 분비물이 많이 발생하므로 손가락에 거즈를 감아 제거하는 한편, 신속하게 구급차를 부른다.

 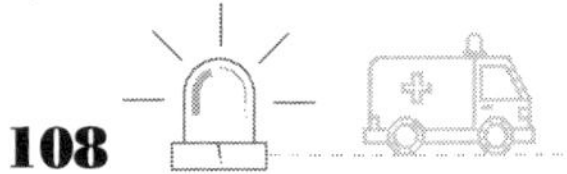 

✎ 신나중독

유기용제(톨루엔 등)가 기화된 가스를 흡입하면 취한(명정) 상태가 되고, 흥분하여 기분이 몽롱해진다. 여기에서 진행되면, 의식을 잃고 손발마비를 일으킨다.

※ 현장에서 실시하는 신나중독환자의 응급처치

▸ 가스중독의 경우와 같이 응급처치를 실시한다.

✎ 급성 알코올중독

술이나 위스키 등 알코올 음료를 많이 마시면 급성 및 만성 알코올 중독이 발생한다. 일시적으로 다량의 알코올음료를 마신 경우에는 급성중독이 발생할 수 있다.

의학적으로는 급성 알코올중독을 두 가지 타입으로 나누는데, 보통 많은 사람들에게 보이는 취한(명정) 상태를 단순 명정이라 부르고, 이상반응이 있으면 병적 명정으로 구별하고 있다.

보통 단순 명정은 알코올을 마시기 시작하면 감정 작용도 활발해지고, 피부혈관이 확장하여 얼굴이 빨게 지는 경우와 반대로 창백해지는 사람도 있다. 보행시에는 지그재그로 흔들거리며 걷거나, 같은 것을 반복하는 경우가 많고, 판단력 저하, 감정의 불안정 등이 된다.

병적 명정은 어느 시점부터 급속하게 의식혼탁, 환각, 정황오인 등이 시작되고, 술을 마시고 기분이 좋아져야 할 상태가 이손상지고, 피해망상이나 지리멸렬한 사고로 폭행 · 손상사건을 일으키는 경우도 있다. 일반적으로 급성중독인 경우는 알코올이 몸에서 빠져나가면 원래 상태로 돌아오지만, 중증인 경우는 가사상태나 심장마비 혹은 취한 상태로 외상을 입거나, 추운 곳에서 잠을 자거나 함으로써 동사를 유발한다.

※ 현장에서 실시하는 급성 알코올중독환자의 응급처치

- 이불이나 방석을 깔고 그 위에 눕히고, 담요로 보온한다. 토할 경우 토사물이 기도를 막지 않도록 얼굴을 옆으로 향하게 하여 충분히 토할 수 있도록 한다.
- 의식이 있으면, 물이나 음료수를 조금씩 반복해서 마시게 한다.
- 증상이 심하면 가사상태에 빠지는 경우가 있는데, 이때에는 심폐소생술을 실시하는 한편, 곧바로 구급차를 부른다.
- 의식이 없는 경우에는 단순한 만취가 아니라 뇌출혈, 심장발작, 외상에 의한 두개내 출혈이 있을 수 있으므로 주의가 필요하다.

체내에 침투한 이물질제거

이물질에 찔렸을 때

✎ 찔린 가시를 빼는 법

가시에 찔려 가시가 박혔을 때에는 족집게나 날카로운 침을 사용하여 뺀다.
가시를 뺀 후에는 잘 소독한다.

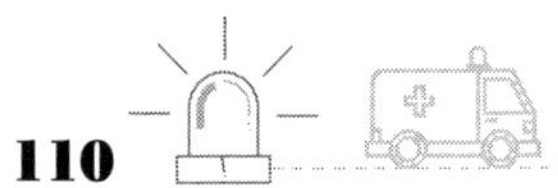

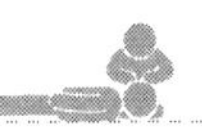

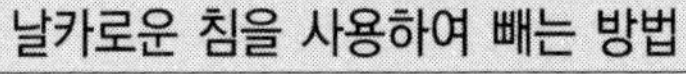

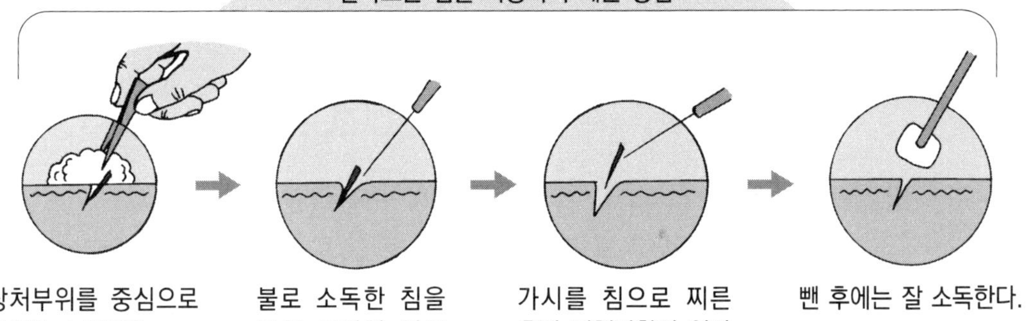

상처부위를 중심으로 주위를 소독한다.

불로 소독한 침을 가시 주위에 대고 상처부위를 넓힌다.

가시를 침으로 찌른 후에 진행방향의 역방향으로 당겨서 뺀다.

뺀 후에는 잘 소독한다.

✎ 낚시바늘을 빼는 법

- 앞이 휘어 있는 낚시바늘 등은 근본적으로 원상태로 힘을 주어 빼도 나오지 않으므로 반대로 누른 후 앞으로 나오게 한다.
- A의 부분을 핀셋으로 확실하게 고정시키고, C의 부분을 펜치로 잘라낸다. 그 이후에 침의 구멍 주위를 누르고 피를 나오게 한 후 세심하게 소독한다.

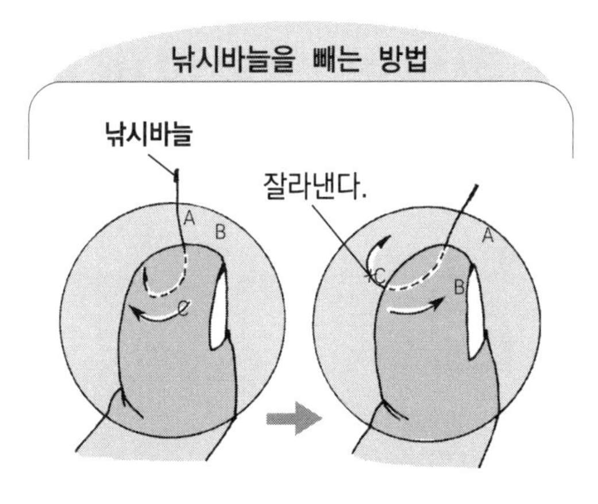

눈에 들어간 이물질

눈에 들어가기 쉬운 이물질로는 모래먼지 · 흙 · 금속파편 · 유리파편 · 눈썹 · 작은 곤충 등이 있으며, 화학약품 등이 들어가는 경우도 있다.

※ 현장에서 실시하는 눈에 들어간 이물질 제거방법

▸ 깨끗한 물로 눈을 씻는다. 물속에서 눈을 감았다 떴다 하면서 씻는 방법과 주전자 물이나 샤워기를 사용하여 씻는 방법이 있다.

▸ 청결한 면봉 또는 거즈끝을 물에 적셔 이물질을 제거한다. 다만 안구표면에 이물질이 있으면 그 상태를 유지하면서 병원으로 간다.

▸ 이물질이 찌르고 있는 경우에는 청결한 거즈나 타월로 눈을 덮고, 곧바로 전문의를 찾는다. 이물질로 눈에 상처를 입을 수 있으므로 눈을 문질러서는 안 된다. 한쪽 눈만을 덮으면, 다른 한쪽 눈이 움직일 때마다 덮은 안구도 함께 움직일 수 있기 때문에 양쪽 눈을 모두 덮어야 한다.

아래눈꺼풀의 이물질을 제거하는 방법

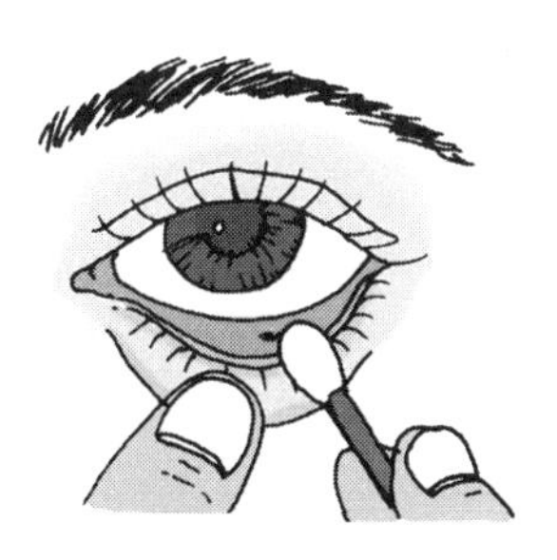

눈썹밑을 누르고 눈썹을 뒤집는다.

윗눈꺼풀의 이물질을 제거하는 방법

면봉을 지렛대처럼 하여 윗눈썹 위에 댄다.

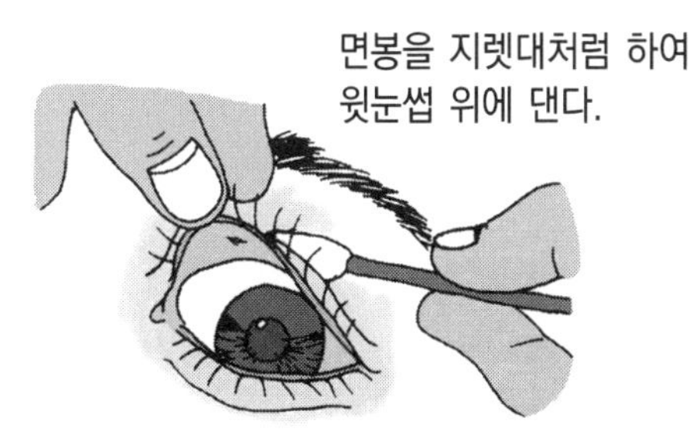

손가락으로 눈썹을 당겨 들어올려 윗눈꺼풀을 뒤집는다.

귀에 들어간 이물질

귀에 들어간 이물질은 아이들이 장난을 쳐서 유리알 · 식물의 씨앗 · 단추 등이 많으며, 때로는 곤충이 들어가는 경우도 있다. 이 밖에도 수영 중에 물이 들어갈 수도 있다.

※ 현장에서 실시하는 귀에 들어간 이물질 제거방법

▸ 귀에 이물질이 들어가 밖에서 보일 때에는 핀셋이나 머리핀의 둥근 쪽을 굽혀서 귓구멍에 살짝 넣어서 이물질을 뒤쪽부터 끌어당긴다.

▸ 귓속에 곤충이 들어간 경우에는 어두운 곳에서 귀속에 빛을 비치면 대부분 빠져나온다.

▸ 귀에 물이 들어간 경우에는 물이 들어간 쪽의 귀를 밑으로 하고 한쪽 발로 뛴다. 그래도 여전히 깊숙한 곳에 물이 있다고 느껴지면 면봉을 1cm 정도 넣어 외이도 내의 수분을 빨아들인다.

커다란 이물질, 깊이 들어간 이물질 등은 귀벽이나 고막을 다치게 할 위험이 있으므로 무리하게 하지 말고 이비인후과에 가서 제거해야 한다.

인후 · 기관 · 식도에 들어간 이물질

떡이나 엿 등의 음식물이나 동전, 구슬, 장난감 뚜껑 등이 목에 들어가 기도를 막으면 질식사할 위험이 있다. 그렇기 때문에 목이나 기관의 이물질은 신속하게 제거하고, 기도를 확보해 줄 필요가 있다. 만약, 이물질이 식도를 통해 위에 들어가면 보통은 특별한 장애 없이 대변과 함께 배출되기도 한다.

※ 현장에서 실시하는 인후 · 기관에 들어간 이물질제거방법

▸ 영 · 유아는 한쪽 팔 위에 아이의 몸을 거꾸로 뒤집어 놓고, 다른손으로 어린이의 턱을 눌러 기도를 확보한다. 한손을 잡고 주먹으로 등을 강하게 때려서 이물질이 입속으로 배출되면 손가락을 넣어 제거한다.

▸ 성인은 허리를 앞으로 굽히고 등을 강하게 때려 큰 기침을 하게 만들어 토하게 한다. 떡 등이 목에 걸렸을 때는 검지와 중지를 집어넣어 끄집어낸다.

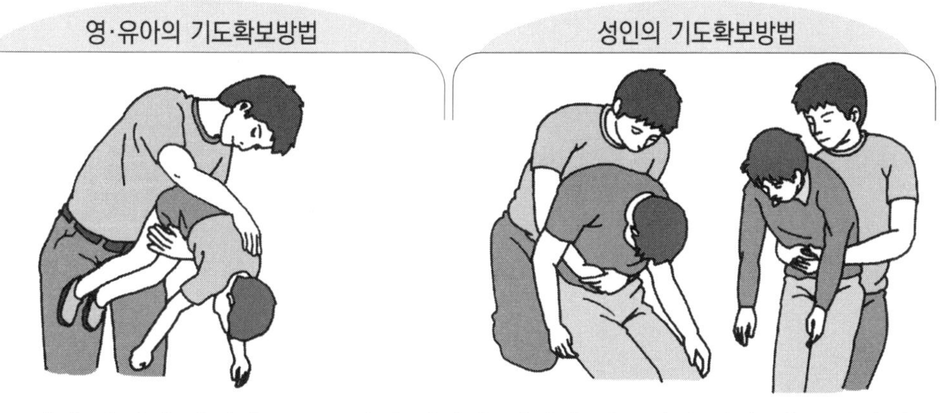

▸ 기침 발작이 심해서 호흡곤란이 심하면 기관에 이물질이 막혀 있는 상태이므로 곧바로 구급차를 준비한다. 혹시, 이물질을 제거한 후에도 창백해지거나 호흡곤란이 있으면 인공호흡을 실시한다.

※ 현장에서 실시하는 식도에 들어간 이물질제거방법

▸ 이물질이 식도를 통해 위로 들어갔을 때는 특별한 조치는 필요 없다. 2cm 이내의 이물질은 대부분 배출된다.

▸ 큰 물고기의 뼈나 의치, 못, 바늘 등을 삼킨 경우 가슴통증이나 복통이 있다면 식도나 위 · 장을 찌른 경우이므로 병원에 가야 한다.

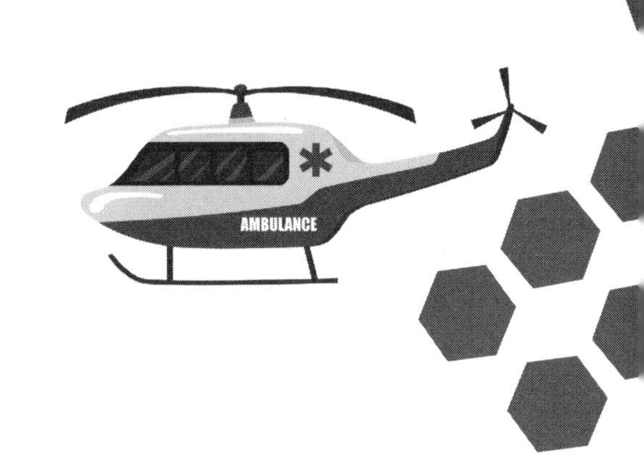

심폐소생술과 AED

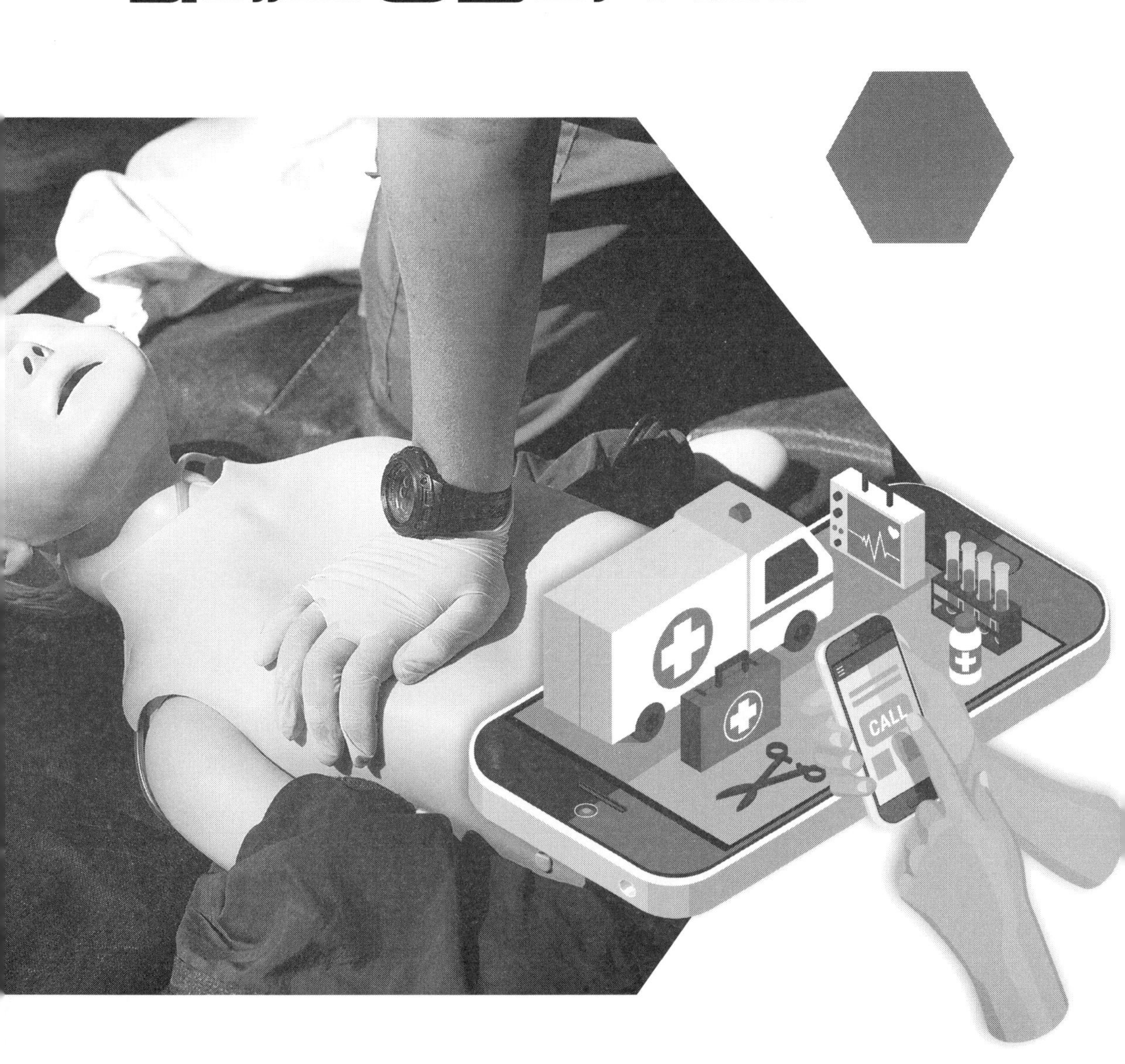

생명을 유지하기 위해서는 적당한 양의 산소가 허파 속으로 들어가서 혈액과 함께 전신에 있는 모든 세포에 공급되어야 한다. 잠깐 동안이라도 산소가 공급되지 않으면 뇌가 죽어가기 시작하여 결국에는 의식을 잃고, 숨이 멎고, 심장이 멎어서 죽게 된다. 그러므로 호흡할 수 있도록 기도가 열려 있어야 한다.

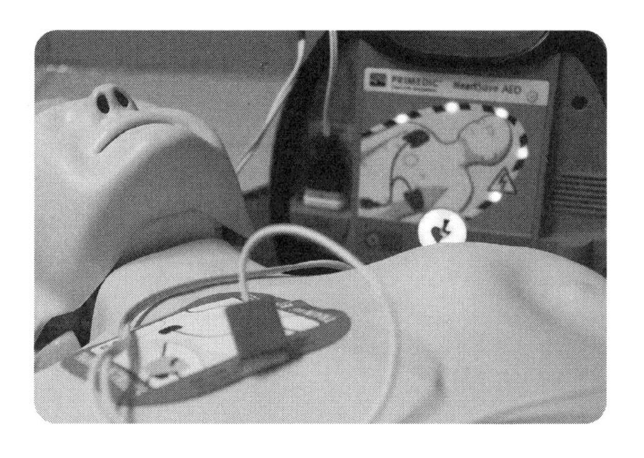

응급처치할 때 가장 우선적으로 해야할 일은 기도를 열어서 호흡과 혈액순환을 유지할 수 있도록 하는 것이다. 심장박동을 정상적인 리듬으로 되돌리려고 하면 외부형 자동심장소생기(AED ; 자동심장충격기, 자동제세동기)가 필요하다.

여기에서는 심폐소생술과 AED에 관련된 내용을 살펴본다. 성인, 어린이, 영아 등에게 실시하는 심폐소생술은 상당한 차이가 있기 때문에 각각 나누어 설명한다.

호흡과 순환

목숨을 유지하려면 반드시 산소가 있어야 한다. 산소가 없으면 몸의 세포가 죽으며, 특히 뇌에 있는 세포들은 단 몇 분밖에 버티지 못한다. 호흡에 의하여 몸속으로 들어간 산소는 순환계통에 의하여 모든 체조직에 있는 세포들에게 공급된다. 그러므로 생명을 유지하기 위해서는 호흡과 순환을 유지하는 것이 필수적이다.

호흡과정에 의해서 공기 중에 있던 산소가 허파꽈리 속으로 흡수되고, 허파꽈리

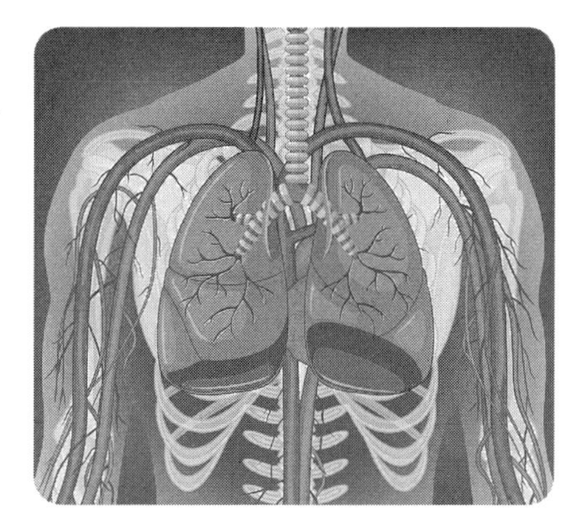

에서 산소가 혈관벽을 넘어서 혈액 속으로 전달된 다음, 혈액 속에서 산소와 혈액세포가 결합된다. 이와 동시에 폐기물인 이산화탄소가 혈액에서 나와 날숨 때 공기 속으로 나간다. 혈액세포와 결합된 산소는 허파정맥을 통해서 허파에서 심장으로 운송된다. 산소가 풍부한 혈액은 심장이 펌프해서 온몸으로 보내고, 조직에서 산소를 소비해서 산소가 부족하게 된 혈액은 정맥을 거쳐 심장으로 되돌아온다. 심장은 그 혈액을 허파동맥으로 펌프해서 허파로 보낸다. 허파에서 이산화탄소를 내놓고 산소를 공급받아서 산소가 풍부한 혈액으로 다시 바뀐다.

인명구조의 우선순위

여기에서 열거하는 과정은 119구급대원이 도착하기 전까지 환자가 호흡과 순환을 유지할 수 있도록 하는 방법이다.

의식이 없는 환자는 기도를 열어 호흡하게 하고(체내로 산소를 보내고), 혈액순환을 유지시켜야 한다. 심장이 정지한(심장마비) 성인환자는 처음에는 혈액의 산소 수준이 일정하게 유지된다. 그러므로 심폐소생술을 실시하는 초기 단계에는 숨을 다시 쉬게 하는 것보다 가슴을 압박하는 것이 더 중요하다. 그러나 약 5분이 지나면 혈액의 산소 수준이 내려가기 때문에 숨을 다시 쉬게 하는 것이 더 중요해진다.

가슴압박과 인공호흡을 조합해서 시행하는 것을 심폐소생술(CPR : cardio

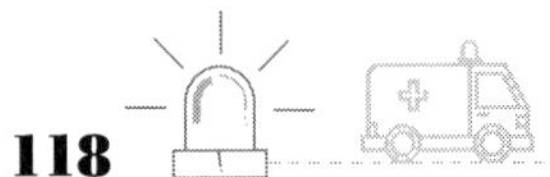

pulmonary resuscitation)이라고 한다. 이때에는 CPR과 함께 AED라고 하는 특수한 기계도 필요한데, AED는 심장에 전기쇼크를 가해서 심장박동을 정상으로 되돌리는 기계이다.

어린이와 영아의 심장이 정지하는 원인이 호흡과 관련된 것이 대부분이다. 그러므로 어린이와 영아를 구조할 때는 인공호흡을 2번 먼저 실시한 다음에 가슴압박을 시작해야 한다.

다음 사항들이 모두 만족되면 환자가 살아남을 가능성이 높다.

빨리 119에 신고
구경꾼 중 한 사람을 시켜서 119에 빨리 신고하게 하고, AED를 찾는다.

신속하게 CPR 실시
가슴압박과 인공호흡을 실시해서 전문가가 도착할 때까지 시간을 번다.

신속하게 AED 실시
AED로 전기충격을 가해서 심장을 정상적인 리듬으로 되돌린다.

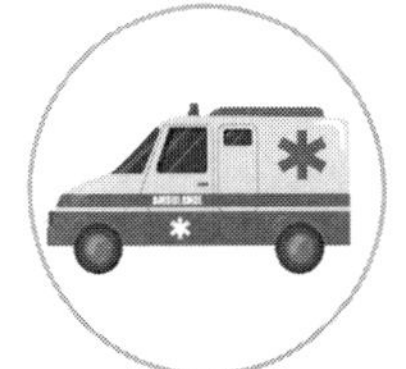

빠른 전문치료
응급처치원과 병원에서 전문적인 치료를 해서 환자의 상태를 안정시킨다.

소생의 사슬

위의 4단계를 정확하게 실시하면 환자의 소생 가능성이 높아진다.
4단계 중 한 단계라도 놓치면 소생 가능성이 낮아진다.

기도개방의 중요성

의식이 없는 환자의 기도는 좁아졌거나 막혔을 가능성이 많다. 그 원인은 근육이 컨트롤되지 않기 때문에 혀가 말려서 기도를 막아버리기 때문이다. 이런 일이 벌어지면 환자가 힘들게 숨을 쉬고, 시끄러운 소리를 내다가 결국에는 호흡이 멈추게 된다. 이 경우에는 환자의 머리를 뒤로 젖히고 턱을 들어올려서 기도입구를 막고 있는 혀를 치워주어야 하다.

혈액순환 유지

심장이 박동을 멈추면 혈액이 순환하지 않는다. 그러면 생명기관(특히 뇌)의 산소가 고갈된다. 뇌세포들은 산소공급이 되지 않으면 단 몇 분밖에 못 견딘다.

가슴을 압박하면 혈액이 순환하도록 심장을 역학적으로 돕는 역할을 해서 인위적으로 약간의 혈액순환을 유지할 수 있다. 가슴의 가운데 부분을 수직 하방으로 누르면 가슴속공간의 압력이 올라가서 심장 안에 있는 혈액을 강제적으로 밀어내 조직으로 가도록 만든다. 누르던 가슴을 놓아주면 가슴이 반동적으로 위로 올라오면서 가슴속공간의 압력이 낮아진다. 그러면 혈액이 심장 안으로 빨려 들어오고, 다시 가슴을 누르면 혈액이 몸으로 밀려나간다.

산소가 풍부한 혈액이 공급되게 만들기 위해서 가슴압박과 인공호흡을 섞어서 할 수 있다. 그러나 만족할만한 인공호흡을 못하는 한이 있더라도 가슴압박은 계속해야 한다.

심장리듬 회복

멈추어버린 심장박동을 다시 회복시키려면 AED를 사용해야 한다. AED를 빨리

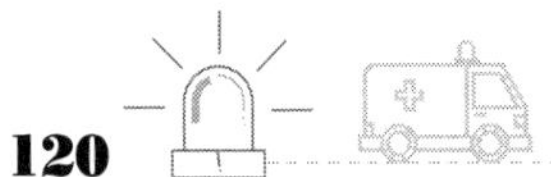
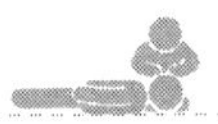

사용할수록 환자가 목숨을 부지할 가능성이 커진다. 단 1분이 늦어져도 생존 가능성은 더 떨어진다.

AED를 사용하려면 그 사용법을 배워서 훈련을 했어야 하고, CPR을 할 줄 알아야 한다. 요사이는 역, 쇼핑센터, 공항, 버스터미널과 같은 공공장소에 대부분 비치되어 있다. 일반적으로 AED는 쉽게 접근할 수 있는 장소에, 번개모양의 마크가 있는 캐비닛 안에 들어 있다.

인공호흡

날숨 속에는 산소 16%(들숨보다 약 5%가 부족)가 들어 있다. 그러므로 날숨을 강제적으로 환자의 허파 속에 불어넣는 인공호흡을 실시하면 환자의 생명을 구할 수 있는 양의 산소가 들어갈 수 있다. 이때 불어넣은 공기가 환자의 허파꽈리에 도착한 다음 모세혈관을 통해서 환자의 적혈구로 보내진다.

공기를 불어넣던 입을 환자의 입에서 떼면 환자의 가슴이 밑으로 내려가면서 폐기물을 포함하고 있는 공기가 밖으로 밀려나온다(날숨).

인공호흡을 가슴압박과 함께 실시하면 환자의 체조직에 산소를 공급할 수 있다.

심정지호흡 (임종호흡)

심정지호흡이란 짧게 숨을 쉬면서 불규칙적으로 숨이 턱턱 막히는 호흡으로, 심장마비 직후에 몇 분 동안 심정지호흡을 한다. 이것은 뇌의 마지막 반사작용에 의해서 이루어지는 호흡이므로 정상적인 호흡과 착각을 하면 안 된다. 심정지호흡 증세를 보이면 지체하지 말고 CPR을 실시해야 한다.

심폐소생술

심폐소생술의 정의 및 단계

✎ 심폐소생술이란

심정지(심장마비)란 다양한 원인에 의하여 우리 몸의 혈액순환을 담당하는 심장이 갑자기 멈추는 현상을 말한다. 이때 수분 이내에 적절한 응급처치가 실시되지 않는다면 환자는 결국 사망하게 된다.

심폐소생술이란 심정지환자의 멈추어진 심장의 수의적 순환을 회복시켜 환자의 사망을 방지하는 일련의 응급처치 과정을 말한다. 그러나 심폐소생술이 시행된다 하더라도 모든 심정지환자가 소생되는 것은 아니며, 얼마나 신속하고 정확하게 심폐소생술이 시행되었느냐에 따라서 환자의 생존율이 결정된다.

✎ 심폐소생술의 단계

심폐소생술은 크게 기본소생술(BLS : basic life support)과 전문 심장소생술(ACLS : advanced cardiac life support)로 나눌 수 있다. 기본소생술은 심정지환자를 발견한 사람이 현장에서 의료기구를 사용하지 않고 심정지 확인, 119 신고, 가슴압박, 기도열기, 인공호흡, 등의 기본 응급처치를 시행하는 심폐소생술의 초기단계를 말한다. 전문 심장소생술은 심정지환자가 병원에 도착한 이후에 의료진에 의하여 시행되어지는 전문 기도유지술, 세동제거, 약물투여, 심정지의 원인에 따른 처치, 소생 후 처치 등의 전문 응급처치를 말한다.

최근에는 현장에서 쉽게 사용할 수 있는 자동제세동기(AED : automated

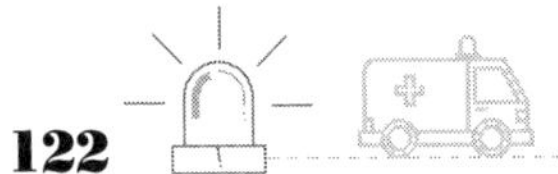

external defibrillator)가 개발됨에 따라 일반인이라도 현장에서 자동제세동기를 이용하여 심장세동을 제거할 수 있게 되었다.

심폐소생술의 분류 및 응급처치 항목

심폐소생술의 분류	응급처치 항목
기본소생술	장비없이 시행하는 기도열기, 인공호흡, 가슴압박, 자동제세동기에 의한 세동제거
전문 심장소생술	전문기도유도술, 세동제거, 약물처치, 심정지원인에 따른 전문처치 및 소생 후 처치

심폐소생술의 필요성

✎ 심장혈관질환 및 노령화에 따른 심정지환자의 증가

'심정지' 혹은 '심장마비'는 다양한 원인에 의해 심장이 뛰지 않는 상태를 말한다. 최근 우리나라에서도 생활방식의 서구화에 따라 심장혈관질환자가 많아져 심장근육경색 등에 의한 심정지 발생 가능성이 급격히 높아지고 있다.

우리나라에서도 암 다음으로 사망률이 높은 심장혈관질환은 전 세계 사망 원인 1위 질환이다. 심장혈관질환으로 의료기관에서 진료받은 환자 수가 매년 증가하고 있다. 건강보험심사평가원이 제공하는 보건의료 빅데이터 자료에 따르면 환자 수는 2015년 96만 명이었으나, 2019년에는 113만 명으로 해마다 증가하고 있다.

더불어 최근에는 급격한 고령화가 진행되면서 인구구조가 선진국형 인구형태로 변화하고 있다. 이러한 인구형태의 변화는 심정지의 발생률이 높은 인구구조로 변화된 것을 의미한다.

심정지는 모든 사람에서 발생될 수 있으나 건강한 일반인의 경우에는 연간 발생

률이 약 0.1% 정도인 반면 위험인자군에서는 1.2%, 심장동맥질환군에서는 5%, 그리고 중증 심장기능상실자에서는 15%로 높게 나타나고 있다.

또한 연령대별로 보면 인구 10만 명당 심정지 발생률은 30대에는 30명, 40대에는 60명 정도이지만 50대에는 100명, 60대에는 300명, 70대에는 700명, 그리고 80대에는 800명으로 연령 증가에 따라 심정지 발생률이 급격하게 증가하는 것으로 나타났다.

✎ 최초 목격자에 의한 심폐소생술의 중요성

심정지는 오전 8~10시 사이에 가장 많이 발생하며, 오후 6~8시 사이에 그다음으로 많이 발생하는 것으로 나타났다. 더군다나 심정지가 발생하는 장소는 미국의 경우 70~80%가 가정이었다. 우리나라의 경우는 대한심폐소생협회에서 조사한 자료에 의하면 약 60%의 심정지가 가정에서 발생하는 것으로 나타나 일반인에 의한 심폐소생술의 중요성을 다시 한번 일깨워주고 있다. 그러므로 고위험군 가족인 경우에는 반드시 심폐소생술을 배워서 유사시에 소중한 가족을 지킬 수 있어야 할 것이다.

심장이 멎었을 때 5분 이내에 심장이 다시 뛰게 된다면 뇌손상없이 완전히 회복

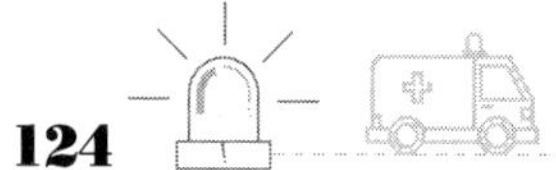

될 수 있으나, 5분 이상 경과된 경우에는 허혈성뇌손상이 발생될 수 있다. 그러므로 심정지상태가 20분 이상 지연된 경우에는 심장이 다시 뛰더라도 중증뇌손상이 남게 되거나 소생이 불가능한 경우가 많다.

우리나라에서 응급처치를 담당하는 119구급대가 신고를 받고 심정지 현장에 도착하기까지는 평균적으로 10여분 이상이 소요되는 것으로 알려져 있다. 따라서 우리나라에서 심정지환자의 소생 가능성은 대부분 심정지를 목격한 일반인에 의하여 결정된다고 할 수 있다.

이처럼 심정지환자의 소생을 위해서는 목격자에 의한 빠른 심폐소생술 시행이 매우 중요하다. 그러나 우리나라에서는 목격자에 의한 심폐소생술 시행률은 지극히 낮은 편이다. 한 통계에 의하면 목격자에 의해 심폐소생술이 시행된 경우 생존율이 15.1%에 달했으나, 목격자 심폐소생술이 시행되지 않은 경우 생존율은 4.9%에 불과하였다. 국내에서 심정지를 목격한 사람이 심폐소생술을 시행한 경우는 수도권 지

심정지 후 경과시간에 따른 생존율의 변화

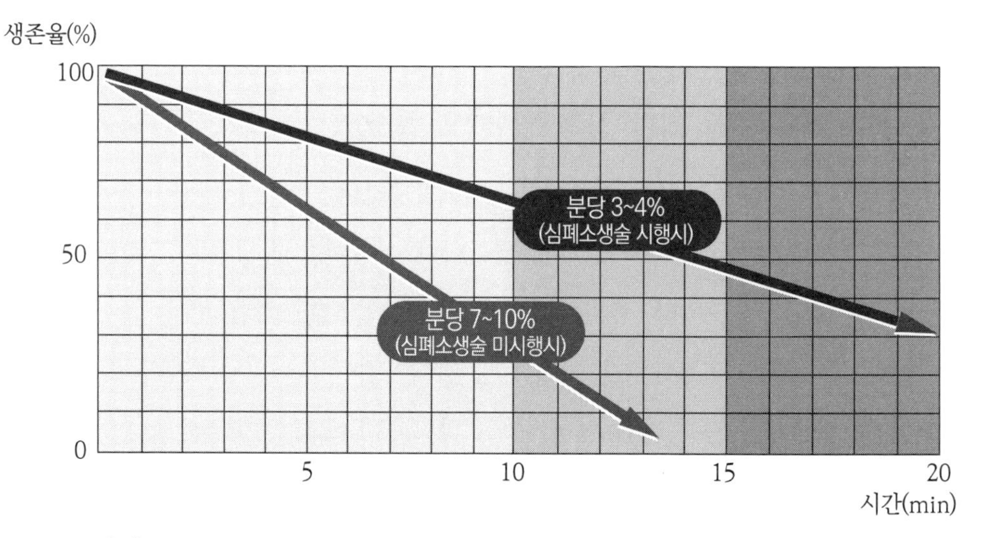

출처 : European Resuscitation Council, Resuscitation 2000; Larsen 등, Ann Emerg Med. 1993.

역의 경우 17.6%였으나, 지방 중소도시의 경우에는 3.5%에 불과해 외국의 40%에 크게 못 미치는 것으로 나타났다. 이러한 결과는 병원 밖에서 발생하는 심정지환자의 생존율에도 영향을 미처 병원에 도착하기 전에 심정지환자의 응급처치가 잘 이루어지는 미국 시애틀의 경우 생존율이 약 17%에 이르지만, 우리나라는 5.8%에 불과한 것으로 나타났다.

심정지로부터 소생까지의 시간이 1분이 경과할 때마다 생존율은 7~10%씩 감소한다. 심폐소생술을 시행하면 생존율이 분당 3~4% 정도 높아질 뿐만 아니라 119 도착이나 병원 도착까지의 시간을 벌어주는 효과가 있어 그만큼 소생의 기회를 높이게 된다.

일반적으로 심정지환자가 목격자에 의하여 심폐소생술이 시행된 경우는 심폐소생술이 시행되지 않은 경우에 비하여 생존율이 3배 정도 높다고 한다. 그러나 우리나라에서 목격자에 의하여 심정지환자에게 심폐소생술이 시행된 경우는 앞에서 언급한 것처럼 5.8%에 불과한 실정이다. 더구나 심정지상황을 목격한 경우는 88%로 대부분의 심정지환자에서 목격자가 있는 것으로 조사되어 향후 일반인에 대한 심폐소생술 교육이 확산되어야 한다.

성인에게 하는 심폐소생술

다음은 의식을 잃고 쓰러진 성인을 만났을 때 해야할 행동계획이다. 이 행동계획은 환자에게 있는 즉각적인 위험이 이미 제거된 것을 전제로 한다.

다음에는 심폐소생술을 필요로 하는 의식이 없는 성인환자를 다루는 방법을 설명한다. 환자에게 심폐소생술을 시술할 때에는 항상 환자의 가슴이나 머리 옆에 무릎을 꿇고 앉는다. 그래야 심폐소생술 시술단계에서 정확한 자세를 취할 수 있다. 이때에는 기도를 열고, 호흡을 체크하고, 가슴압박과 인공호흡을 병행해서 실시한다.

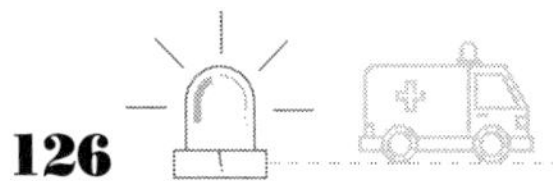

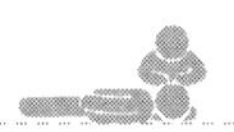

소생의 사슬(chain of survival)

심정지환자가 발생하면 그 사실이 빠른 시간 내에 119에 신고되어야 하며, 목격자는 즉시 심폐소생술을 시행하여 심장이 정지해 있는 시간을 최대한 단축시켜주어야 한다. 또한 심정지환자가 발생했다는 신고를 받은 119는 환자가 발생한 현장에 신속하게 도착하여 세동제거를 포함한 기본소생술을 시술하여야 환자의 생존율을 높일 수 있다.

심장이 정지된 환자를 살리기 위한 이러한 일련의 과정은 사슬과 같이 서로 연결되어 있으므로 이러한 요소들 중 어느 하나라도 적절히 시행되지 않으면 심정지환자의 소생은 기대하기 어렵다. 이와 같이 병원 이외의 장소에서 심정지가 발생한 환자의 생존율을 높이기 위하여 필수적인 여러 과정이 서로 잘 연결되어 있어야 한다는 개념을 지칭하여 '소생의 사슬(chain of survival)'이라고 한다.

소생의 사슬은 '빠른 신고', '목격자에 의한 심폐소생술', 'AED를 이용한 심장충격', '전문 심장소생술' 등의 4가지 요소로 구성된다. 이는 심정지환자를 소생시키는 가장 효과적인 방법인데, 이 중에서 전문 심장소생술을 제외한 모든 요소는 심정지가 발생한 현장에서 이루어져야 한다.

BLS(basic life support) : 미국 심장협회 AHA에서 인정하는 기본 인명 소생술 교육과정

ACLS(advanced cardiac life support) : 전문심장소생술(상급심장소생술). 기본소생술(BLS)에 이어서 의료종사자가 시행하는 구명조치

심폐소생술 실시단계(성인)

1 환자의 반응을 체크한다.

- 질문을 하거나 가볍게 어깨를 흔들면서 반응을 체크한다.

반응이 있는가?

환자가 발견된 자리에 생명을 위태롭게 하는 손상이 있었는지 체크하고 처치한다. 도움을 요청하고 필요하면 ABC 체크를 한다.

아니요

2 기도를 열고, 호흡을 체크한다.

- 머리를 뒤로 젖히고 턱을 들어 올려서 기도를 열어준다.
- 호흡을 하는지 체크한다.

정상적으로 호흡을 하는가?

예

가능하면 환자가 발견된 자리에 생명을 위태롭게 하는 손상이 있었는지 체크한다. 환자에게 척추손상이 없으면 회복자세를 취하게 한다.

119에 신고한다.

아니요

- 보조자에게 119에 신고하라고 부탁한다.
- 보조자에게 가능하면 AED를 가져오라고 부탁한다.

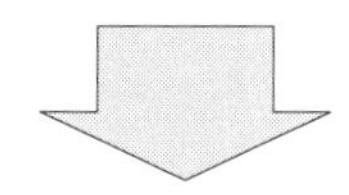

3 CPR을 시작한다.

- 30번 가슴을 압박한다.
- 2번 인공호흡을 한다.

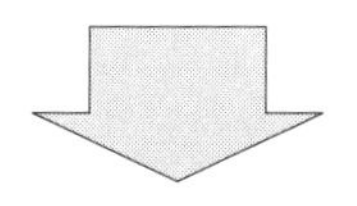

4 CPR을 계속한다.

- 119가 도착할 때까지 30회 가슴압박, 2회 인공호흡을 계속한다.
- 환자가 정상적으로 호흡을 하거나 당신이 너무 지쳐 할 수 없을 때까지 계속한다.

- 혼자서 응급처치를 해야할 때에는 환자가 정상적으로 숨을 쉬지 않는다는 것을 알게 된 후 빨리 119에 신고해야 한다.
- 환자가 익수사고 때문에 숨을 쉬지 않는다는 것이 확실하면 119 구급대가 도착하면 알려준다.
- 환자가 정상적으로 숨을 쉬게 되었고 의식이 없으면 회복자세로 눕힌다.
- 인공호흡을 할 마음이 내키지 않으면 가슴압박만 계속한다.

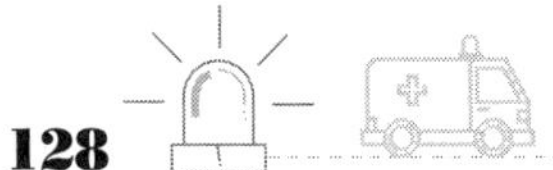

✎ 반응체크

쓰러진 환자를 발견하면 맨먼저 장소가 안전한지 확인하고, 그다음 환자가 의식이 있는지 없는지를 확인한다. 환자의 어깨를 가볍게 흔들면서 “무슨 일이세요?”, “눈 떠 보세요!”라고 말한다. 환자가 들을 수 있을 만큼 크게 말해야 한다.

▫ 반응이 있으면

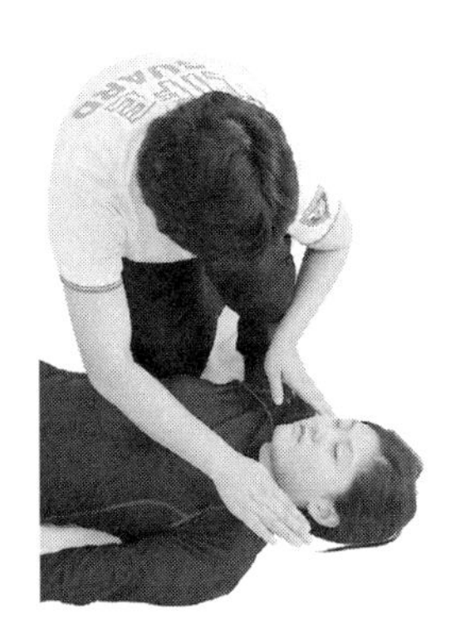

▸ 더 이상의 위험이 없으면 환자를 발견한 자리에서 생명을 위태롭게 하는 손상이 있었는지 살펴보거나, 필요하면 도움을 요청한다(119 신고).

▸ 생명을 위태롭게 하는 손상이 발견되면 즉시 처치하고, 활력징후(반응수준, 호흡, 맥박 등)를 모니터하면서 기록한다. 구급대가 도착할 때까지, 또는 환자가 깨어날 때까지 계속한다.

언제나 목에 손상을 당했을지도 모른다는 가정하에 어깨를 가볍게 흔들어야 한다.

▫ 반응이 없으면

▸ 크게 소리쳐서 도움을 요청하고, 그 자리에서 바로 기도를 열어준다.

▸ 환자가 발견된 상태에서 기도를 여는 것이 불가능하면 환자를 통나무 굴리기방법으로 굴려서 뒤집어야 한다.

✎ 기도열기

① 한 손을 환자의 이마에 얹고 머리를 뒤로 젖힌다. 그러면 입이 조금 열린다.

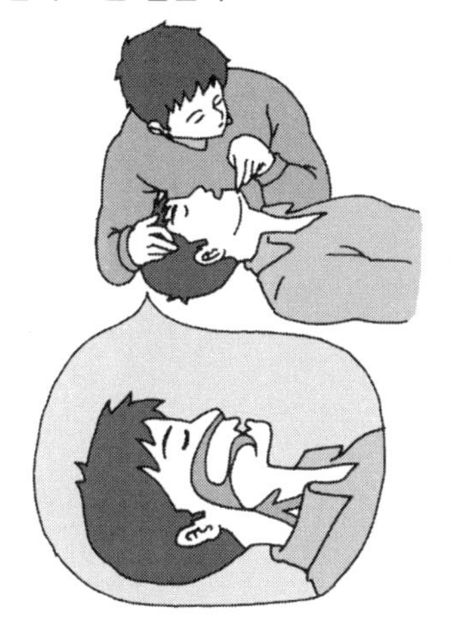

② 다른 손의 손가락끝으로 환자의 턱을 들어 올린다. 환자가 숨을 쉬는지 체크한다.

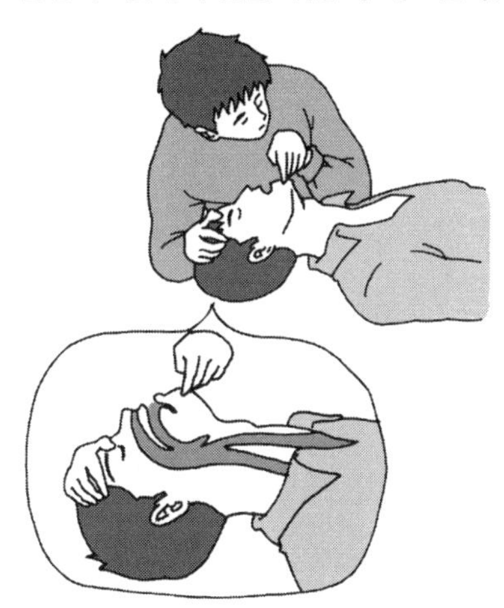

✎ 이물질제거

입속에 들어있는 모든 이물질과 구토물은 기도폐쇄 및 흡인을 유발하므로 제거하여야 한다. 입 주위로 흘러내린 액체와 반액체는 장갑이나 천 조각으로 감싼 손가락으로 닦아내고, 입속에 들어 있는 딱딱한 물질은 한 손으로 환자의 혀와 턱을 잡은 상태에서 다른 손의 엄지와 집게손가락으로 집어낸다.

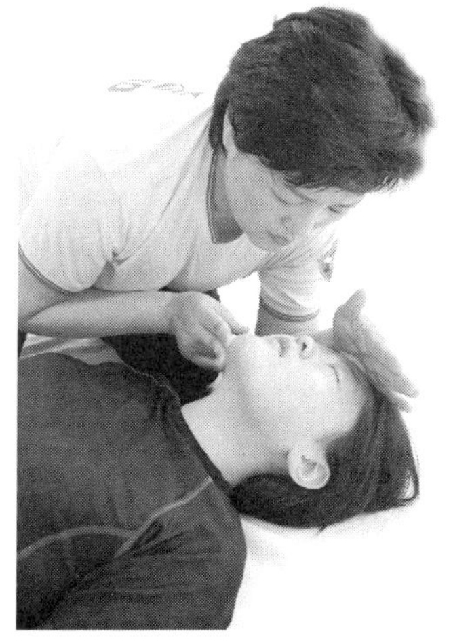

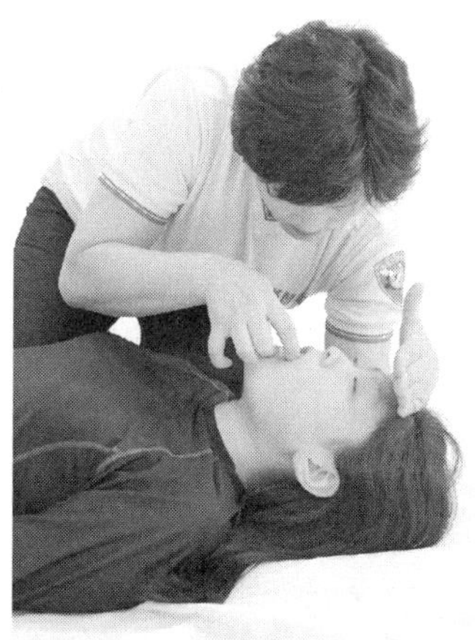

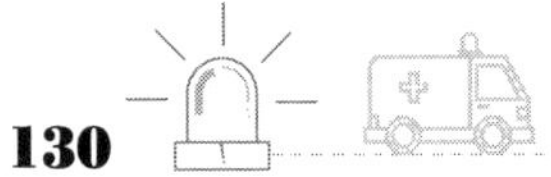

✎ 호흡체크

기도가 열려 있는 상태에서 살피고, 듣고, 느껴야 한다. 이때에는 가슴의 움직임을 살펴보고, 숨 쉬는 소리가 나는지 들어 보며, 뺨을 갖다 대서 숨을 쉬는지 느껴본다.

이와 같은 일을 10초 이상 해서는 안 된다. 그 전에 숨을 쉬는지 안 쉬는지 판단해야 한다. 왜냐하면 심정지호흡일 수도 있기 때문이다. 조금이라도 의심이 가면 환자가 정상적으로 숨을 쉬지 않는 것으로 간주하고 다음 행동으로 넘어가야 한다.

▫ 환자가 숨을 쉬면

- ▸ 생명을 위태롭게 하는 손상이 있는지 살펴본다. 이때 심한 출혈이 있으면 바로 처치해야 한다.
- ▸ 환자를 회복자세로 눕히고, 119에 신고한다.
- ▸ 활력징후(반응수준, 호흡, 맥박 등)를 모니터하면서 기록한다.

▫ 환자가 숨을 쉬지 않으면

- ▸ 옆에 있는 사람에게 119에 신고하도록 부탁한다. AED를 가져오게 한다.
- ▸ 혼자일 경우에는 자신이 119에 신고한다(익수사고인 경우는 제외).
- ▸ CPR을 실시한다.

✎ 회복자세로 눕히기

환자를 회복자세로 눕히는 방법은 다음과 같다. 척주손상이 의심되면 '척주손상이 의심되는 환자의 회복자세'를 참고하여 처치한다.

- ▸ 환자곁에 무릎을 꿇고 앉는다. 안경을 벗기고 부피가 큰 물건(휴대전화, 열쇠뭉치 등)을 호주머니에서 꺼낸다. 작은 소지품은 안 꺼내도 된다.

- 환자의 두 다리를 반듯하게 편다. 당신 쪽에 있는 환자의 팔을 옆으로 벌려서 90도가 되게 만들고, 환자의 팔꿈치를 굽혀서 손바닥이 하늘을 향하게 만든다.
- 당신 반대쪽에 있는 환자의 팔을 잡아당겨서 환자의 가슴 위에 가로로 올려 놓는다. 환자의 손등이 환자의 뺨에 닿도록 만든다. 다른 손으로 환자의 무릎 위를 끌어당겨 올려서 발바닥이 땅바닥에 닿도록 만든다.
- 환자의 손을 환자의 뺨쪽으로 누르면서 세워 놓은 환자의 다리를 잡아당겨 환자의 몸을 당신 쪽으로 굴린다. 그러면 환자가 옆으로 눕게 된다.
- 환자의 두 다리 중에서 위쪽에 있는 다리를 움직여서 엉덩관절과 무릎관절이 90도가 되도록 만든다.
- 환자의 머리와 뺨을 기울여서 기도를 열려 있게 만든다.
- 기도를 열려 있게 만들기 위해서 필요하면 뺨 밑에 있는 손의 위치를 조절한다.
- 그때까지도 119에 신고가 안 되었으면 신고한다. 119구급대가 오기를 기다리는 중에 활력징후(반응수준, 호흡, 맥박 등)를 모니터하면서 기록한다.

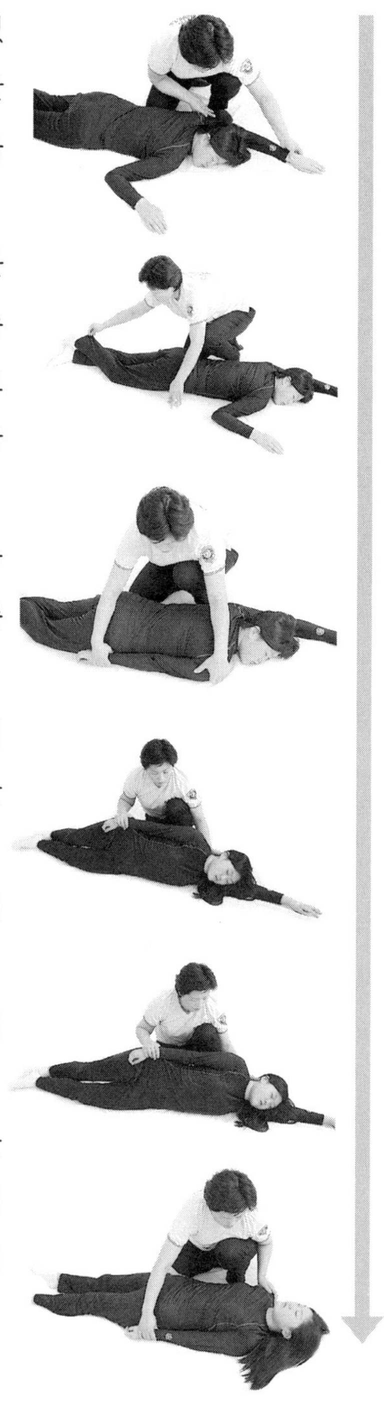

 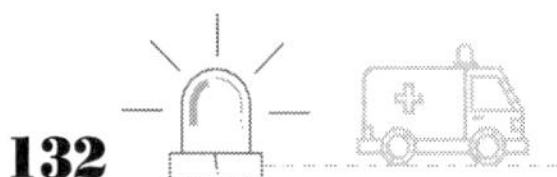 

척주손상이 의심되는 환자의 회복자세

환자가 척주에 손상을 입은 것으로 의심되고, 턱밀어올리기 기법으로는 기도가 열려 있는 상태로 유지하기 어려워서 환자의 자세를 회복자세로 바꾸어야 할 경우에는 척주를 똑바로 유지하려고 노력해야 한다.

- 당신 혼자인 경우에는 위에서 설명한 방법으로 회복자세를 취하게 만든다.
- 도와줄 수 있는 사람이 있으면 한 사람은 환자의 머리를 붙들고 있고, 다른 사람은 환자를 굴린다.
- 3사람이 있을 때에는 한 사람은 환자의 머리를 붙들고, 다른 한 사람은 환자를 굴리고, 나머지 한 사람은 환자를 굴릴 때 허리가 똑바로 유지되게 만든다.

Tip

▸ 환자를 회복자세로 30분 이상 놓아두어야 할 때에는 환자를 반대방향으로 굴려서 회복자세를 반대쪽으로 바꿔주어야 한다. 그러나 반대쪽에 상처가 있으면 그대로 둔다.

✎ CPR을 하는 방법

▫ 손의 위치

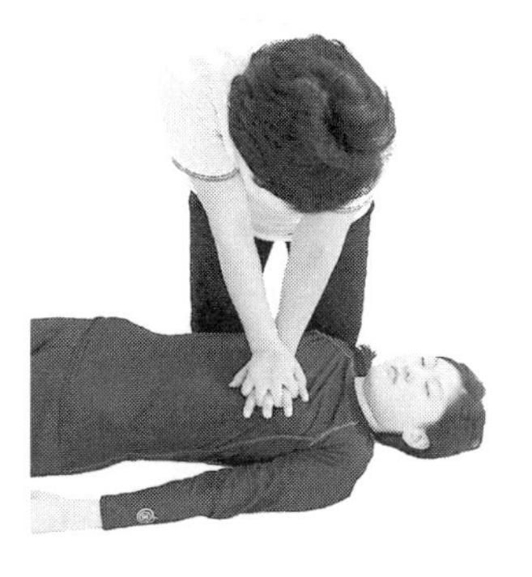

CPR을 실시하려면 그림처럼 손을 환자의 가슴뼈(흉골) 위에 얹는다. 이때에는 환자의 갈비뼈, 가슴뼈의 아래쪽끝(칼돌기), 윗배(상복부) 등을 압박하지 않도록 주의해야 한다.

▸ 환자의 가슴 옆에 무릎을 꿇고 앉는다. 한 손의 손바닥밑동(손목쪽)을 환자의 가슴 한복판에 놓는다. 환자의 옷을 보면 가슴압박을 하기 위한 올바른 손의 위치를 알 수 있을 것이다.

▸ 다른 손의 손바닥밑동을 먼저 올려놓은 손 위에 포갠다. 두 손의 손가락을 깍지끼우되, 환자의 갈비뼈 위에 있지 않도록 주의한다.

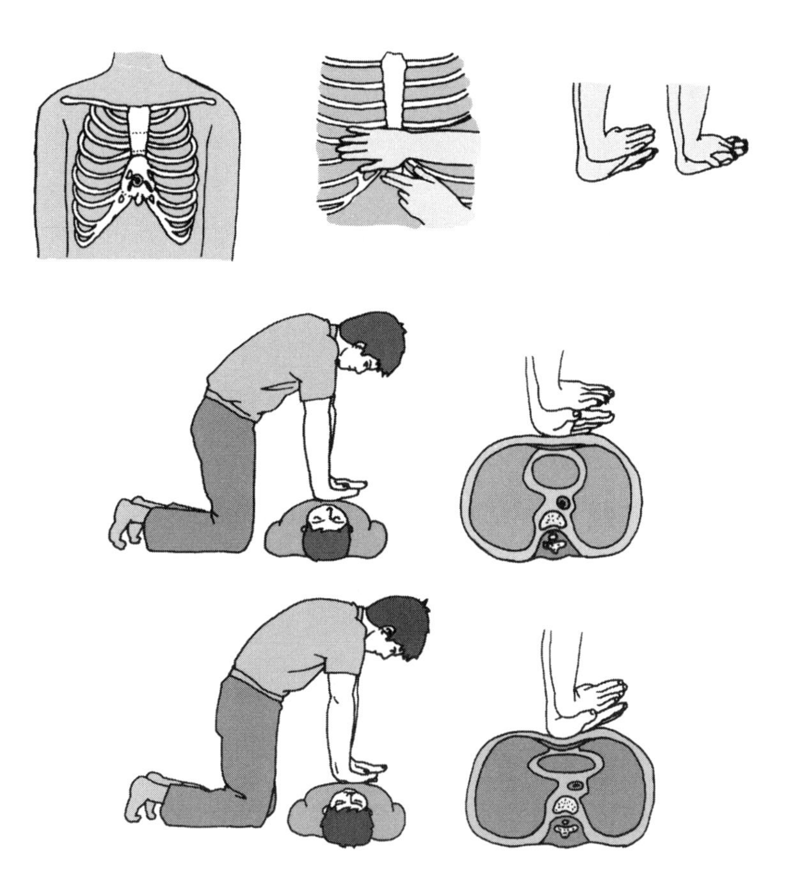

▸ 환자 쪽으로 몸을 기울이면서 팔을 곧게 뻗어서 환자의 가슴뼈가 약 4~5cm 들어가도록 수직하방으로 누른다. 손을 떼지 말고 압력을 없애준다. 환자의 가슴이 반동에 의해서 충분히 위로 올라올 때까지 기다렸다가 다시 압박한다.

▸ 환자의 가슴을 1분 동안에 100번 압박하는 속도로 약 30회 압박한다. 가슴을 압박하고 있는 시간과 놓아 주고 있는 시간이 비슷해야 한다.

▸ 환자의 머리 쪽으로 당신이 이동해서 기도가 열려 있는지 확인한다. 한 손은 환자의 머리 위에 얹고, 다른 손의 손가락 2개를 환자의 턱뼈 밑에 댄다. 환자의 이마에 얹은 손의 엄지손가락과 나머지 손가락으로 환자의 코에서 물렁물렁한 부분을 눌러서 코를 막아 환자의 입이 벌어지게 만든다.

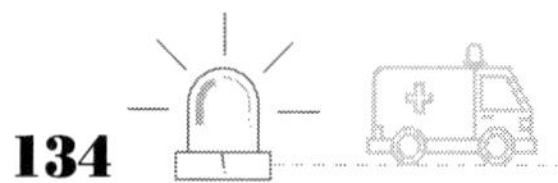

▸ 숨을 들이쉰 다음 당신의 입술로 환자의 입을 감싼다. 바람이 새나가지 않게 잘 막혔는지 확인한다. 환자의 입속에 바람을 불어 넣어서 가슴이 올라오게 만든다. 부는 시간은 약 1초가 적당하다.

▸ 환자의 머리는 젖혀지고 턱은 들어올린 상태를 유지하면서 당신의 입을 환자의 입에서 뗀 다음 환자의 가슴이 위로 올라 왔는지 보고, 잠시 후에 환자의 가슴이 밑으로 내려가면 인공호흡을 잘 한 것이다. 바람을 불어 넣어도 환자의 가슴이 위로 부풀어 올라오지 않으면 환자의 머리 자세(위치)를 조절해야 한다. 다시 한 번 인공호흡을 실시한다.

▸ 인공호흡이 끝나면 지체없이 가슴압박을 약 30회 다시 한다. 구급대가 도착하거나, 환자가 정상적으로 숨을 쉬거나, 당신이 지쳐서 더 이상 CPR을 실시할 수 없을 때까지 CPR을 계속한다.

✎ CPR 시 주의할 사항

CPR을 실시하기 어려운 경우가 있다. 예를 들어 환자가 입을 다쳐서 입에서 출혈할 때, 환자의 입 주위에 화학약품이 묻어 있을 때에는 입 대신 코를 통해서 인공호흡을 할 수 있다. 또, 목 앞부분에 뚫린 구멍으로 호흡하는 환자도 있다.

인공호흡은 휴대용 마스크, 마우스쉴드 등을 이용해서 할 수도 있다. CPR을 실시하는 방법을 배워서 아는 사람이 두 사람 있을 때에는 한 사람은 가슴압박을 하고, 다른 사람은 인공호흡을 한다.

수술을 해서 성대를 제거한 환자들은 목의 앞부분에 있는 숨길(기도)을 통해서 호흡을 한다. 그러므로 인공호흡을 시작하기 전에 숨길이 있는지 확인해야 한다. 환자에게 숨길이 있으면 한 손으로 환자의 입과 코를 막은 다음 숨길(기도)를 통해서 바람을 불어넣어준다.

▫ 인공호흡 시 유의사항

인공호흡을 해도 환자의 가슴이 부풀어 오르지 않으면 머리를 젖히고 턱을 밀어 올렸는지 다시 한 번 체크한다.

환자의 입속에 무엇이 들어 있지는 않는지 다시 체크한다. 그러나 손가락을 환자의 입속에 넣어서 쓸어내려고 해서는 안 된다.

인공호흡을 3번 이상 실시한 다음에 가슴압박을 해서는 안 된다.

▫ 임신한 환자

임신 말기의 환자는 등을 대고 똑바로 누우면 방광이 정맥을 압박해서 혈액이 심장으로 제대로 돌아오지 못할 수도 있다. 그러므로 임신한 환자에게 CPR을 해야할 경우에는 환자를 왼쪽 옆으로 기울여서 정맥에 압력이 가해지는 것을 막아야 한다.

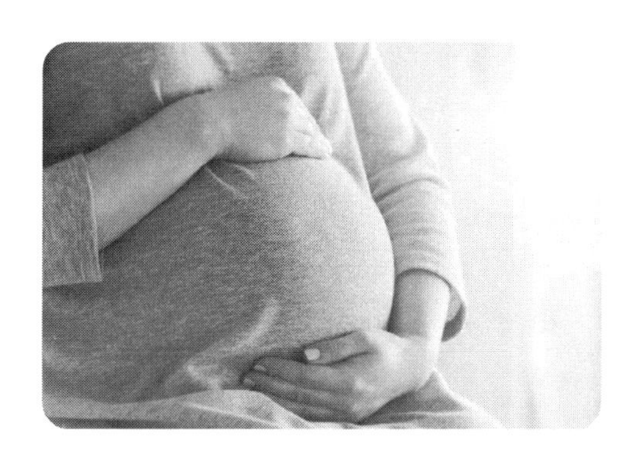

그렇게 하려면 똘똘 만 옷을 임신한 환자의 오른쪽 히프 밑에 받쳐주거나, 도와줄 수 있는 사람이 있으면 임신한 환자의 등 밑에 도와주는 사람의 무릎을 밀어 넣으면 된다.

익수사고를 당한 환자이거나 입에 상처가 있어서 바람이 새지 못하게 막을 수 없는 환자인 경우에는 환자의 코를 통해서 인공호흡을 할 수밖에 없다. 이때에는 환자의 입을 꼭 막고, 당신의 입술로 환자의 코를 완전하게 감싼 다음에 일정하게 바람을 불어 넣는다. 그다음에는 환자의 입을 벌려서 공기가 빠져나올 수 있도록 한다.

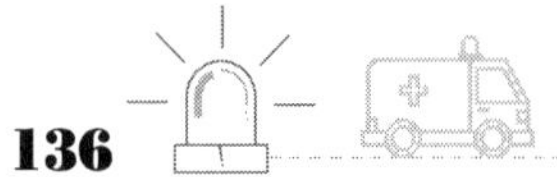
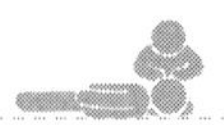

▫ 구급차가 도착했을 때

응급구조대원에게 당신이 최초반응자라는 것을 말한 다음 알고 있는 상황은 모두 말해준다. 그러면서도 응급구조대원이 CPR을 그만해도 좋다는 말을 하기 전까지는 CPR을 계속해야 한다. 응급구조대원이 당신에게 요청하는 것을 잘 듣고 그에 따른다.

- ▸ **심장세동 |** 당신이 AED를 구했고, 사용방법을 안다면 이미 환자의 가슴에 AED를 부착했겠지만, 그렇지 못했다면 구급대원이 AED를 가지고 와서 부착할 것이다. 구급대원이 AED를 환자의 가슴에 부착하는 동안 계속해서 CPR을 해달라고 요청하면 그렇게 해야 한다. AED가 환자의 심장리듬을 분석하는 동안 AED에서 떨어져 있으라고 하면 그렇게 하고, 구급대원이 요청하지 않는 한은 더 이상 환자에게 접근해서는 안 된다.
- ▸ **기도와 호흡 |** 보통 구급대원들은 산소통에 있는 산소를 환자에게 공급하여 환자의 호흡을 개선하려고 한다.
- ▸ **순환 |** 환자의 팔이나 손에 구급약을 주사한다. 그렇지만 CPR은 계속해야 구급약이 온몸에 퍼지는 데에 도움이 된다.
- ▸ **병원으로 이송 |** 구급대원이 환자를 병원으로 이송할 것인지, 현장에서 응급치료를 계속할 것인지를 결정할 것이다. 모든 결정은 구급전문가가 한다.

▫ 휴대용 마스크와 마우스쉴드

감염병 문제 때문에 마우스쉴드 또는 휴대용 마스크 사용을 적극적으로 권장하고 있다. 마우스쉴드는 비닐로 만들어져 있고, 입부분에 필터가 있다.

휴대용 마스크는 좀 더 튼튼하고 사용하기 편하게 만들어져 있고, 마우스피스가 있어서 그것을 통해서 공기를 불어넣을 수 있다. 사용법을 알고 있는 사람은 둘 중

휴대용 마스크

환자의 머리 위쪽에 무릎을 꿇고 앉는다. 기도를 열고 마스크를 씌운다. 이때 좁은 끝이 당신 쪽을 향해야 하고, 환자의 입과 코를 완전히 덮어야 한다. 마우스피스를 통해서 바람을 불어넣는다.

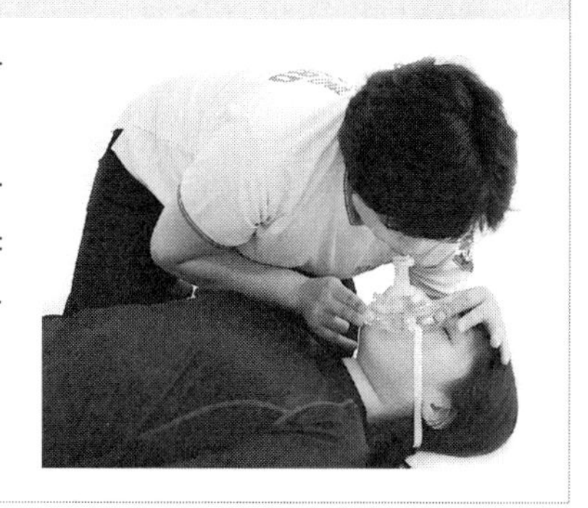

마우스쉴드

환자의 머리를 뒤로 젖혀서 기도를 연 다음 마우스쉴드의 필터를 환자의 입 위에 올려 환자의 입 전체를 잘 가려서 바람이 새지 않도록 한 다음 필터를 통해서 바람을 불어넣는다.

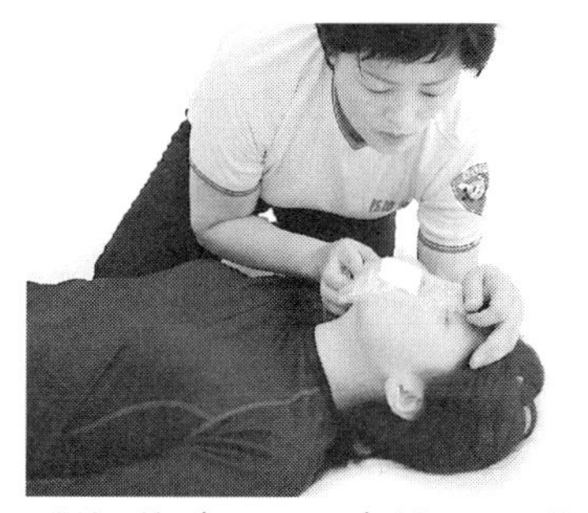

페이스쉴드(faceshiled)사용 구조호흡

심정지환자의 맥박확인

맥박의 유무를 정확히 판정하는 것은 매우 어려운 일이기 때문에 일반인 구조자는 인공호흡을 시행한 다음에 맥박이나 순환의 징후를 확인하지 않고 바로 가슴압박을 시행한다. 실제로 응급의료종사자에 의하여 목동맥 확인이 시행된 경우라 할지라도 맥박이 없는 환자의 10%와 맥박이 있는 환자의 40%에서 잘못되어 판정이 내려진다는 연구결과가 보고되었다. 그러므로 일반인 구조자는 의식이 없는 환자에서 정상호흡이 관찰되지 않는다면 심정지 상태로 판단하고 바로 심폐소생술을 시행하여야 한다.

에 한 가지는 평소에 가지고 다니다가 인공호흡이 필요한 상황이 되면 사용하는 것이 대단히 좋다. 그러나 당신이 인공호흡을 해주는 것이 싫거나 마음이 내키지 않으면 가슴압박만 하고 인공호흡은 하지 않아도 된다.

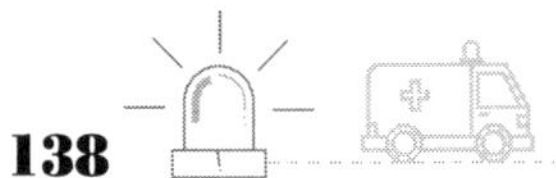

어린이에게 하는 심폐소생술

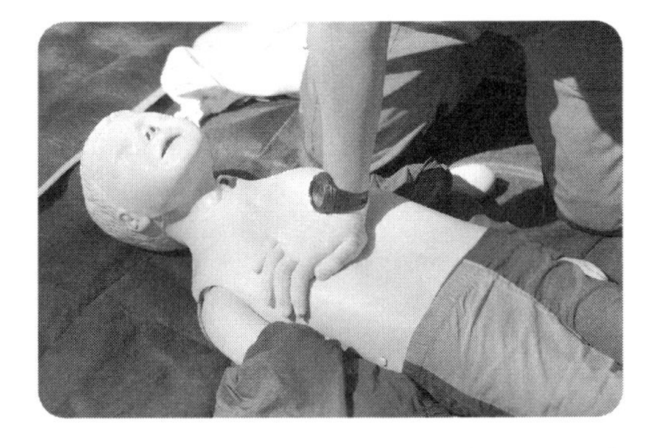

다음 행동계획은 만 6세부터 13세 미만 어린이가 환자일 경우에 사용할 기술들을 순서대로 적은 것이다. 어린이가 심장마비를 일으키는 원인은 대부분 호흡문제이므로 맨처음에 인공호흡부터 시작한다.

여기에서는 어린이가 의식을 잃었을 때 소생시키기 위해서 필요한 기법들을 설명한다.

어린이를 구조할 때는 항상 어린이의 오른쪽으로 접근해서 가슴 약간 아래에 무릎을 꿇고 앉아서 기도를 열어주고, 호흡을 체크하고, 인공호흡과 가슴압박(CPR)을 실시한다. 어린이가 심장질환 때문에 쓰러졌을 때에는 즉시 119에 신고하고, AED가 필요하다고 알려야 한다. 빨리 전문적인 치료를 할 수 있어야 어린이의 목숨을 구할 수 있다.

✎ 반응체크

쓰러진 어린이를 발견하면 의식이 있는지부터 체크해야 한다. 그러려면 크고 명확한 목소리로 "무슨 일이야?"라고 묻든지, "눈 좀 떠봐!"라고 말한다.

한 손을 어린이의 어깨 위에 얹고 살짝 두들겨서 반응이 있는지 살펴본다.

▫ 반응이 있으면

▸ 더 이상 위험하지 않다고 판단되면 발견된 자리에서 생명을 위태롭게 하는 손상이 없었는지 체크한다. 필요하면 119에 신고해서 도움을 요청한다.

심폐소생술 실시단계(어린이)

1

어린이의 반응을 체크한다.

- 질문을 하거나, 어린이의 어깨를 살짝 두드려서 반응을 본다.
  반응이 있는가?

예 → 발견된 장소에 생명을 위태롭게 하는 손상이 있었는지 체크하고 처치한다. 도움을 요청하고, 필요하면 ABC 체크를 한다.

아니요

2

기도를 열고, 호흡을 체크한다.

- 머리를 뒤로 젖히고 턱을 들어 올려서 기도를 열어준다.
- 호흡을 체크한다.
  정상적으로 숨을 쉬는가?

예 → 가능하면 발견된 자리에서 생명을 위협하는 손상이 있었는지 체크하고 처치한다. 척주에 손상이 없으면 회복자세를 취하게 한다.
119에 신고한다.

아니요

- 구경꾼에게 119에 신고를 요청한다.
- 구할 수 있으면 AED와 응급처치 패드를 구하도록 요청한다.

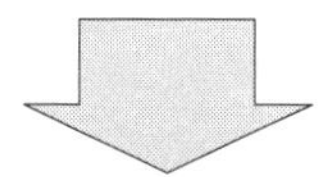

3

인공호흡을 시킨다.

- 입속에 이물질이 있으면 조심스럽게 제거한다.
- 2번 인공호흡을 한다.

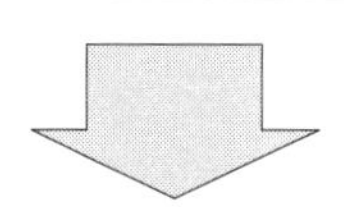

4

CPR을 시작한다.

- 30회 가슴압박
- 2회 인공호흡
- 30회 가슴압박과 2회 인공호흡을 119구급대가 도착할 때까지, 어린이가 정상적으로 숨을 쉴 때까지, 당신이 너무 지쳐서 못할 때까지 계속한다.

- 혼자서 응급처치를 해야할 때에는 119에 신고하기 전에 1분 동안 인공호흡과 가슴압박을 한다.
- 어린이가 정상적으로 숨은 쉬면서 의식이 없으면 회복자세를 취하게 한다.
- 어른에게만 CPR을 한 경험이 있어도 그것을 그대로 어린이에게 실시한다.
- 인공호흡을 시킬 능력이 없거나 마음이 내키지 않으면 119구급대가 도착할 때까지 분당 100회의 속도로 가슴압박만 해도 된다.

 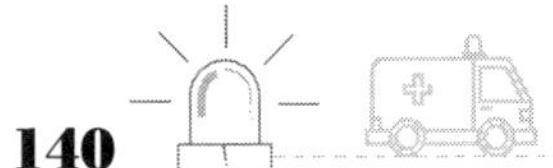 

- 손상이 발견되었으면 즉시 치료하고, 활력징후(반응수준, 호흡, 맥박 등)를 모니터하면서 기록한다. 어린이가 회복되든지, 또는 구급대가 도착할 때까지 계속한다.

▫ 반응이 없으면

- 도와달라고 소리쳐서 요청하고, 그 자리에서 바로 기도를 열어준다.
- 제자리에서 기도를 열 수 없는 경우에는 어린이를 굴려서 등이 땅에 닿도록 한 다음에 기도를 열어준다.

✎ 기도열기

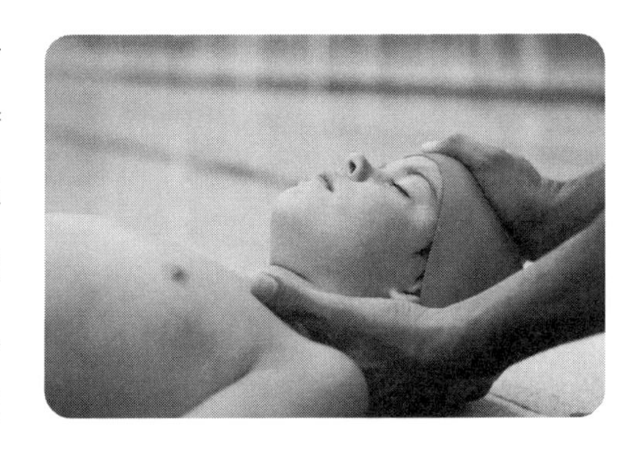

한 손을 어린이의 앞이마에 얹은 다음 머리를 뒤로 젖힌다. 그러면 입이 약간 벌어질 것이다. 다른 손의 손가락으로 어린이의 턱을 들어올린다. 이때 턱 밑에 있는 연조직을 밀면 안 된다. 그러면 오히려 기도를 막아버릴 수도 있기 때문이다. 그다음에는 숨을 쉬는지 확인한다.

✎ 호흡체크

기도가 열린 상태를 유지하면서 가슴이 움직이는지 살펴서 정상적인 숨소리가 나는지 들어보고, 뺨으로 공기가 움직이는지 느껴본다.

호흡을 체크할 때 10초 이상이 걸리면 안 된다.

▫ 어린이가 숨을 쉬면

- ▸생명을 위협하는 손상(예 : 심한 출혈)이 있는지 체크하고, 필요하면 치료한다.
- ▸어린이를 회복자세로 눕히고, 119에 신고한다.
- ▸활력징후(반응수준, 호흡, 맥박 등)를 모니터하면서 기록한다. 구급대원이 도착할 때까지 계속한다.

▫ 어린이가 숨을 안 쉬면

- ▸119에 신고해달라고 부탁한다. 만약 당신 혼자뿐이면 CPR을 1분 동안 실시한 다음 119에 신고한다.
- ▸2회 인공호흡을 한 다음 CPR을 한다.

✎ 어린이를 회복자세로 눕히기

어린이환자를 회복자세로 눕히는 방법은 다음과 같다. 척주에 손상을 당한 것이 의심되면 '척주손상이 의심되는 어린이환자를 회복자세로 눕히기'에서 설명하는 방법으로 처치한다.

- ▸어린이 옆에 무릎을 꿇고 앉아서 안경을 꼈다면 벗기고, 호주머니에서 큰 물건을 끄집어낸다. 그렇지만 호주머니를 뒤지면 안 된다.
- ▸두 다리를 반듯하게 편다. 당신 쪽에 있는 어린이의 팔을 90도가 되게 옆으로 벌리고, 팔꿈치를 굽혀서 손바닥이 하늘을 향하도록 한다.
- ▸어린이의 반대쪽 팔을 당겨서 어린이의 손등이 어린이의 반대쪽 뺨에 닿게 만든다. 한 손으로는 뺨에 대고 있는 어린이의 손을 누르고, 다른 손으로 어린이의 먼쪽 다리를 잡는다. 어린이의 다리를 끌어당겨서 발바닥이 땅에 닿도록 무릎을 세워준다.

▸ 어린이의 뺨에 대고 있는 손으로 가볍게 누르면서 세워놓은 어린이의 무릎을 잡아당겨서 어린이를 당신 쪽으로 굴린다. 그러면 어린이가 옆으로 눕게 된다.

▸ 위쪽에 있는 어린이의 다리를 히프와 무릎이 모두 90도가 되도록 조절해준다. 다시 어린이의 머리를 뒤로 젖히고 턱을 당겨서 기도가 계속해서 열려 있게 한다(성인과 같은 자세).

▸ 필요하면 뺨 밑에 있는 어린이의 손위치를 조절해서 기도가 계속해서 열려 있도록 한다. 아직까지도 119에 신고가 안 되어 있으면 신고한다. 활력징후(반응수준, 호흡, 맥박 등)를 모니터하면서 기록한다. 구급대가 도착할 때까지 계속한다.

▸ 어린이를 30분 이상 회복자세로 놓아두어야 할 경우에는 어린이를 반대쪽으로 굴려서 회복자세로 눕힌다. 상처 때문에 곤란하면 그대로 둔다.

척주손상이 의심되는 어린이환자를 회복자세로 눕히기

척주손상이 의심되는 어린이환자에게 턱밀어올리기방법을 실시하여도 기도가 확보되지 않아 회복자세로 눕혀야 할 때에는 다음 지침에 따라서 돌려 눕힌다. 이때 척주는 똑바로 유지해야 한다.

- 당신 혼자이면 한 손으로는 어린이의 머리를 돌려주고, 다른 손으로는 무릎을 지지한다.
- 두 사람이 힘을 합쳐서 돌려 눕힐 때에는 한 사람은 어린이를 굴리고, 다른 사람은 머리가 움직이지 않도록 붙든다.
- 세 사람이 있을 때에는 한 사람은 어린이의 머리를 붙들고, 다른 한 사람은 어린이를 굴리고, 또 다른 사람은 어린이의 허리를 똑바르게 유지한다.
- 네 사람 이상이 있을 때에는 통나무 굴리기방법으로 굴린다.

✎ CPR을 하는 방법

▫ 손의 위치

한 손을 어린이의 가슴뼈(흉골) 위에 얹는다(사진 참조). 어린이의 갈비뼈, 가슴뼈의 아래쪽 끝(칼돌기), 윗배(상복부) 등을 압박하면 안 된다.

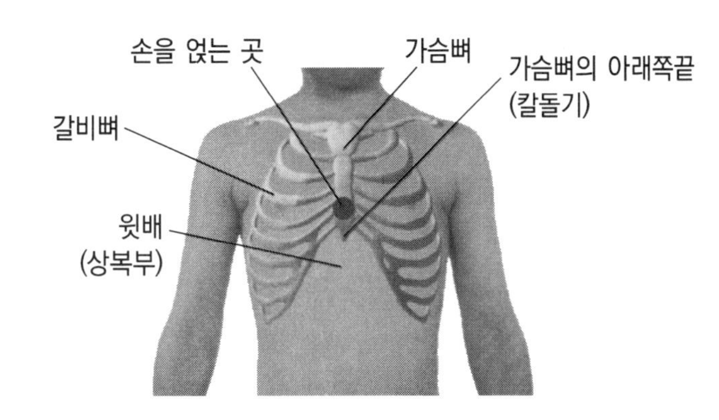

- ▸ 한 손은 어린이의 이마에 얹고, 다른 손의 손가락 2개는 어린이의 턱 끝에 두어서 기도가 계속 열려 있게 한다.
- ▸ 입속에 이물질이 들어 있으면 끄집어낸다. 입속에 이물질이 있는지 알아보기 위해서 손가락을 집어넣어서 훑으면 안 된다.
- ▸ 어린이의 이마 위에 얹었던 손으로 어린이의 콧구멍을 집어서 막는다. 어린이의 콧구멍이 막혀 있어야 공기가 빠져나가지 않는다. 어린이의 입을 벌린다.
- ▸ 어린이의 입에 당신의 입술을 갖다 대기 전에 심호흡을 한다. 약 1초 동안 어린이의 입속에 공기를 불어넣는다. 그러면 어린이의 가슴이 위로 올라오게 된다.
- ▸ 어린이의 머리가 젖혀져 있고 턱이 올라와 있는 상태에서 당신의 입술을 뗀다. 그러면 어린이의 가슴이 내려가게 된다. 공기를 불어넣을 때 어린이의 가슴이 올라오고, 당신이 입술을 떼었을 때 어린이의 가슴이 내려가지 않으면 머리의 자세를 조절해야 한다. 처음에 인공호흡을 2번 한다.
- ▸ 어린이의 가슴 옆에 무릎을 꿇고 앉는다. 가슴 한가운데에 한 손을 얹는다. 손을 얹은 자리가 압력을 가할 위치이다.

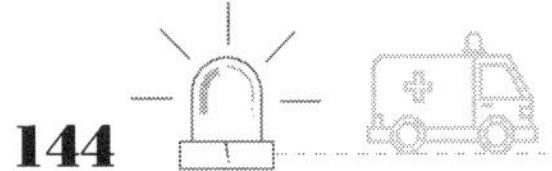

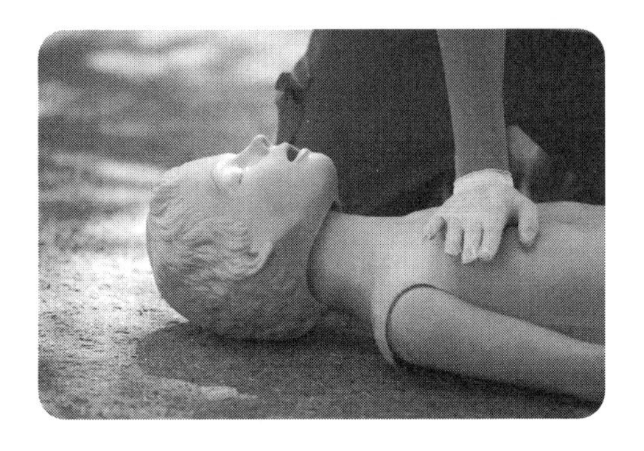

- ▸ 어린이 위로 몸을 기울이고, 당신의 팔은 직선을 유지하며, 손바닥 밑동으로 어린이의 가슴을 압박한다. 이때 어린이의 가슴이 1/3 정도 내려가도록 압박한다. 손을 떼지 말고 압력을 없앤다. 가슴이 완전히 원위치로 돌아올 때까지 기다렸다가 다시 압박한다. 1분에 100번 압박하는 속도로 30번 압박한다. 압박하는 시간과 압력을 풀어주고 가슴이 올라오도록 기다리는 시간의 길이가 비슷해야 한다.
- ▸ 어린이의 머리 쪽으로 자리를 옮겨 앉은 다음에 기도를 열고 2번 인공호흡을 한다.
- ▸ 2번 인공호흡과 30번 가슴압박을 교대로 약 1분 동안 계속한 다음 119에 신고한다. 구급대가 도착할 때까지 계속 CPR을 하고, 어린이가 정상적으로 숨을 쉬기 시작하면 CPR을 중단한다.

✎ CPR 시 주의사항

어린이의 입가에 화학물질이 묻어 있어서 CPR을 하기 곤란한 상황이면 코를 통해서 인공호흡을 한다. 휴대용 마스크나 마우스쉴드를 이용해서 인공호흡을 할 수도 있다. 두 사람이 있을 때에는 한 사람이 2분 동안 CPR을 하는 동안 다른 사람은 쉬는 식으로 하되, 2분마다 교대해서 CPR을 한다.

▫ 인공호흡 시 주의사항

- ▸ 인공호흡을 해도 어린이의 가슴이 위로 올라오지 않으면 머리를 젖히고 턱을

들어올리는 것을 다시 확인한다.

▸ 입속을 다시 확인한다. 보이는 이물질이 있으면 끄집어내되, 손가락을 입속에 넣어서 훑으면 안 된다.

▸ 가슴을 압박하기 전에 하는 인공호흡은 3번 이상 해서는 안 된다.

▫ 어린이의 신체가 크거나 구조자가 작을 때

어린이의 신체가 크거나 구조자가 작을 때에는 가슴압박을 두 손으로 한다. 이때에는 한 손을 어린이의 가슴 위에 얹고, 다른 손을 그 위에 포갠 다음 손가락은 깍지 낀다.

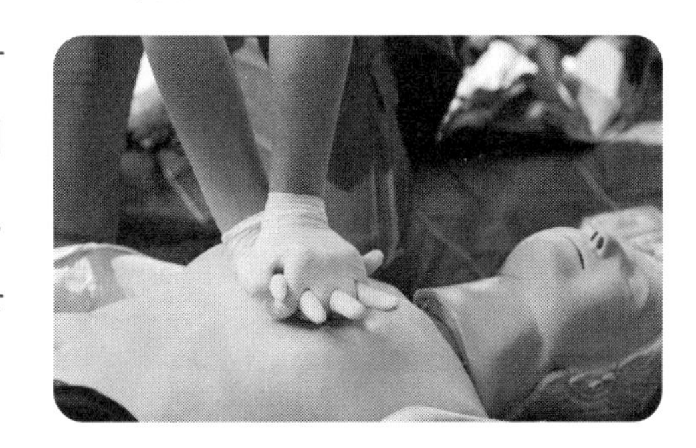

▫ 구급차가 도착했을 때

구급차가 도착하면 당신이 첫 번째 반응자라는 것을 밝히고, 알고 있는 모든 상황을 구급대원에게 말해준다. 그러나 구급대원이 그만 하라고 하기 전까지는 CPR을 계속해야 한다. 구급대원이 요청하는 것을 수행하고, 그들의 지시에 따라야 한다.

▸ **심장세동 |** 당신이 AED를 구했고, 사용방법을 알고 있으면 이미 AED를 어린이의 가슴에 부착했을 것이다. 그렇지 못했을 경우에는 구급대원이 가지고 온 AED를 어린이의 가슴에 부착하는 동안 당신에게 CPR을 계속하라고 요청할 것이다. AED가 어린이의 심장리듬을 분석하는 동안은 AED에서 떨어져 있으라고 요청하면 그렇게 해야 한다. 구급대원이 하라고 하지 않는 한 더 이상 환자에게 접근하거나 CPR을 해서는 안 된다.

▸ **순환 |** 어린이의 팔이나 손을 통해서 소생제를 주사할 때도 있다. 이러한 경

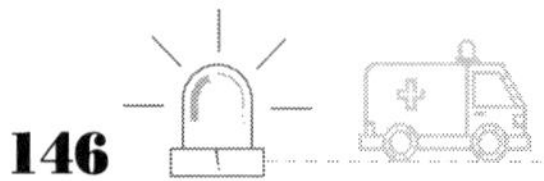

우에는 가슴압박을 같이 해주면 소생제가 온몸을 순환하는 데에 도움이 된다.

▸**병원으로 이송** | 구급대원이 어린이를 즉시 병원으로 이송할 것인지, 현장에서 치료를 더 할 것인지를 결정한다. 소생술을 중단시키는 결정은 의료 전문가만이 할 수 있다.

▫ 코를 통한 인공호흡

물에 빠진 어린이를 구조했거나, 입에 상처가 있어서 입을 막기 어려운 경우에는 코를 통해서 인공호흡을 한다.

어린이의 입을 막고, 당신의 입술로 어린이의 코를 완전히 덮어 싼 다음에 코를 통해서 공기를 불어 넣는다. 그다음에는 어린이의 입을 열어서 공기가 빠져나갈 수 있도록 해준다.

▫ 마우스쉴드와 휴대용 마스크

응급구조사는 위생상 마우스쉴드나 휴대용 마스크를 사용하는 것이 좋다. 마우스쉴드는 비닐로 만든 가리개이고, 입부분에 필터가 있다. 휴대용 마스크는 좀 더 튼튼하고, 사용하기 좋게 만든 것으로, 마우스피스가 있다.

어린이의 머리를 뒤로 젖히고 턱을 들어올려서 기도를 열어준다. 마우스쉴드를 필터가 어린이의 입 위에 오도록 어린이 얼굴에 올려놓는다. 코를 집어서 잡고 필터를 통해서 숨을 불어 넣는다.

어린이의 머리 위쪽에 무릎을 꿇고 앉는다. 기도를 열고 마스크를 씌운다. 넓은 끝이 당신을 향하게 하고, 어린이의 입과 코가 완전히 덮히도록 한다. 마우스피스를 통해서 공기를 불어 넣는다.

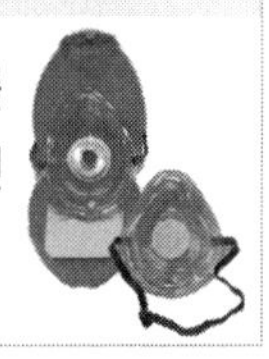

어린이를 회복자세로 눕히는 방법은 성인과 비슷하다. 그러나 영아의 경우에는 영아의 머리를 아래쪽으로 향하도록 한 채 양손으로 안는다. 이 자세를 취하는 이유는 영아의 혀 또는 토사물이 기도를 막는 것을 방지하기 위해서이다.

둘 중에 하나를 가지고 다니다가 소생시켜야할 어린이를 만나면 사용한다. 그러나 아무것도 없으면 가슴압박만 해도 된다.

영아에게 하는 심폐소생술

다음 행동계획은 만 6세 미만의 영아가 환자일 경우에 사용할 기술들을 순서대로 적은 것이다. 영아가 심장마비를 일으키는 원인은 대부분 호흡문제이므로 맨처음에 인공호흡부터 시작한다.

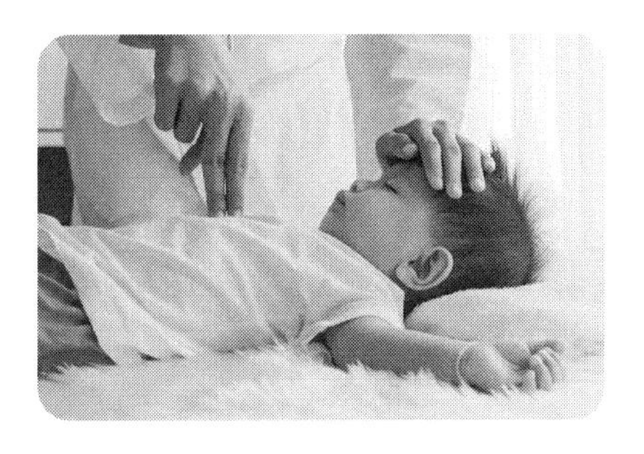

여기에서는 영아가 의식이 없을 때 소생시키는 데에 필요한 기법들을 설명한다. 영아를 치료할 때에는 항상 옆쪽에서 해야 기도개방, 호흡체크, 인공호흡, 가슴압박 등을 올바른 자세로 할 수 있다.

맨처음에 해야할 일은 영아의 기도가 열려 있고 깨끗한가를 체크하는 것이다. 심폐소생술을 시행하는 중간에 영아가 정상적으로 호흡하기 시작하면 회복자세로 안고 있어야 한다. 영아가 심장 때문에 의식을 잃었으면 즉시 119에 신고한다.

반응체크

영아의 발바닥을 손가락으로 톡톡 튀기거나 이름을 부르면서 반응을 살펴본다. 이때 영아를 흔들어서는 안 된다.

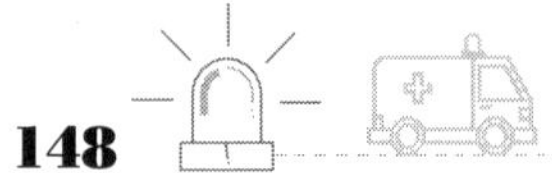

▫ 반응이 있으면

생명을 위태롭게 하는 손상을 치료하고 확인한다. 도움을 요청하러 갈 때에는 영아를 안고 가야 한다. 활력징후(반응수준, 호흡, 맥박 등)를 모니터하면서 기록한다. 구급대원이 도착할 때까지 계속한다.

▫ 반응이 없으면

도와 달라고 크게 소리치고, 기도를 열어준다.

✎ 기도열기

- ▸ 수건을 둘둘 말아서 영아의 어깨 밑에 넣어서 기도가 막히지 않게 한다. 한 손을 영아의 이마에 얹어 머리를 아주 살짝 뒤로 젖힌다.
- ▸ 다른 손의 손가락끝으로 영아의 턱끝을 살짝 들어올린다. 턱 밑에 있는 물렁물렁한 부분을 누르면 안 된다.
- ▸ 영아가 숨을 쉬는지 확인한다.

✎ 호흡체크

기도를 연 상태를 유지하면서 가슴이 움직이는지 살펴보고, 숨소리가 나는지 들어보고, 당신의 뺨에 콧김에 닿는지 느껴본다. 10초 이상 걸리면 안 된다.

▫ 영아가 숨을 쉬면

- ▸ 생명을 위협하는 상처가 있는지 확인하고, 있으면 치료한다.
- ▸ 영아를 회복자세로 안고, 활력징후(반응수준, 호흡, 맥박 등)를 모니터하고 기록한다.

심폐소생술 실시단계(영아)

1 영아의 반응을 체크한다.

- 질문을 하거나, 영아의 어깨를 살짝 두드려서 반응을 본다.

반응이 있는가?

발견된 장소에 생명을 위태롭게 하는 손상이 있었는지 체크하고 처치한다. 도움을 요청하고, 필요하면 ABC 체크를 한다.

아니요

2 기도를 열고, 호흡을 체크한다.

- 머리를 뒤로 젖히고 턱을 들어서 기도를 열어준다.
- 호흡을 체크한다.

정상적으로 숨을 쉬는가?

예

가능하면 발견된 자리에서 생명을 위협하는 손상이 있었는지 체크하고 처치한다. 척주에 손상이 없으면 회복자세를 취하게 한다.

119에 신고한다.

아니요

- 구경꾼에게 119에 신고를 요청한다.
- 구할 수 있으면 AED와 응급처치 패드를 구하도록 요청한다.

3 인공호흡을 시킨다.

- 입속에 이물질이 있으면 조심스럽게 제거한다.
- 2번 인공호흡을 한다.

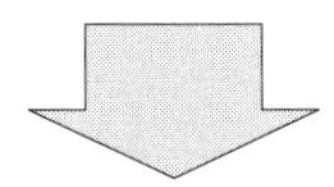

4 CPR을 시작한다.

- 30회 가슴압박
- 2회 인공호흡
- 30회 가슴압박과 2회 인공호흡을 119구급대가 도착할 때까지, 영아가 정상적으로 숨을 쉴 때까지, 당신이 너무 지쳐서 못할 때까지 계속한다.

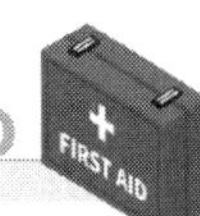

- 혼자서 응급처치를 해야할 때에는 119에 신고하기 전에 1분 동안 인공호흡과 가슴압박을 한다.
- 영아가 정상적으로 숨은 쉬면서 의식이 없으면 회복자세를 취하게 한다.
- 어른에게만 CPR을 한 경험이 있어도 그것을 그대로 영아에게 실시한다.
- 인공호흡을 시킬 능력이 없거나 마음이 내키지 않으면 119구급대가 도착할 때까지 분당 100회의 속도로 가슴압박만 해도 된다.

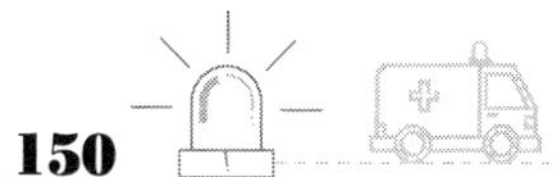

▫ 영아가 숨을 안 쉬면

- ▸ 119에 신고한다. 혼자밖에 없을 때에는 CPR을 1분 동안 먼저 실시한 다음 119에 신고한다.
- ▸ 먼저 두 번 인공호흡을 한 다음에 CPR을 시작한다.

✎ 영아를 회복자세로 안는 방법

- ▸ 영아의 머리가 다리보다 낮은 자세로 하여 두 팔로 곱게 안는다. 그렇게 하면 혀가 기도를 막거나 토한 것을 다시 먹는 것을 방지할 수 있다.
- ▸ 활력징후를 모니터하면서 구급대원이 도착할 때까지 기록한다.

✎ CPR을 하는 방법

▫ 손의 위치

당신의 손가락을 그림에 표시한 가슴뼈 위에 올려놓는다. 영아의 갈비뼈, 가슴뼈의 아래쪽끝(칼돌기), 윗배(상복부) 등에 압력을 가하면 안 된다.

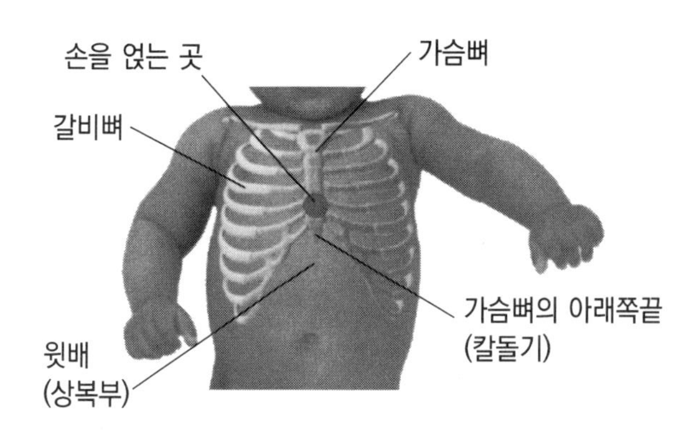

- ▸ 영아를 평평한 바닥에 등을 대고 눕힌다. 당신의 허리높이의 바닥이 좋다. 영아의 어깨 밑에 둘둘 만 수건을 받쳐준다. 한 손은 영아의 이마에 대고, 다른 손의 손가락으로 영아의 턱끝을 밀어올린다.
- ▸ 입과 코 속에 눈에 보이는 이물질이 있으면 제거한다. 이물질이 있는지 확인하려고 손가락을 입에 넣어서 휘휘 저으면 안 된다.

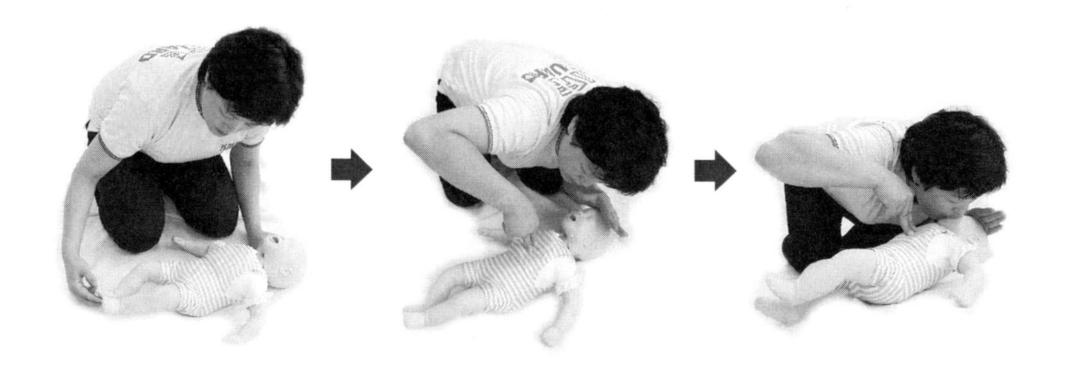

- 바람이 새지 않도록 영아의 입과 코를 당신의 입술로 완전히 덮고 숨을 불어 넣는다. 영아의 입과 코를 한꺼번에 덮지 못하면, 영아의 코를 손으로 막고 입에 숨을 불어 넣는다. 1초 이상 불어 넣으면 안 되고, 영아의 가슴이 위로 올라와야 한다.
- 기도를 연 상태에서 당신이 입을 떼면 영아의 가슴이 내려가야 한다. 인공호흡을 2번 한다.
- 한 손은 영아의 이마에 대고, 다른 손의 손가락 2개를 영아의 가슴 중앙을 향하게 한다. 영아의 가슴뼈를 수직하방으로 누르다가 1/3 정도되면 압력을 뺀다. 손가락을 영아의 가슴뼈에서 떼지 말고, 가슴이 위로 올라오는지 살펴본다. 가슴이 완전히 올라오면 다시 누른다. 압력을 가하고 있는 시간과 압력을 해제하고 있는 시간의 길이가 비슷해야 한다. 1분 동안에 100번 압박하는 빠르기로 30번 압박한다.
- 영아의 머리 쪽으로 자리를 옮겨서 다시 2번 인공호흡을 한다.
- 당신 혼자만 있으면 1분 동안 2번 인공호흡과 30번 가슴압박을 교대로 한 다음에 잠깐 멈추고 119에 신고한다. 구급대원이 도착할 때까지, 또는 영아가 정상적으로 숨을 쉴 때까지 계속한다.

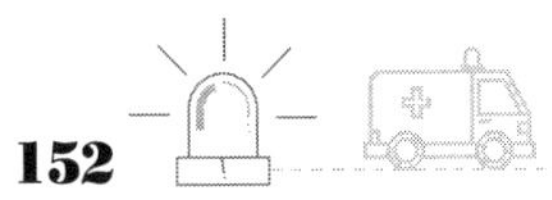

인공호흡이 제대로 안 되면 Tip

- 머리를 젖혀서 턱이 들어올려졌는지 다시 확인한다.
- 이물질이 들어 있는지 입과 코 속을 다시 체크한다.
- 입과 코를 잘 봉했는지 다시 체크한다.
- 2번 인공호흡을 한 다음에 바로 가슴을 압박하기 시작한다.

심폐소생술의 분류 및 응급처치 항목

구 분	성 인	어린이	영유아
연 령	만 18세 이상	만 6세부터 13세 미만	만 1세부터 만 6세
가슴압박 위치	가슴중앙 (양쪽 젖꼭지 사이)	가슴중앙 (양쪽 젖꼭지 사이)	가슴 중앙 직하부 (양쪽 젖꼭지 사이 직하부)
가슴압박 방법	두 손으로	두 손 또는 한 손으로	두 손가락으로
가슴압박 깊이	5~6cm	가슴두께의 1/2	가슴두께의 1/2
가슴압박 속도	분당 100~120회의 속도		
반복주기	30회 가슴압박 : 2회 인공호흡		
기도 열기	머리 젖히고 턱 들어올리기		
인공호흡	가슴이 올라올 때까지(1초 동안)		
자동제세동기	사용	사용	미사용 선청성심장병이 있는 영아에게는 사용하는 것이 좋다.

AED 사용법

심장이 멎었다는 것은 심장병을 일으켰다는 뜻이다. 가장 흔한 원인은 심장이 비정상적인 심실세동(심실잔떨림)을 일으켰기 때문이다. 심실세동은 심장근육이 경색되어 근육이 손상되었거나, 심장근육에 산소가 충분히 공급되지 못했을 때 생긴다.

자동심장충격기(AED : Automated External Defibrillator, 외부형 자동심장소생기)라고 부르는 AED는 1회 또는 2회 이상 전기쇼크를 가해서 심장리듬을 올바르게 만들 목적으로 만들어진 것이다.

AED는 공공장소(예 : 쇼핑센터, 기차역, 항만, 공항 등)에는 대부분 비치되어 있다. AED가 환자의 심장리듬을 분석한 다음 당신이 해야할 일을 단계마다 문자 또는 소리로 알려준다. 그렇지만 당신이 그 기계를 사용하는 방법을 배워서 알고 있어야 하고, CPR도 할 줄 알아야 한다. AED가 필요한 경우에는 대부분 기계가 도착하기 전에 이미 당신은 CPR을 시작하였고, 기계가 도착하더라도 준비하는 동안에는 CPR을 계속해야 한다.

AED 설치모습

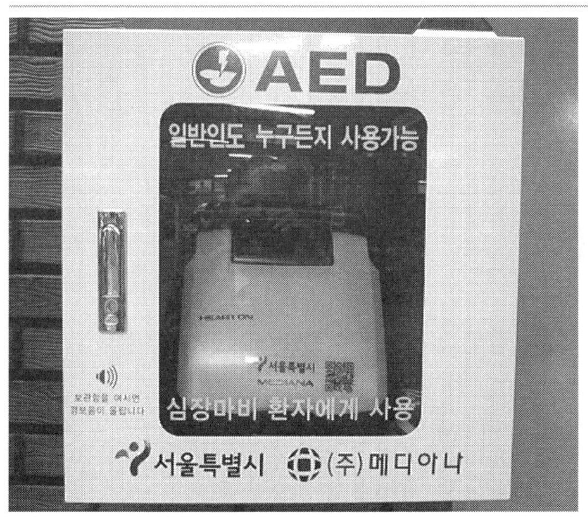

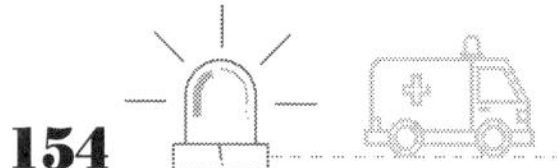

AED 종류

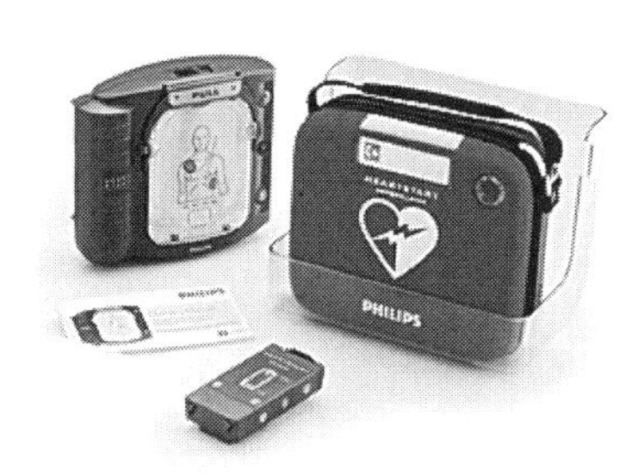

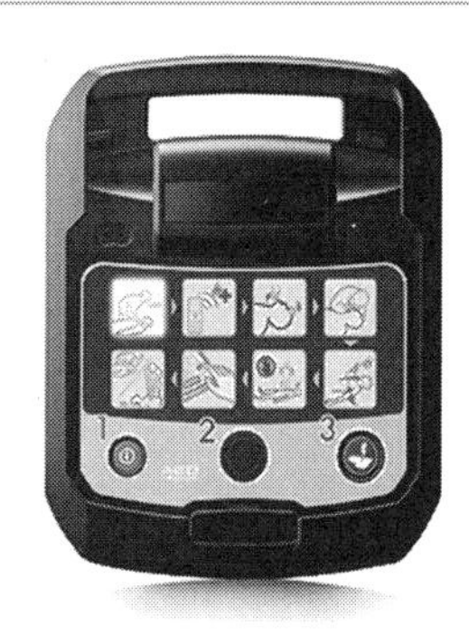

✎ 패드부착

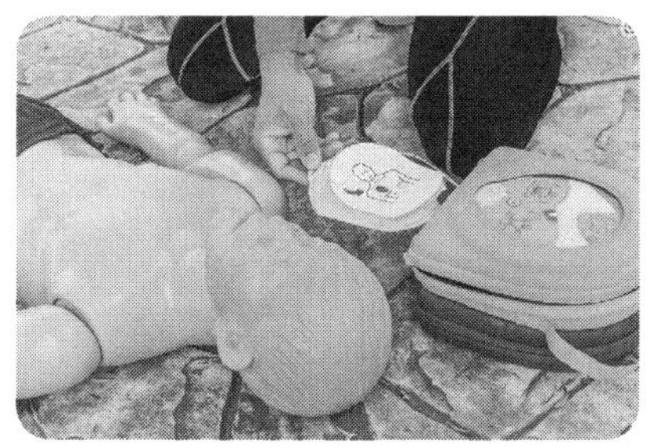

▸ AED의 전원 스위치를 켜고, 팩 안에 봉인되어 있는 패드를 꺼낸다. 환자의 옷을 벗기거나 찢은 다음에 가슴에 있는 땀을 제거한다.

▸ 패드 뒤에 붙어 있는 종이를 떼어내고, 표시되어 있는 위치에 패드를 부착한다. 첫 번째 패드는 환자의 가슴 오른쪽 위, 빗장뼈(쇄골) 바로 밑에 부착한다.

▸ 두 번째 패드는 환자의 가슴 왼쪽 겨드랑이 바로 밑에 부착한다. 이때 길게 생긴 패드의 축이 머리-발 축과 평행이 되도록 부착해야 한다.

- 아무도 환자의 몸에 손을 대지 못하게 한다. 환자의 몸에 손을 대면 AED가 환자의 상태를 분석하는 데에 방해가 되고, 전기쇼크의 위험도 있기 때문이다.
- 환자가 회복되는 것처럼 보여도 AED의 전원을 끊거나 패드를 환자의 몸에서 떼어내면 안 된다.
- AED 패드가 뒤집어져 있어도 괜찮다. 잘못 부착했더라도 다시 떼어서 붙이려고 하지 말라. 그것은 시간만 낭비하고 다시 붙여도 잘 붙지 않기 때문이다.

▸ AED가 심장리듬을 분석하기 시작하면 아무도 환자의 몸에 손을 대면 안 된다. AED가 문자 또는 말로 하라는 대로 한다.

✎ AED에서 나오는 지시사항

AED의 전원 스위치를 넣으면 문자 또는 말로 지시사항이 나오기 시작한다. AED의 모델에 따라서 나오는 지시사항이 다르므로 기계가 하라는 대로 하면 된다.

✎ AED의 사용방법

❶ AED의 전원(성인, 어린이의 경우) 스위치를 켠다.

▸ 세동제거를 실시한 이후에는 즉시 가슴압박을 실시하여야 하므로 AED는 이에 방해가 되지 않도록 부상자의 머리 옆에 둔다.

❷ AED의 음성메시지에 따라 정확한 위치에 두 개의 전극을 부착한다.

▸ 전극은 심장에 최대의 전류를 전달할 수 있는 곳에 위치시켜야 한다. 전극표면의 그림을 따라 한쪽 전극은 오른쪽 쇄골의 바로 아래에 위치시키고, 다른쪽 전극은 왼쪽 젖꼭지 바깥쪽 아래 겨드랑이의 중앙선에 위치하도록 부착한다.

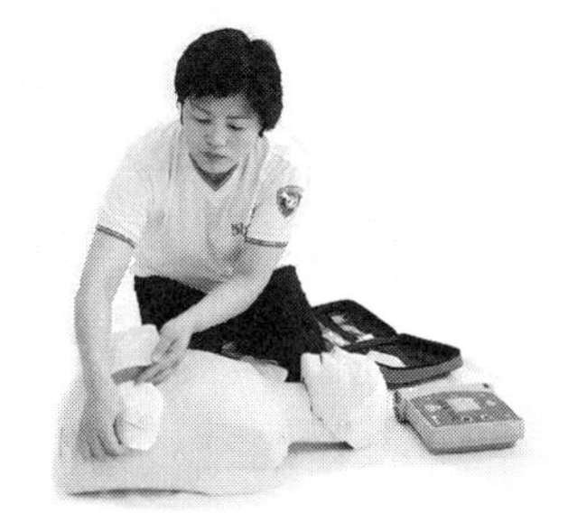

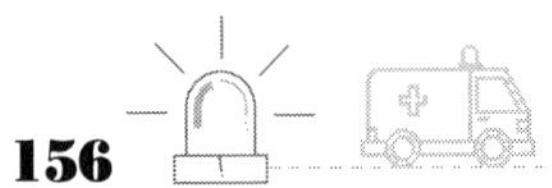

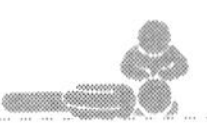

AED 사용법

- AED의 전원을 켠다.
- 환자의 가슴에 패드를 부착한다.

AED가 환자의 심장리듬을 분석할 준비를 한다.
"지금부터 분석하니 기계에서 떨어지시오." 또는
"분석합니다. 아무도 손대지 마시오."

쇼크를 주어야 하는가?

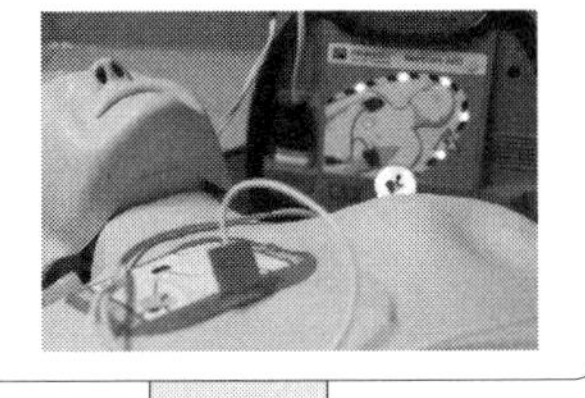

예

AED가 쇼크를 주어야 한다고 말하고 충전하기 시작한다.

AED가 당신에게 쇼크를 가하라고 지시한다.
- 사람들이 모두 환자에게서 떨어져 있는지 확인한다.
- 쇼크버튼을 누른다.
  AED가 쇼크를 가하면 환자가 펄쩍 뛰는 것처럼 보이는데, 이것이 정상이다.

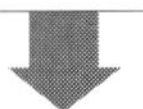

AED가 심장리듬을 다시 분석하기 전에 CPR을 30 : 2로 2분 동안 하라고 지시한다.

AED가 심장리듬을 다시 분석한다.
- 언제라도 환자가 정상적으로 숨을 쉬기 시작하면 즉시 회복자세로 눕힌다.
  AED가 환자의 가슴에 부착된 상태로 그냥 둔다.

아니요

AED가 쇼크를 줄 필요가 없다고 말한다.

AED가 심장리듬을 다시 분석하기 전에 CPR을 30 : 2로 2분 동안 하라고 지시한다.

AED가 심장리듬을 다시 분석한다.

▸ 전극을 부착하는 부위에 물기나 외용파스 등의 이물질이 존재한다면 전극을 부착하기 전에 제거하여야 하며, 가슴에 털이 많은 환자라면 전극부착 부위의 털을 제거한 뒤에 부착하는 것이 바람직하다.

❸ 음성메시지에 따라 전극의 커넥터를 AED 본체에 연결한다.

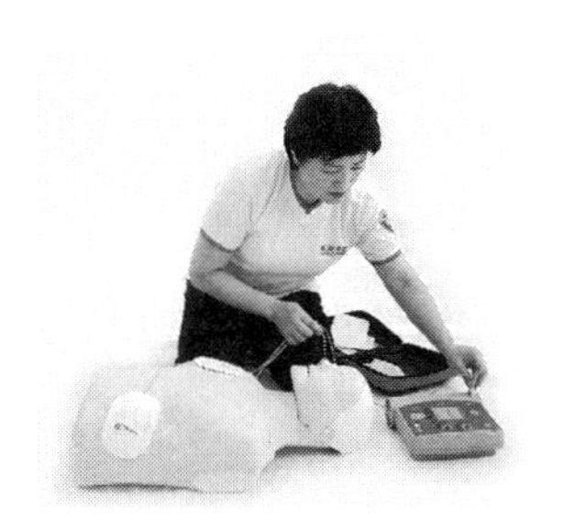

▸ 커넥터를 본체에 연결하면 AED는 자동적으로 분석을 시작하게 된다. 기기에 따라 분석버튼을 따로 눌러야 하는 AED도 있으므로 주의하여야 한다.

❹ "분석 중.."이라는 음성 메시지가 나오면 환자에게서 손을 뗀다.

▸ 만약 다른 구조자가 기본 소생술을 시행하고 있는 중이라면 분석에 방해가 되지 않도록 중지할 것을 요청한다.

▸ "세동제거가 필요합니다."라는 음성 메시지와 함께 AED 스스로 설정된 에너지로 충전을 시작한다면 주위의 사람들에게 '세동제거를 시행한다'는 사실을 알리고 환자에게서 떨어지도록 지시한다.

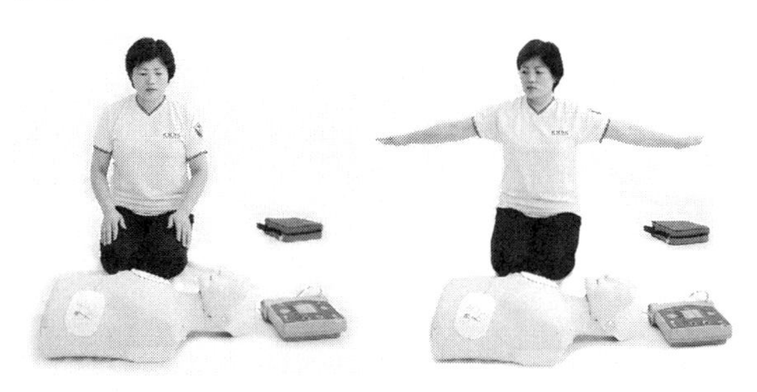

❺ 세동제거버튼을 누른다.

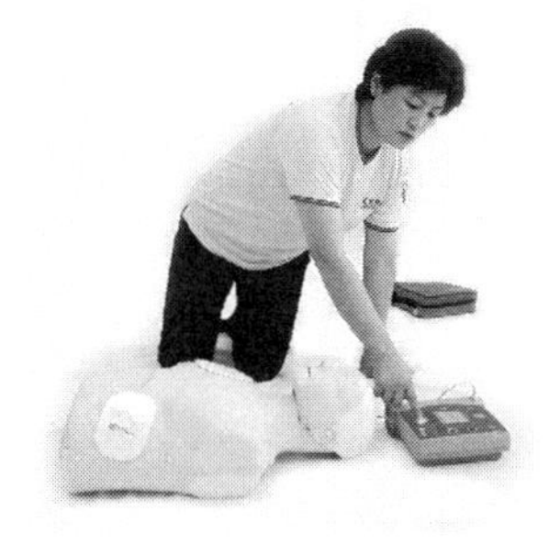

▸ 시술자는 세동제거버튼을 누르기 전에 반드시 환자와의 접촉이 없는지 다시 한 번 확인하여야 한다.

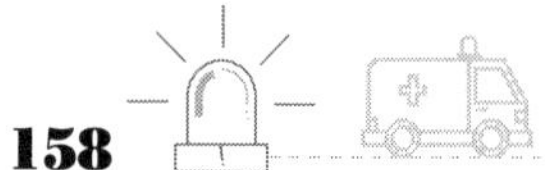

❻ 세동제거를 실시한 이후에는 지체없이 가슴압박을 다시 시작한다.

- 세동제거 후 2분이 경과하면 AED는 다시 분석을 시행하므로 ❹의 단계부터 순서대로 반복한다.
- "세동제거가 필요하지 않습니다."라는 음성메시지가 나오면 지체없이 가슴압박을 시작으로 기본소생술을 시작한다.
- AED의 적용은 기본 소생술의 시행과 함께 응급의료진이 현장에 도착할 때까지 지속해야 한다.

✎ AED 사용 시 주의사항

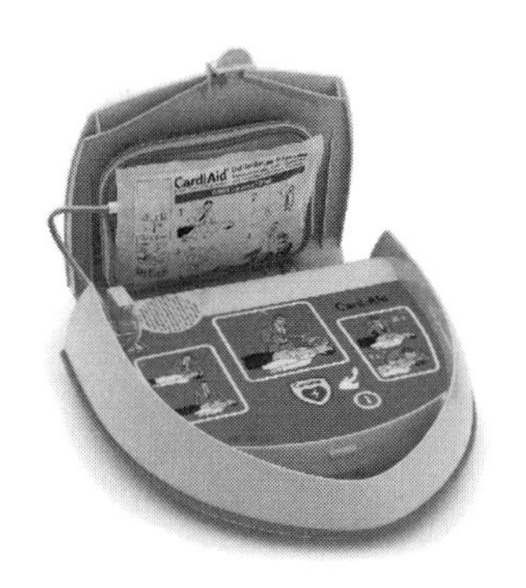

AED의 사용이 의학적인 여건, 외부요인, 옷, 심장병의 원인 등에 따라서 복잡해지는 경우도 가끔 있다. 그러므로 모든 관련이 있는 사항들을 잘 고려해야 한다.

1세 미만의 영아에게는 AED 사용을 권장하지 않는다.

패드 한 개는 어린이의 등 가운데에 부착한다. 두 번째 패드는 어린이의 가슴 한가운데의 위쪽에 부착한다. 2개의 패드가 수직한 앞뒤 방향에 부착되어야 한다. 패드를 AED와 연결한 다음 앞에서 설명한대로 한다.

| 옷과 보석

패드 부착에 방해가 되는 옷과 장신구는 모두 제거한다. 어느 정도의 가슴털은 괜찮지만, 너무 많아서 패드와 피부의 접촉을 방해하면 면도해서 제거해야 한다.

패드를 부착할 위치에는 어떤 금속도 있어서는 안 된다. 금속물질을 포함하고 있는 옷도 모두 제거해야 한다(예 : 철사가 들어 있는 브래지어).

| 외부요인

가슴에 땀이나 물기가 너무 많으면 쇼크의 효과를 감소시킨다. 그러므로 잘 닦아서 건조하게 해야 한다.

물에 빠진 환자를 구조했을 때에는 AED 패드를 부착하기 전에 가슴을 말려야 한다. AED로 전기 쇼크를 가한 다음에 환자가 의식을 잃으면 즉시 전기 접촉을 차단하고 CPR을 실시한다.

| 의학적 여건

심장박동조율기(pacemaker)나 삽입 심장박동기(ICD : implantable cardioverter defibrillator)를 삽입한 환자라고 하더라도 AED를 사용하지 못하는 것은 아니다. 그러나 가슴 피부 밑에 어떤 장치가 있는 것이 보이거나 손으로 만져서 알 수 있는 경우에는 그 장치 바로 위에 패드를 붙이면 안 된다. 환자가 니트로글리세린 패치와 같은 패치를 부착하고 있으면 AED를 하기 전에 떼어내야 한다.

성인과 똑같이 패드를 부착한다. 한 개는 가슴의 오른쪽 위, 가로뼈 바로 밑에 부착하고, 다른 한 개는 가슴 왼쪽 겨드랑이 바로 밑에 부착한다. 패드의 장축과 머리에서 발끝으로 가는 장축이 평행하도록 부착해야 한다.

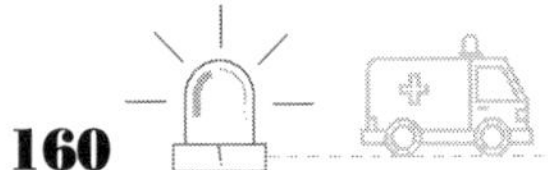

| 임신한 환자

임신 중에 AED를 사용하면 부작용이 있다는 증거는 없다. 그러나 유방이 부풀어 있는 것이 문제가 될 수는 있다. 그러므로 AED 패드를 정확한 위치에 부착할 수 있도록 유방을 움직여서 옮겨주어야 한다. 여성의 유방을 만지는 것이므로 제대로 해야 한다.

✎ 어린이에게 AED 패드부착

성인용 AED를 8세 이상의 어린이에게 사용해도 된다. 그러나 1세에서 8세 사이의 어린이에게는 소아용 AED와 소아용 패드를 사용해야 한다. 소아용을 구할 수 없을 때에는 성인용을 사용해도 된다.

✎ 구급대원에게 인계

구급대원이 도착하더라도 그들이 당신에게 그만하라고 하기 전까지는 CPR을 계속한다.

그들에게 알려주어야할 사항은 다음과 같다.

▸ 환자의 현재상태 (예) 의식이 없고 숨을 쉬지 않는다.

▸ 쇼크를 가한 횟수 – AED를 이미 사용했을 때

▸ 환자가 쓰러진 시간과 의식이 없던 기간

▸ 관련된 경위 – 알고 있을 때

환자가 회복되면 AED 패드를 부착한 상태로 둔다. AED 캐비닛 안에 있던 것 중에서 사용한 것은 모두 병원 쓰레기로 처리해야 한다. 이때 관계자에게 사용한 물건을 말해 주어야 그 사람이 다시 채워놓을 수 있다.

Chapter 4

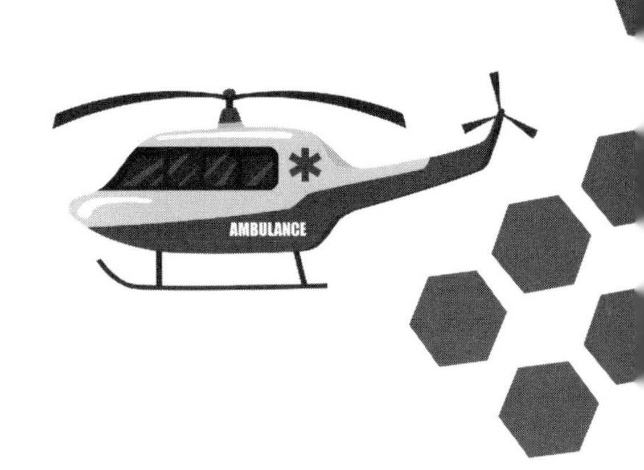

스포츠 및 레크리에이션 활동 안전

  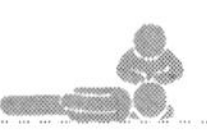

스포츠 안전

스포츠사고 및 상해의 원인

여러 가지 스포츠종목 중에서 비교적 상해가 많이 발생하는 종목으로는 럭비 · 축구 · 레슬링 · 복싱 등과 같은 대인접촉 스포츠를 들 수 있다. 이러한 스포츠활동에서 발생하는 상해는 찰과상 · 열상 · 뇌진탕 · 타박상 · 염좌 · 탈구 · 아킬레스힘줄단열 등이다.

수상스포츠(수영, 요트, 카누 등), 산악스포츠(등산, 백팩킹, 산악자전거 등), 동계스포츠(스키, 스케이트, 스노우보드 등) 등 야외에서 자연을 대상으로 하는 스포츠활동에서는 신체상해는 물론 실종이나 조난 · 사망사고까지 발생할 위험이 있다.

스포츠활동에서 발생할 수 있는 사고 및 상해의 원인으로는 ① 미숙한 기술, ② 지식부족, ③ 자기과신, ④, 준비부족, ⑤ 관리소홀, ⑥ 시설불량, ⑦ 신체적 조건, ⑧ 부적절한 장비 및 복장, ⑨ 불가항력 등이 있다.

스포츠사고 및 상해는 이러한 원인들 중 몇 가지가 복합적으로 작용하여 발생하는 경우가 대부분이다. 그리고 이들 항목 중 불가항력을 제외한 나머지 항목이 원인인 사고는 사전에 기본적인 준비를 철저히 하고, 주의력과 심신의 안정을 잃지 않는다면 충분히 예방할 수 있다. 또한 사고가 발생하였다 하더라도 가벼운 사고로 끝낼 수 있는 경우가 많다.

이상의 원인에 유의한다면 스포츠사고 및 상해는 최대한 예방할 수 있을 것이다.

✎ 미숙한 기술로 인한 스포츠사고 · 상해

스포츠기술의 숙달에는 자신의 신체를 민첩하게 움직이며, 상대방의 동작에 대하여 적절하게 반응하고, 운동의 리듬에 자신의 동작을 맞추어 힘을 경제적으로 활용하여 적은 노력으로 큰 효과를 올릴 수 있는 요건을 필요로 한다. 이와 함께 바람 · 기온 · 조명상태 등과 같은 환경변화에 적응하는 능력 또한 기술의 숙달과 관련이 있다. 따라서 스포츠기술이 숙달되려면 이러한 여러 요건이 복합적으로 충족되어야 한다.

예를 들면 기계체조에서 움직임의 리듬과 신체동작을 잘 적응시켜 연기하는 선수는 동작에 무리가 없고, 경제적인 힘으로 최고의 기술을 발휘하게 된다. 기계체조선수는 기기와 용구에 특별한 이상이 생기지 않는 한 연기 도중에 상해를 입는 일은 없다.

다른 스포츠에서도 기술의 숙달은 상해예방의 중요한 요건이 된다. 야구에서 주자가 도루를 할 때 타이밍을 잘 잡아서 도루를 성공했다 하더라도 슬라이딩기술이 부족하면 손가락을 삐는 등의 상해를 입을 수 있다. 축구나 농구 등의 종목에서도 경기 중에 선수들 사이에 충돌사고가 일어나는 경우가 많은데, 이러한 사고는 동작이 민첩하지 못하고 유연성이 떨어지는 선수에서 일어나기 쉽다.

미숙한 기술로 인한 스포츠사고 및 상해를 예방하기 위해서는 기초운동능력과 체력의 단련은 물론 그 스포츠종목에 필요한 기본적인 기술을 습득 · 숙달하는 것이 중요하다.

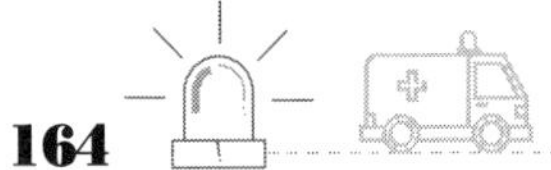

✎ 지식부족으로 인한 스포츠사고 · 상해

어떤 종목의 스포츠는 그 스포츠와 관련된 다양한 지식을 필요로 한다. 이때 필요한 지식을 갖추지 못하면 사고가 발생할 가능성이 커지게 되며, 실제로 지식의 부족으로 인하여 스포츠상해 및 사망사고가 발생하는 경우가 많다.

예를 들면 등산을 할 때 겨울 산과 여름 산에 관한 지식이나 기구 · 시설에 관한 지식을 잘 알고 있다면 사고는 크게 줄어들 것이다. 겨울 산의 눈사태에 관한 지식이 없어 사고를 당하거나, 처음 가보는 산에서 독도법에 대한 지식이 없어 길을 잃고 조난되는 경우가 그 예이다. 또한 산에서는 공기가 맑아 눈에 보이는 목표지점까지의 거리가 실제보다 가까운 느낌을 준다는 사실을 알고 있다면 산행일정을 적절하게 배분할 수 있으므로 조난사고를 당할 위험이 적어진다. 바다(해변)에서도 역시 썰물 때에는 수심이 얕아지고 물살이 빨라지며, 밀물 때에는 수심이 깊어지고 조류가 거칠어진다는 정도만 알고 있더라도 여름철 해수욕장의 익수사고는 많이 줄어들 것이다.

✎ 자기과신으로 인한 스포츠사고 · 상해

자신의 스포츠기술 수준을 정확하게 판단하기란 매우 어려울 뿐만 아니라 환경의 변화라는 변수에 맞추어 자기능력을 판단하는 것은 더욱 어려운 일이다. 자신의 능력을 판단하는 것은 거의 대부분 경험에 의존하므로 경험이 적은 사람일수록 자기과신에 빠지기 쉬우며, 경험이 많은 사람이라 할지라도 종종 자기과신에 의해 사고를 당할 수 있다. 따라서 경험이 적은 사람은 자신의 능력을 과신하고 무모한 스포츠활동을 삼가야 한다.

호수나 강 건너편이 가까이 보여 자신의 수영실력으로 충분히 헤엄쳐 건널 수 있을 것으로 판단하고 무모하게 수영을 시도하다 물살에 밀려 떠내려가거나 사고를 당하는 경우도 있다. 스키장에서도 마찬가지로 자신의 실력보다 높은 수준의 코스를 선택하여 자신은 물론 다른 사람들까지 상해를 입게 만드는 사례도 많이 있다.

이와 같이 스키, 등산, 요트, 수영 등 자연에서 행하는 스포츠종목에서는 자신의 능력을 정확하게 판단하여 조난이나 스포츠상해를 피해야 할 것이다.

✎ 준비부족으로 인한 스포츠사고 · 상해

스포츠활동을 시작할 때에는 준비운동은 반드시 해야 한다. 스트레칭 및 준비운동을 충분히 하여 근육을 이완시키고, 관절을 풀어주고, 호흡과 순환을 조절하며, 정신적으로도 적당한 긴장상태를 유지하는 것은 모든 스포츠활동의 상식이다.

갑자기 물에 뛰어들거나 강요에 의해 운동을 하는 등 정신적 · 육체적으로 준비가 되지 않은 상태에서 운동을 하면 기술향상은 물론 건강에도 도움이 되지 않으며 상해를 유발시킨다. 이러한 심신의 준비뿐만 아니라 스포츠활동에 필요한 시설 · 용구 · 복장 · 장비 등도 사전에 점검 · 정비하는 것이 스포츠안전을 위해서 중요하다.

예를 들면 기계체조에서 사용할 시설의 안전성 여부를 점검할 때 매트의 수량이 충분한지, 매트에 파손된 부분은 없는지, 구름판이 닳아 미끄러운 부분은 없는지 등을 확인하여야 한다. 또한 운동장을 이용할 때에도 돌멩이나 유리조각이 있는지, 움푹 패인 곳은 없는지 등을 충분히 확인하고 손질한 다음 운동을 시작해야 스포츠사고와 상해를 예방할 수 있다.

이러한 사전준비없이 갑자기 연습을 시작하거나 경기를 진행하여 상해를 입는다면 자신의 신체적 손상은 물론 타인에게 불편과 피해를 끼치게 되며, 이후의 스포츠활동에도 지장을 초래하게 된다.

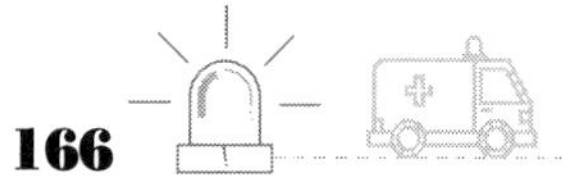

✎ 관리소홀로 인한 스포츠사고 · 상해

학교 내에서 과외활동 중 상해를 입거나, 공설운동장 등 공공체육시설에서 일어나는 사고들은 대부분 관리를 제대로 하지 못했을 때 발생한다. 학교라는 특정된 장소에서 학생들의 체육활동 중에 발생한 사고와 상해는 학교장의 책임이다. 따라서 정과 · 과외를 불문하고 학생의 체육활동에는 시간 · 장소 · 시설 · 용구 · 지도자 · 응급구조 등을 위해 학교 자체적인 안전관리체계를 갖추어야 한다.

공공체육시설 및 상업적 목적의 민간스포츠센터 역시 학교의 안전관리체계에 준한 관리가 필요하다. 입장료나 사용료를 징수하는 시설은 물론 국가나 지방자치단체에서 무료로 제공하는 체육공원 등의 생활체육시설 모두 일반인들이 그 시설을 안전하게 이용할 수 있도록 관리자가 관리상의 책임을 져야 한다.

공원에 설치된 철봉의 지주가 흔들린다거나, 의자가 파손된 채 방치되어 있거나, 놀이터의 미끄럼틀이 손상되어 있거나, 모래밭의 모래가 굳어 있거나 돌이나 유리조각이 흩어져 있는 등의 상태를 방치하는 것은 관리자의 직무유기이며, 이용하는 사람들의 안전을 위협하는 요소가 된다. 이러한 관리소홀로 인한 안전사고의 사례는 의외로 많다.

✎ 시설불량으로 인한 스포츠사고 · 상해

학교나 공원체육시설 등에서 철봉과 그네의 지주가 흔들린다거나, 농구골대가 부식된 상태로 방치된 경우를 흔히 볼 수 있다. 이러한 시설물은 처음부터 부식된 상태로 설치된 것이 아니라 관리자의 관리소홀이 원인이다. 이렇듯 불량한 시설을 그대로 방치하여 일어난 사고사례는 대단히 많다.

다음은 시설물의 설치와 관리의 지침이다.

▸ 운동장을 사용하기 전에 돌 · 철사 · 유리조각 등 안전에 영향을 줄 수 있는

물건을 치우고, 운동장의 구멍을 메운다.

- ▸ 고정된 스포츠시설의 지주는 매년 장마가 시작되기 전에 방부제를 칠한다.
- ▸ 모래밭은 자주 파헤쳐 딱딱하게 굳어 있는 곳이 없도록 한다.
- ▸ 그네 주위에는 적당한 거리를 두고 벽을 쌓아서 다음 순번을 기다리는 어린이를 보호한다.
- ▸ 운동장과 건물 주위의 맨홀 뚜껑이 파손되었거나 열려 있는지 확인한다.
- ▸ 체육관이나 교실의 마루바닥이 파손되었거나 미끄럽지 않는지 점검한다.
- ▸ 체육용구는 무거운 것은 밑에, 가벼운 것은 위에 정리하고, 뜀틀은 세로로 나란히 정리하여 사용이 편리하도록 한다.
- ▸ 체육관은 정기적으로 대청소를 하여 항상 깨끗한 상태로 유지한다.
- ▸ 매트나 기타 기구가 파손된 것을 발견하면 즉시 수리하거나 폐기한다.
- ▸ 축구 · 핸드볼 · 농구 등의 이동식 골대는 잘 고정시켜 사용하고, 사용 후에는 눕혀서 보관한다.

✎ 신체조건에 의한 스포츠사고 · 상해

스포츠활동에 관련된 신체적인 조건에는 육체적인 조건뿐만 아니라 정신적인 적인 조건도 포함된다. 즉 육체의 컨디션이 좋지 않을 때는 심리적 · 정서적으로도 안정되지 않은 상태일 경우가 많다. 어린이가 감기에 걸리면 열이 나고 기운이 없는 한편, 쉽게 흥분하거나 침울해지는 것이 그 예이다.

스포츠활동은 이러한 심신의 불균형을 조화시키고 정서를 안정시키는 가장 좋은 방법이지만, 무리한 활동은 오히려 큰 사고로 연결될 수 있으므로 주의하여야 한다. 일상생활에서는 지장이 없는 가벼운 심장병을 앓고 있는 사람이 오래달리기를 할 때나 수영을 할 때 심장마비로 사망하는 경우 등이 그 예이다. 체육지도자나 스포츠

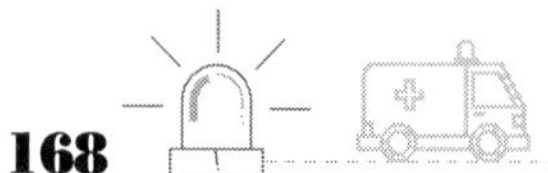

활동을 하는 사람은 항상 심신의 상태에 유의하여야 한다.

다음 사항을 참고하여 스포츠사고 및 상해를 예방하는 것이 좋다.

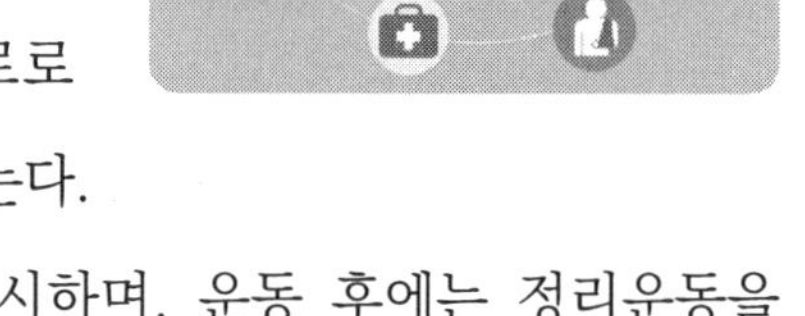

▸ 매년 1회 정기적으로 건강검진을 받는다.

▸ 경기에 출전하기 전에 검진을 받는다.

▸ 규칙적인 일상생활을 한다.

▸ 평소의 연습은 2시간을 넘지 않도록 한다.

▸ 1주에 2일은 휴식을 취한다.

▸ 피로가 하룻밤 사이에 풀리지 않으면 과로로 보고 휴식을 취하며, 동시에 건강검진을 받는다.

▸ 운동을 하기 전에는 반드시 준비운동을 실시하며, 운동 후에는 정리운동을 한다.

▸ 항상 같은 패턴으로 준비운동을 하지말고, 운동종목 · 신체상태 · 기온 등에 따라서 내용과 방법에 변화를 준다.

▸ 과도한 신체단련은 하지 않는다.

✎ 부적절한 복장 및 장비에 의한 스포츠사고 · 상해

스포츠활동에 필요한 복장으로 단순히 셔츠와 바지 정도만 준비하면 될 것이라 생각하는 사람들이 많지만, 신발과 모자는 물론 머리끝에서 발끝까지 고려해야 할 경우가 많다. 수영이나 씨름과 같은 종목은 복장이 간단하지만, 하키 · 럭비 · 등산 등의 스포츠는 보호용 장비까지 포함하여 복장을 갖추어야 한다.

적절한 복장이란 스포츠활동에서 가장 효과적으로 기능을 발휘할 수 있고, 운동 중에 일어날 수 있는 사고나 상해를 방지하여 안전하게 경기에 임할 수 있도록 만들어진 것을 말한다. 복장 및 장비가 그 기능을 제대로 발휘하지 못하면 예기치 못한 사고를 유발할 수도 있다.

복장 및 장비를 갖출 때에는 물질적인 면뿐만 아니라 마음가짐도 중요하다. 유행만을 추구하여 형태 · 색채 · 악세사리에만 신경쓴다면 스포츠맨으로서 자격이 없다. 진정한 스포츠애호가라면 장비의 형태보다는 낡더라도 그 운동에 필요한 조건을 충족시키는 것을 사용해야 한다. 또한 올바른 복장과 함께 올바른 마음가짐과 몸가짐을 유지하는 것도 적당한 긴장을 유발시켜 안전을 지켜준다.

✎ 불가항력에 의한 스포츠사고 · 상해

인간의 능력으로 어떻게 할 수 없는 경우를 불가항력이라 하지만, 그 상황이 과연 불가항력이었는지 판단하기란 매우 어렵다. 자연재해나 천재지변은 인간의 능력으로 막을 수 없는 것이긴 하지만, 미리 대비하고 주의한다면 피할 수 있는 경우도 적지 않다.

예를 들어 낙뢰에 의한 사망사고는 천재에 의한 것이 분명하지만, 사고 당사자나 지도자의 낙뢰에 대한 상식 및 주의부족도 원인으로 작용할 수 있다. 그러나 사고 당시에 낙뢰가 있을 것이라는 것을 예측할 수 없는 점은 인간능력의 한계, 즉 불가항력이다.

안전에 관한 한 스포츠지도자 및 스포츠전문가는 스포츠활동에서 불가항력의 내용에 대하여 안이한 해석을 내려서는 안 된다. 가장 중요한 점은 불가항력에 가까운 요소가 있다 하더라도 보다 안전하게 스포츠활동을 하고 손실을 최소화할 수 있도록 자신의 능력을 최대한 발휘하는 것이다.

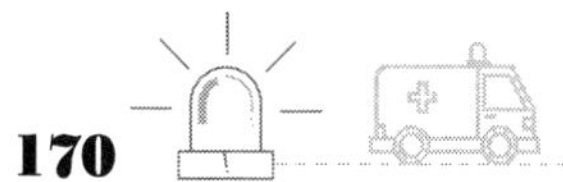

스포츠상해 예방을 위한 고려사항

실제로 스포츠활동을 하다보면, 상해예방을 위한 프로그램이 있다 하더라도 그것만으로는 완벽할 수 없다. 스포츠상해나 사고는 물론, 돌발적으로 발생할 수 있는 긴급사태까지 대비하는 것이 바람직하다.

다음은 스포츠지도자들이 현장에서 스포츠상해 예방을 위해 고려해야 할 사항이다.

- ▸ 선수의 건강상태에 관한 정보를 얻어야 한다.
- ▸ 선수 개개인의 상해 · 부상에 대비하여 적절한 체력훈련을 계획 · 운영한다.
- ▸ 가벼운 부상이라 하더라도 신속히 치료하여 부상이 심해지지 않도록 한다.
- ▸ 사용할 장비 · 도구 등은 항상 사전에 점검한다.
- ▸ 훈련 또는 경기 중에 발생할 가능성이 있는 문제를 점검한다.
- ▸ 심판 및 진행요원, 그리고 다른 지도자들과도 긴밀한 협조체제를 유지한다.
- ▸ 경기력이나 연습량이 부족한 선수는 경기에 성급하게 투입해서는 안 된다.
- ▸ 선수별로 발생한 상해 및 부상을 지속적으로 기록 · 점검한다.

스포츠상해 예방을 위한 준비운동

모든 스포츠경기나 훈련과정에서 준비운동을 하는 것은 불문율로 인식되고 있다. 적절한 준비운동은 스포츠상해 예방 프로그램의 하나로서 그 필요성과 중요성을 인정받고 있다.

스포츠에서 준비운동이 필요한 이유는 다음과 같다.

- 운동 중에 많이 사용되는 부위, 특히 근육 · 힘줄 · 인대 등을 적절하게 이완시킨다.
- 신체를 적절하게 가동 · 가열시킴으로써 근육이나 관절과 같은 부위의 기능을 효율적으로 활용할 수 있도록 한다.
- 선수에게 정신적 · 신체적인 자극을 주어 예상되는 신체활동에 대비할 수 있도록 한다.

그렇다면 준비운동은 어떠한 방법으로 할 것인가? 물론 준비운동은 실제 스포츠 종목 또는 지도자의 성향에 따라 다양하겠지만, 크게 다음의 3가지 정도를 기본적인 준비운동이라 할 수 있다.

한편 준비운동 프로그램의 계획 및 실행에서 스포츠지도자는 다음과 같은 사항을 고려하여야 한다.

- 준비운동은 체계적으로 하여야 한다.
- 다양성이 있어야 한다.
- 근육에 주는 부하를 조절하면서 준비운동을 한다.
- 개인차를 고려하여야 한다.
- 가능한 한 많은 시간을 할애한다.
- 해당 스포츠종목에 적절한 프로그램을 짜서 진행한다.

스포츠상해의 일반적인 구급처치법

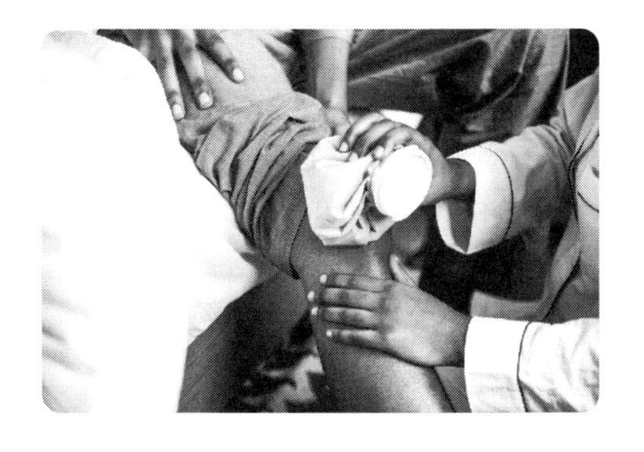

- **안정** | 상처부위는 되도록 움직이지 않도록 하고, 경우에 따라서는 고정시킨다.
- **냉각** | 다친 후 48시간이 경과할 때까지는 얼음찜질을 실시하여 통증을 완화시킨다.
- **압박** | 상처를 압박하여 붓는 것을 방지한다. 이때 너무 오랫동안 강하게 압박하지 않도록 주의한다.
- **환부높임** | 상처부위를 심장보다 높게 하면 출혈을 멈추는 데 도움이 되며, 붓는 것도 줄일 수 있다.

이상의 조치를 3시간 동안 반복실시한다. 즉 30분간은 냉각과 압박을 동시에 실시하고, 15분간은 압박붕대를 풀고 피부를 따뜻하게 해서 혈액순환을 좋게 한다.

스포츠종목별 주요 스포츠상해

참여하는 스포츠종목에 따라 상해가 자주 발생하는 부위가 있다. 즉 자주 쓰는 특정한 부위에 집중적으로 상해가 발생하는 것이다. 예를 들어 테니스팔꿈치와 같은 상해는 테니스 선수에게서 나타나는 특별한 증상이다.

다음은 스포츠종목별로 자주 발생하는 스포츠상해의 종류를 정리한 것이다.

스포츠종목별 주요 스포츠상해

종목	스포츠상해
농 구	발관절염좌, 손목가락염좌, 아킬레스힘줄단열, 무릎관절염좌 등
배 구	손가락염좌, 손목관절상해, 발목관절염좌, 요통 등
야 구	손가락염좌, 발목관절염좌, 팔꿈치 및 어깨통증, 요통 등
축 구	종아리 및 발목좌상, 발목관절염좌, 무릎관절염좌 등
탁 구	요통, 손가락염좌, 발목관절염좌 등
테 니 스	발목좌상, 발목관절염좌, 아킬레스힘줄단열, 테니스팔꿈치 등
핸 드 볼	손가락염좌, 발목관절염좌, 아킬레스힘줄단열 등
육 상	발목관절염좌, 무릎관절상해, 아킬레스힘줄단열, 종아리뼈골절, 요통 등
체 조	위팔뼈골절, 노뼈골절, 발목관절염좌 등
수 영	요통, 목뼈어긋남, 머리부위좌상 등
씨 름	빗장뼈골절, 가슴부분좌상, 위팔뼈골절, 정강뼈골절 등
유 도	어깨부위좌상, 빗장뼈골절, 요통, 복장뼈골절, 무릎관절상해 등
검 도	아킬레스힘줄단열, 팔꿈치좌상, 빗장뼈골절, 가슴부분좌상 등
태 권 도	발목관절염좌, 무릎관절염좌, 어깨관절탈구, 손가락골절, 뇌진탕 등
스케이트	얼굴좌상, 종아리좌상, 뇌진탕, 발목관절염좌 등
스 키	발목관절염좌, 무릎관절염좌, 종아리뼈골절, 무릎관절상해 등
자 전 거	빗장뼈골절, 무릎관절상해, 아래팔부위좌상 등
승 마	뇌진탕, 머리부위좌상, 빗장뼈골절, 요통 등

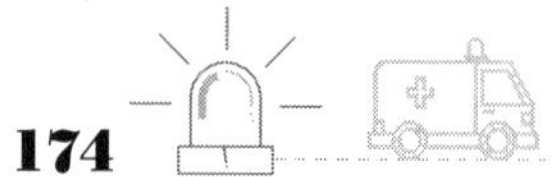

레크리에이션활동 안전

물놀이 안전

우리나라에서 사망사고의 원인 중 익사는 화재나 중독으로 인한 사망자보다 그 수가 많다. 매년 여름철(6~8월)이면 평균 300여명이 익사하고 있다. 사고별 익사원인은 수영미숙, 안전부주의, 수영실력과시, 보트전복, 음주수영, 낚시 등의 순이다. 이러한 사고는 대부분 안전수칙을 준수하지 않고 물놀이를 하다가 일어나는 것으로 나타났다.

✎ 물놀이 시의 안전수칙

▫ 물에서 안전하려면

- ▸ 안전하게 수영하는 법을 배운다.
- ▸ 안전한 곳에서 수영을 하고, 물의 깊이나 소용돌이를 감지해야 한다.
- ▸ 날씨의 변화에 주의를 기울인다.
- ▸ 위급 시 필요한 물품들 즉 긴 막대, 튜브, 긴 줄, 빈 페트병 등을 준비한다.
- ▸ 구명조끼를 꼭 착용한다.

▫ 수영을 할 때는

- 혼자서 수영을 하지 않는다.
- 안전요원이 있는 곳에서만 수영을 한다.
- 술을 마신 상태에서 수영을 하지 않는다.
- 식후에 바로 수영을 하지 않는다.
- 음식물을 먹으면서 수영을 하지 않는다.
- 만약 물의 깊이를 모르는 상태라면, 머리보다 발부터 물에 담근다.
- 주위에 수영미숙자가 있는지 주의깊게 살핀다.
- 피로, 오한, 과도한 햇빛 등과 같은 위험요인을 피한다.

▫ 어린이와 물놀이 안전

- 어린이 혼자 수영하게 하지 말고, 수시로 어린이의 움직임을 주시한다.
- 평소에 물놀이 안전수칙을 주지시킨다.
- 영아인 경우는 부모의 팔이 닿을 수 있는 거리에서 수영을 하게 한다.
- 서로 지켜볼 수 있도록 친구와 함께 수영을 하게 한다.

▫ 익수자 발견 시의 행동요령

- 익수자를 발견했을 때에는 큰 소리로 주위 사람에게 알린다.
- 119에 신속히 신고한다.
- 로프, 긴 막대기, 튜브 등을 던져서 잡고 나오도록 한다.
- 심폐소생술 등 응급처치를 바로 실시한다.

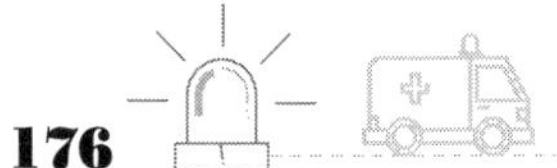

▫ 물에 빠진 사람을 구하는 방법

물에 빠진 사람을 구하는 것은 반드시 전문적인 훈련을 받은 사람들만의 전유물이 아니다. 사람이 물에 빠진 위급한 상황에서는 수영을 할 줄 모르거나, 전문적인 지식이 없더라도 주위에 있는 물건들을 잘 활용하면 그 사람의 생명을 구할 수 있다.

물에 빠진 사람을 구하는 방법은 다음과 같다.

▸ **뻗어돕기 |** 물에 들어가지 않고 가장 안전하게 할 수 있는 방법으로, 주위에 있는 장대나 긴 물건을 뻗어서 사람을 구하는 방법이다.

▸ **던져주기 |** 뻗어돕기와 마찬가지로 물에 들어가지 않고 할 수 있는 방법으로, 긴 줄에 뜰 수 있는 것(페트병, 테니스공)을 묶어 던져서 구조하는 방법이다.

▸ **수영구조 |** 다른 방법이 없을 때 직접 수영을 하여 구조하는 방법이다. 이것은 수영도 능숙하여야 할 뿐만 아니라 구조기술도 알고 있어야 사용할 수 있는 방법이다.

▸ **선박구조 |** 아주 드문 경우지만 배가 있으면 노를 저어나가서 구하는 방법이다. 선박구조 시에는 익수자를 배 뒤쪽에서 끌어올려야 한다.

▸ **인간사슬 |** 많은 사람들이 있거나 물깊이가 가슴을 넘지 않으면 인간사슬을 만들어 구조할 수 있다. 기준이 되는 첫 번째 사람은 안전한 곳에 자신을 확실히 고정시키고, 사슬을 만들 때 서로 보는 방향은 반대로 하여 손목 위쪽을 잡아 사슬이 끊어지지 않도록 한다.

▫ 아무것도 할 수 없는 경우

구조대원들이 빨리 도착할 수 있도록 신고한다. 정확한 사고발생 지점으로 바로 출동할 수 있도록 사고현장의 위치를 정확하게 설명해주어야 한다. 주위에 사람이 많다면 주변에 있는 사람에게 도움을 청하거나 구조할 수 있는 도구를 찾게 한다.

구조대가 도착하기 전에 빠진 사람이 가라앉을 경우 정확한 위치를 잘 보고 구조대가 도착하면 바로 알려줄 수 있도록 한다.

✎ 2차 익수

▫ 2차 익수란

물에 빠져 구조되었거나 물놀이 중 과다하게 먹은 물이 허파로 유입되어 어느 정도 시간이지나 물 밖에서 사망하는 것을 2차 익수라 한다.

▫ 원인

- ▸ 물놀이 중 머리를 누르거나 심한 장난으로 물을 먹은 경우
- ▸ 물놀이 중 수영미숙으로 인해 물을 먹은 경우
- ▸ 물에 빠졌다가 구조되었을 때
- ▸ 물에 빠진 익수자를 구하다가 물을 먹은 경우

▫ 증상

- ▸ 기침을 동반한 호흡곤란
- ▸ 극심한 무기력감과 피로감
- ▸ 불안정해지며 신경질적인 증상

▫ 응급처치

- ▸ 물놀이 후 위의 증상이 보이면 즉시 병원으로 가서 반드시 과정을 설명하고 검사를와 진료를 받는다.
- ▸ 물에 빠져 구조되었더라도 병원으로 가서 반드시 과정을 설명한 후 검사와 진료를 받는다.

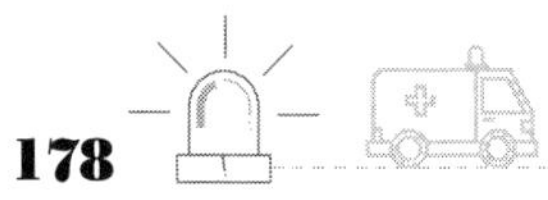

▫ 구명조끼 착용법

❶ 먼저 자신의 신체사이즈에 맞는 구명조끼를 선택한다.

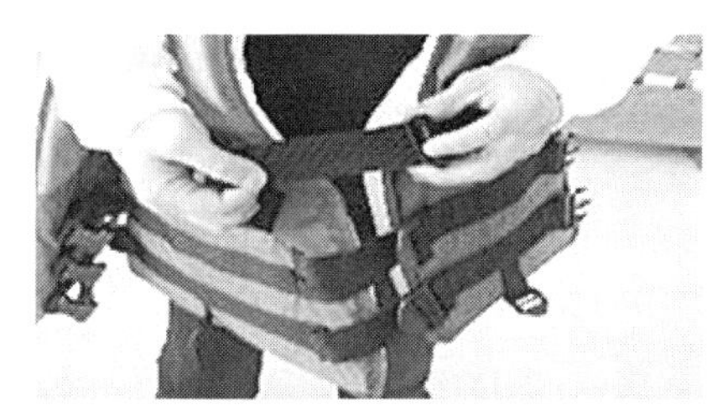

❷ 가슴조임줄을 푼다.

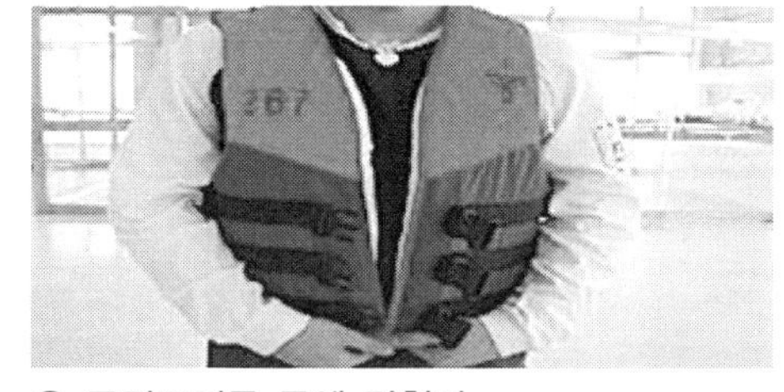

❸ 구명조끼를 몸에 걸친다.

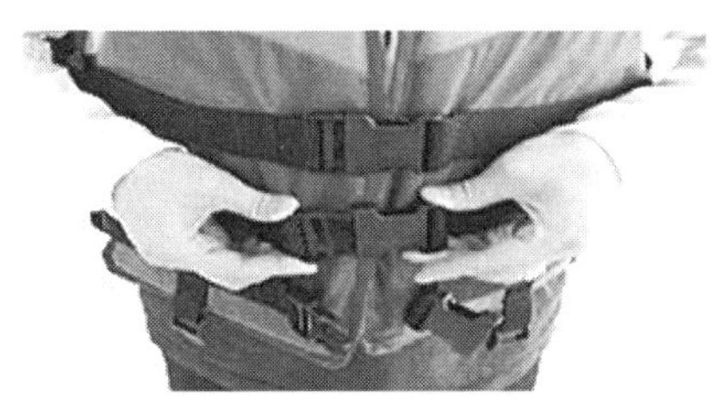

❹ 가슴단추를 채운다.

❺ 2인 1조로 가슴조임줄을 당겨준다.

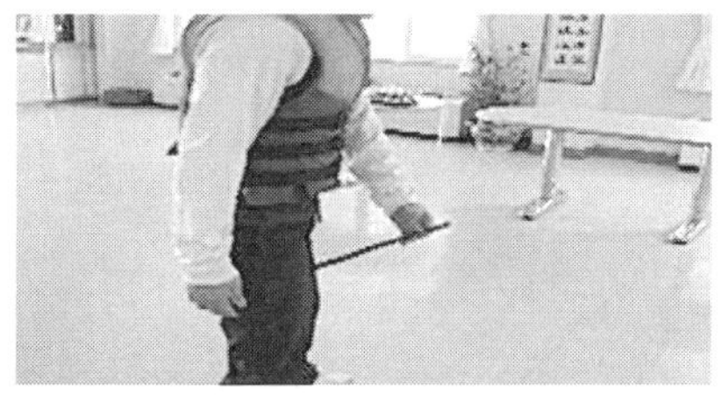

❻ 생명줄을 다리 사이로 뺀다.

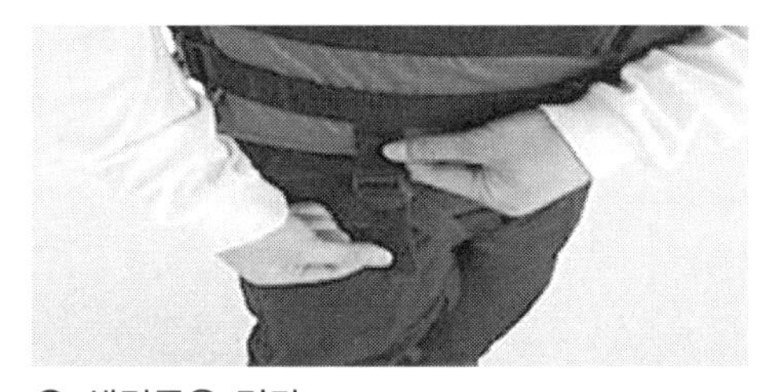

❼ 생명줄을 건다.

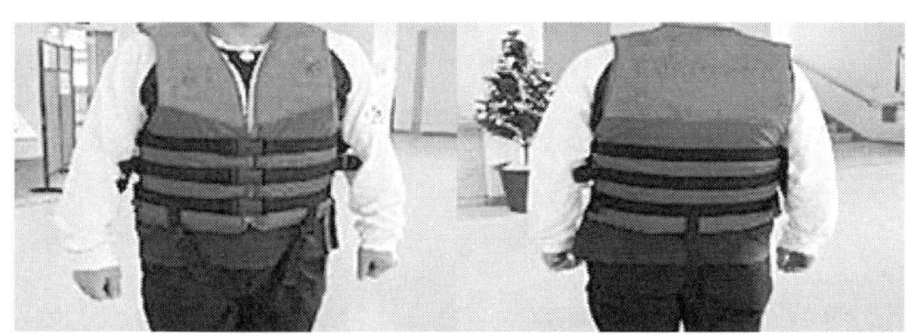

❽ 구명조끼 착용 완료 모습(앞모습, 뒷모습)

✎ 수영 중의 안전대책

▫ 입수 시의 주의

처음에는 발부터 조용히 입수시킨다. 허리까지 들어가면 얼굴과 머리를 충분히 적시고 가능하면 한 번쯤 머리끝까지 전신을 물에 적시면 좋다. 풀(pool)인 경우에는 풀사이드에 걸터앉아 발을 물에 적시고 발장구를 치면서 수온에 익숙해지도록 한다. 발끝만 물에 대더라도 전신이 찬물에 대한 준비태세를 갖추게 되므로 물이 몸에 익숙해지게 하는 효과적인 방법이 된다.

▫ 연습의 정도

처음부터 심한 연습을 하지 말고, 적당히 휴식을 취하면서 점차적으로 연습강도를 높여야 한다. 대상과 목적에 따라 연습량 · 연습시간에 차이가 있지만, 일반적인 지도인 경우에는 연습이 1일 1회일 때 2시간, 오전 · 오후 2회인 경우에는 1시간 반 정도가 좋다.

수온에 대해 느끼는 감각은 같은 조건이라도 초보자일수록 차게 느껴진다. 이것은 공포심을 동반한 긴장 때문인데, 연습이 거듭됨에 따라 추위도 약해진다. 춥다고 느끼는 동안에는 휴식시간을 많이 잡을 필요가 있다. 일반적으로 여자쪽이 남자보다 추위를 덜 타므로 남자를 기준으로 휴식을 취하는 것이 좋다. 춥다고 할 때에는 물속에 세워놓지 말고 되도록 몸을 움직이도록 한다.

▫ 일조와 휴식 중의 주의

수영 중이라도 초보자는 머리를 적실 기회가 적을 때도 있으며, 원영에서는 영

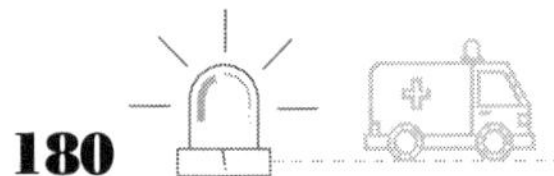
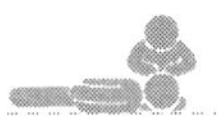

법에 따라서 머리가 마르는 경우가 있다. 이 때문에 수영 중에 머리를 가끔 적시지 않으면 안 된다.

한편 한여름날 옥외에서 휴식을 하면 피부가 검게 타기 쉬우므로 피부가 어느 정도 타면 그늘에서 쉬게 한다. 이때 반드시 타올로 전신을 싸고 휴식할 필요가 있다. 수영자 중 피부가 너무 많이 탄 사람이 생겼을 때 본인의 부주의도 있겠지만, 이는 역시 지도자의 책임이라고 생각해야 한다. 또한 원칙적으로 휴식 중에는 음식물 섭취를 금하고, 부득이한 경우에는 입을 적실 정도에서 그친다.

▫ 수영 중의 건강상태 체크

수영 지도자는 단순히 기술지도에만 전념하지 말고, 필요에 따라 인원확인과 알 수 있는 범위 내에서 수영자의 건강상태까지도 체크해야 한다. 어린이는 물론, 어른이라도 의외로 자신의 건강이상을 모르고 있는 사람이 많으므로 다음과 같은 점에 주의한다.

- ▸ 몹시 추워한다. 물에 들어가는 것을 대단히 싫어한다.
- ▸ 안색이 나쁘다. 입술이 보라색이 된다. 피부 전체가 희게 보인다.
- ▸ 어딘지 모르게 기운이 없고 동작과 반응이 더디다.
- ▸ 지도자의 주의를 듣지 않고 정신없이 있는 때가 많다.
- ▸ 평소 수영할 때보다 서투르거나, 물을 먹거나 숨이 차다.

✎ 수영 직후의 안전대책

▫ 인원점검

수영 전과 같이 인원확인과 동시에 건강상태를 체크해야 한다. 인원에 이상이 있으면 수영자를 현지에서 휴식시키고, 신속히 조사하는 등 그에 대한 조치를 취하지 않으면 안 된다.

▫ 정리운동

피로회복을 위하여 운동으로 근육을 풀어주는 것이 정리운동이다. 대체로 준비운동과 같은 요령으로 하면 되지만, 수영 초보자인 경우에는 발의 피로가 많이 오기 쉬우므로 발의 근육을 풀고, 적당히 스스로 마사지하는 것도 좋은 방법이다.

▫ 몸씻기

해변에서 수영한 다음에는 깨끗한 물로 전신을 씻어야 한다. 수영복에 모래가 낄 때도 많으므로 잘 털어내지 않으면 안 된다.

▫ 세안

수영할 때에는 눈에 이물질이 들어가기 쉽고, 특히 바다에서는 모래가 들어갈 때가 많다. 바닷물에는 소금물에 의한 자극이 있고, 풀에는 염소의 자극도 있으므로 수영 후에는 깨끗한 물로 세안을 하도록 지도한다.

세안시설이 없더라도 청결한 세면기에 깨끗한 물을 받아 눈을 뜬 채 세수를 하거나 얼굴을 물에 넣고 눈을 떴다감았다 해본다.

▫ 귀 속의 물

수영 중 귀에 물이 들어가면 아무렇게나 손가락으로 후벼서는 안 된다. 왜냐하면 평소에 물에 젖은 적이 없는 외이도가 불어서 상처가 나서 외이염의 원인이 될 수 있기 때문이다.

물이 들어간 귀를 밑으로 해서 손으로 머리를 두드리거나, 물이 들어간 귀를 밑

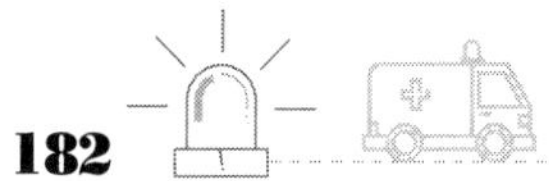

으로 내려 같은 쪽의 다리로 도약하여 물을 뺀다. 때때로 귀 속에서 바삭바삭하는 소리가 날 때도 있으며, 아무리 해도 빠지지 않고 물이 있는 경우에는 면봉을 1㎝ 정도 넣어 외이도 내의 수분을 흡수시킨다.

ㅁ 수영복 세탁

해변에서 수영을 하면 수영복에 모래가 섞일 수 있으므로 물로 잘 빨아서 다음에 입을 때 피부를 상하지 않도록 해야 한다.

스쿠버다이빙

✎ 압착에 의한 상해

ㅁ 마스크 압착

스쿠버다이빙에서 물속으로 내려갈 때 마스크 속의 공기와 수중의 압력 불균형에 의해 상해가 발생할 수 있다. 이와 같은 압착에 의한 상해가 발생하면 안면조직에 부종현상이 있고, 눈이 충혈되거나 출혈이 있을 수 있다. 이때에는 적절한 압력평형 상태(마스크 속에 적당한 양의 공기공급)를 만들어주고, 안정을 취하게 한다. 통증이 심하면 EMS(emergency medical service)에 도움을 요청하고, 적절한 기술을 익힐 때까지 다이빙을 금지시킨다.

▫ 귀의 압착

스쿠버다이빙에서 하강 시 귀의 부적절한 압력평형 · 너무 조이는 후드착용, 상승 시 유스타키오관(Eustachian tube)의 막힘(감기, 염증) 등에 의해 귀의 압착이 발생할 수 있다. 이때 귀의 불쾌감, 통증, 이명, 난청, 구역질, 구토, 코 · 귀 · 입에서의 출혈, 현기증, 평형감각상실 등의 증상이 나타난다.

귀의 압착을 예방하려면 유스타키오관의 감염을 방지하고, 출혈 시에는 고개를 기울여 피가 흐르게 한다. 이때에는 병원진료를 받게 하고, 당분간 다이빙을 금지시켜야 한다.

▫ 코곁굴압착

스쿠버다이빙 시 코곁굴(paranasal sinus, 부비동)의 통로가 좁아져 막히면 압착현상이 발생할 수 있다. 이때 눈썹사이(미간) · 볼 안쪽 · 윗턱 안쪽 등에 통증이 있고, 코에서 피가 나며, 난치성 두통이 있다. 심하면 의사의 치료를 받아야 한다.

✎ 저체온증과 고체온증

▫ 저체온증

저체온이라도 체온이 35℃ 정도로 내려간 경우에는 어느 정도 회복이 가능하지만, 26~24℃ 사이로 내려가면 회복이 힘들다. 저체온증은 추운 환경에 대한 준비부족에 의한 열손실로 발생한다. 수중에서는 대기보다 열손실이 25배나 더 빠르며, 찬바람이나 수분증발로도 열손실이 발생할 수 있다.

 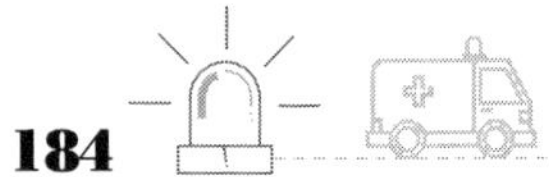 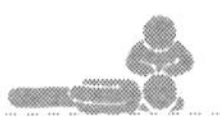

체온에 따라 다음과 같은 증상이 있다.

▸ 36℃ : 몹시 추위를 느낀다. 기면(졸음)

▸ 36~35℃ : 안색이 창백하고 피부가 매우 차다

▸ 35~34℃ : 어눌한 말투

▸ 33℃ : 강한 전율

▸ 32℃ : 이해력 저하, 분별력 상실

▸ 31℃ : 전율감소, 근육마비

▸ 30℃ : 서맥, 호흡곤란

▸ 27℃ : 의식상실

▸ 24℃ 이하 : 사망

저체온증이 되면 일단 보온시키고, 의식없는 환자는 자세를 교정(회복자세)해주고, 더운 물주머니 · 가온팩 등을 사용하여 체온을 올려준다. 따뜻하고 고당도의 음료를 제공하고, 필요하면 심폐소생술을 실시한다. 그러나 알코올음료를 먹이거나 마사지 · 운동 등을 실시해서는 안 된다.

▫ 고체온증

더운 기후에서 운동(다이빙)을 하거나, 과열상태로 드라이슈트를 입고 작업을 하거나, 극심한 발한으로 수분 및 전해질 손실되었을 때 고체온증이 발생한다. 얼굴이 붉어지고, 현기증과 두통, 졸리움, 메스꺼움 등이 나타나며, 다리근육에 경련이 일어나고, 호흡 · 맥박이 빨라지며, 입술 · 피부가 마르고 체온이 상승한다. 심하면 의식불명에 빠질 수도 있다.

이때에는 환자를 그늘로 옮기고, 수분을 공급한다(구토, 경련이 없을 때). 상체를 높여주고 얼음찜질을 실시한다. 많은 양의 땀을 흘리고 설사나 구토를 했을 때에는 저농도의 소금물을 먹인다.

▫ 열성피로

과로하거나 고온다습한 환경에서 많은 수분이 손실되어 지나친 염분손실이 있을 때 열성피로가 발생한다. 쉬 피로해지고, 현기증을 느끼며, 구역질 · 구토를 한다. 안색이 창백해지고, 식은 땀이 흐르며, 맥박과 호흡이 약해진다. 허탈 또는 무의식상태에 빠질 수도 있다. 이때에는 신체활동을 중단하고, 다리를 높여주며, 소금물(물 1ℓ + 소금 3스푼)을 먹인다.

수중에서 열성피로증상을 보이면 일단 안정시키고 호흡을 조절시켜 정상호흡으로 회복시킨다. 부력을 조절하여 수면으로 상승시키고, 수면에서 부력을 유지한다.

✎ 수중생물에 의한 상처 및 중독

▫ 쑤기미, 쏠배감팽, 쏨뱅이

스쿠버다이빙을 하다가 이들 수중생물에 물리면 심한 통증과 호흡기능상실(respiratory failure, 호흡부전), 순환계통 허탈 등이 올 수 있다.

쇼크 여부를 확인하고, 상처부위를 소금물로 닦고, 50℃ 정도의 온수에 30분 이상 담근다. 상처부위를 빨거나 절개해서는 안 된다.

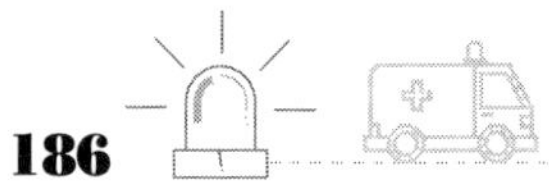
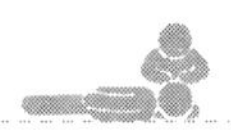

ㅁ 쏠종개

쏠종개에 물리면 2일 정도 쑤시는 증상이 있고, 빨갛게 부어오르며, 때로는 마비증세가 올 수도 있다.

50℃ 정도의 물 또는 암모니아수로 씻어준다. 입으로 빨아서 독을 제거하고 신속히 병원으로 보낸다.

ㅁ 성게

성게에 쏘이면 1시간 가량의 격심한 통증이 있고, 12시간 정도 마비가 올 수 있다. 심하면 전신쇠약이 올 수 있고, 부정맥이 나타날 수도 있다.

가시를 제거하고, 온수와 냉수에 번갈아 담근다. 상처부위 소독하여 2차감염을 예방한다.

ㅁ 가오리

가오리에는 꼬리부위에 한 개의 독침이 있다. 쏘이면 통증이 지속되고 부어오르며 구역질 · 실신 · 설사 · 호흡곤란(중증) 등이 올 수 있다.

찔린 부위 윗쪽을 조이고 상처를 물로 씻는다. 50℃ 정도의 식염수에 30분 이상 담근다.

▫ 감자조개

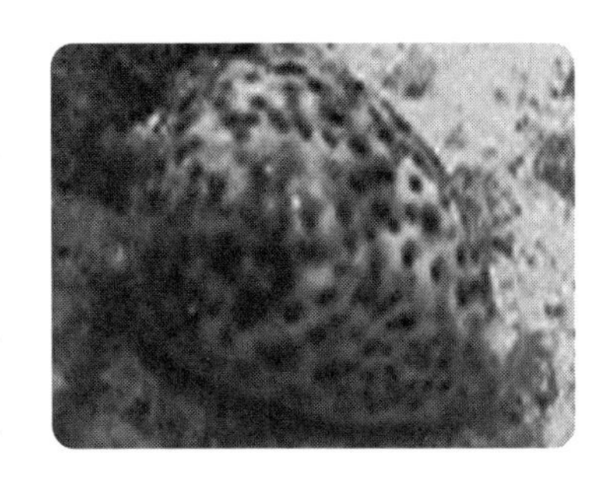

감자조개에 물리면 화상과 같은 욱신거리는 통증이 있고, 독의 성분에 따라 근육마비 · 언어장애 · 시각장애 · 호흡곤란 등이 나타난다.

상처 윗부분을 조여 정맥혈 · 림프액의 방출을 억제하고, 10분마다 90초간 밴드를 풀어 혈액을 순환시킨다. 호흡 여부를 확인하면서 병원으로 이송하고, 호흡정지 시에는 구조호흡을 실시한다.

▫ 해파리

해파리 중에서도 투구성해파리, 반시뱀해파리 등은 매우 위험하다. 해파리에 쏘이면 순환계통허탈 · 호흡감퇴 · 근육마비 등이 나타나며, 10분 이내에 사망할 수도 있다.

촉수를 제거하고, 초산(식초) 또는 붕산을 발라 남은 가시가 튀어나오는 것을 막고 냉찜질한다. 문지르거나 민물 · 오줌 · 모래를 이용하면 가시가 튀어나올 위험성이 있다.

▫ 말미잘

말미잘에 물리면 자포독으로 인한 국소적 통증이 있고, 빨간 반점의 작은 발진이 발생한다.

가려움증이 동반되며, 독성이 강하면 수포가 발생할 가능성이 있다.

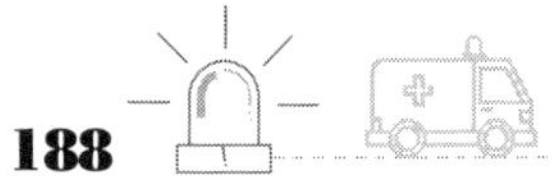

▫ 산호

산호에 긁혀 찰상 또는 할퀸 상처를 입으면 빨갛게 붓고 출혈이 동반된다. 작은 상처라도 치료하지 않으면 화농, 2차감염의 위험이 있다.

파편을 제거하고, 소독 후 붕대를 감는다. 불꽃산호일 경우에는 항히스타민연고를 발라준다. 악화되면 병원에 가야 한다.

▫ 표범무늬낙지

표범무늬낙지는 입안의 아랫니에 복어독인 테트로도톡신을 갖고 있다. 황갈색의 푸른 동그란 무늬가 있고 자극하면 푸른 동그란 무늬가 변화해서 아름답다.

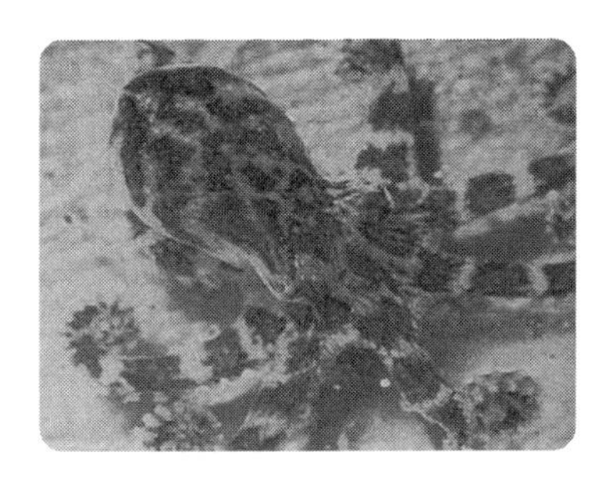

이 낙지에 물리면 마비현상이 생기고, 얼굴 · 목 등에 저린 증상이 있다. 언어장애 · 호흡곤란이 오며, 단시간(약 90분)에 사망할 수도 있다. 물린 곳을 절개하고 짜낸다. 신속히 병원진료를 받는다.

▫ 곰치

곰치에는 독은 없으나 물리면 심한 통증과 출혈이 있다. 일단 지혈 후 물로 씻고 항생제를 바른다. 이빨에 끼어있던 잡균 등이 화농을 일으킬 수 있으니 의사의 치료를 받아야 한다.

종류에 따라서는 혈액이나 살에 독을 지니고 있으므로 먹을 때에는 주의해야 한다.

ㅁ 상어

상어에 물리면 격심한 통증과 출혈이 있다. 지혈한 후 물로 씻고 항생제를 바른다. 쇼크를 방지하고 병원진료를 받는다. 다이빙을 할 때에 물고기에 자극을 주거나 장난을 해서는 안 된다.

ㅁ 바다뱀

바다뱀에 물리면 구토, 쇠약, 마비, 근육경련, 언어장애, 호흡장애가 나타난다. 증상이 나타나기까지 10분에서 수 시간의 잠복시간이 있다. 안정된 상태로 상처부위를 고정시킨다. 상처 윗부분을 조여 정맥혈 · 림프액의 방출을 줄여주며, 10분마다 90초간 풀어 혈액을 순환시킨다.

호흡 여부를 확인하며 EMS로 이송한다. 호흡정지 시에는 구조호흡을 실시한다.

ㅁ 독소라

독이 있는 소라 중 가장 흔히 먹는 소라가 '비뚤이소라'와 '참소라'이다. 소라의 타액선에 있는 테트라민은 가열해도 제거되지 않기 때문에 반드시 독소가 있는 타액선을 제거해야 한다.

시식 후 몇 분 후 전신이 저리고, 구역질 · 팔다리마비 · 언어장애 · 호흡곤란에 이르며, 심하면 사망할 수도 있다.

물을 마셔 토하게 한 후 병원진료를 받게 한다.

▫ 독게

독이 있는 게는 청산가리의 1,000배의 독성을 가진 테트로톡신과 살시톡신을 가지고 있다.

만지는 것은 상관없으나 불에 익혀도 독성은 사라지지 않으므로 다른 게와 함께 먹게 될 수도 있으므로 주의한다.

전신이 저리고 구역질 · 사지마비 · 언어장애 · 호흡곤란에 이르며, 심하면 사망할 수도 있다. 물을 마셔 토하게 한 후 병원진료를 받게 한다.

✎ 잠수병통증

▫ 원인

잠수병통증(bends, 감압통, 장함병)은 수중에서 압력증가 상태에 있는 다이버의 부적절한 부상, 다이브컴퓨터의 과신 · 잘못된 사용, 다이브테이블의 부적절한 사용, 잠수적성이 맞지 않는 체질, 잠수 후의 비행, 반복잠수, 수면부족, 잠수 전후의 심한 운동, 연령, 잠수 전의 약물이나 알코올복용 등에 의해 발생한다.

잠수병통증의 증상 발현시간은 다음과 같다.

30분 이내	60분 이내	120분 이내
5%	85%	95%

보통 수면에 떠오른 12시간 이내에 나타나고, 드물게 24~48시간 후에 나타날 수도 있다.

▫ 예방

다이브테이블의 규칙을 정확히 지키고, 절대로 한계를 넘어서는 안 된다. 부상 중 감압을 정지하고, 수심에서 반드시 감압한다.

▫ 증상

- **1형 벤즈 |** 팔다리관절 및 근육에 통증이 있다.
- **2형 벤즈 |** 피부가 따끔거리고 가렵다. 반점과 같은 자국이 도드라져 보인다. 현기증 · 무감각 · 호흡곤란 · 기침 · 일시적 시력상실 · 경련 등이 나타나고, 의식불명 · 호흡순환장애 · 중추신경장애 · 말초신경장애에 이르며 사망할 수도 있다.

▫ 처치

잠수병통증이 나타나면 기도를 확보하고, 이물질을 제거한다. 30분 이내에 증상이 사라져도 2차장애를 방지하기 위해 재압치료를 한다. 산소를 공급하고, 필요한 경우 심폐소생술이나 쇼크처치를 한다. 의식이 확실한 경우에는 수분을 지속적으로 공급한다.

기압이 낮은 곳으로 이동해서는 안 되며, 비행기로 이송할 때에는 실내기압을 해수면으로 유지한 채로 300m 이하 저공비행을 실시한다.

 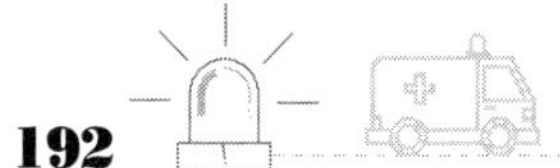 

✎ 공기색전증

▫ 원인

공기색전증(air embolism, aeroembolism)은 숨을 참고 수면으로 부상할 때 발생한다. 수심이 얕은 곳에서 상승할 때 특히 주의해야 하고, 상승 중에 숨을 참지 않도록 한다(기침, 재채기 주의). 상승속도(15m/분 이내)를 엄수한다.

▫ 증상

공기색전증은 상승 후 5분 이내에 증세가 나타난다. 가슴이 막힌 금속성 소리를 내며 혀가 꼬부라진다. 저리고 따끔따끔한 통증이 있고, 호흡할 때 그렁그렁한 소리가 난다. 현기증 · 시각장애 · 언어장애 · 두통 · 마비 · 가슴통증 등이 나타난다. 쇼크상태가 되거나, 호흡미약 · 의식불명 · 호흡정지에 이를 수도 있다.

▫ 처치

공기색전증이 나타나면 산소를 공급하고, 신속하게 감압치료를 실시한다. 증상이 평상 시와 같이 돌아와도 의사의 처치가 필요하다.

✎ 공기가슴증, 피부밑공기증, 세로칸공기증

▫ 원인

공기가슴증(pneumothorax, 기흉)은 허파파열로 허파에서 새어나간 공기가 가슴벽과 허파 사이로 들어가 허파를 압박하는 증상이다. 또 피부밑공기증(sub cutaneous emphysema, 피하기종)은 공기가 목 주변이나 피부밑에 머무는 증상이다. 세로칸 공기증(mediastinal emphysema, 종격기종)은 공기가 심장이 있는 공간에 들어가는 증상이다.

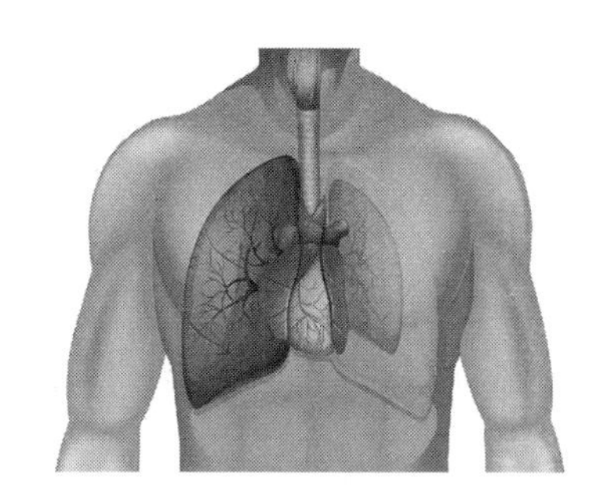

▫ 예방

이러한 증상을 예방하려면 수면으로의 급상승을 피하고, 상승속도를 지켜야 한다. 항상 허파의 체적을 정상으로 유지하며 숨을 참지 않는다. 정기적으로 건강을 체크하고, 호흡계통이나 가슴부위의 장애를 조기치료해야 한다.

▫ 증상

- **공기가슴증(기흉)** | 혈액이 섞인 거품을 내뿜고, 고통스럽고 빠르고 얕은 부자연스러운 호흡을 하게 된다. 피부 · 입술 · 손톱이 파래지며, 가슴에 갑작스런 통증이 나타날 수 있다. 박동이 빨라진다. 청색증과 쇼크가 나타날 수 있다.
- **피부밑공기증(피하기종)** | 가슴 위쪽의 공기증(기종)부분이 밖으로 부풀어오르며, 손으로 문지르면 염발성 반응이 있다. 성대가 압박되며, 호흡이 곤란해진다.
- **세로칸공기증(종격기종)** | 가슴통증이 나타나고, 호흡이 곤란하며, 청색증이 있고, 허탈증상이 나타날 수 있다. 의식불명에 빠질 수도 있다.

▫ 처치

통증부위의 허파를 아래쪽으로 하고, 산소를 공급한다. 반드시 의사의 처치를 받아야 한다.

 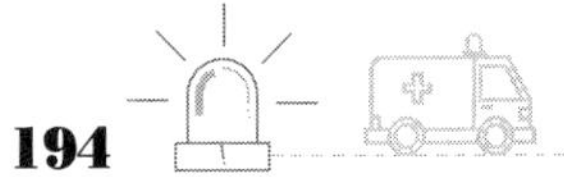 

✎ 역압착

▫ 원인

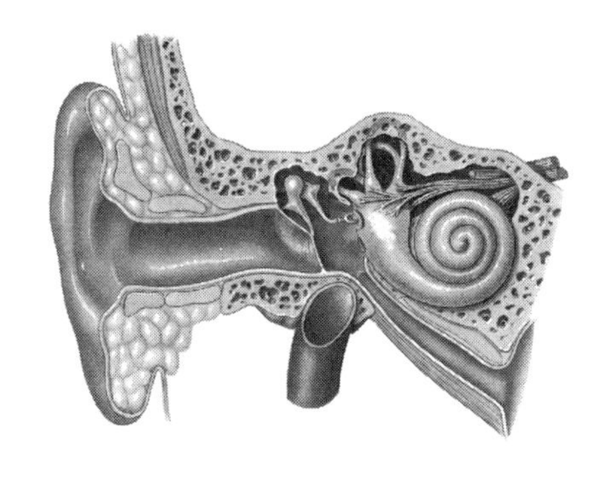

역압착(reverse block, 역폐쇄)은 스쿠버 다이빙에서 하강 시의 무리한 압력평형, 귀와 목을 잇는 귀관(auditory, 이관)의 심한 충혈 등일 때 발생한다.

▫ 예방

감기약 · 충혈방지약을 복용한 다음에는 다이빙을 금지시킨다. 하강 시 무리하게 압력평형을 하지 않는다.

▫ 증상

격심한 통증이 있고, 귀 · 코로부터의 출혈이 있다.

▫ 처치

증상이 없어지는 수심으로 천천히 상승한다. 무리한 귀튀우기를 하지 않아야 하고, 통증이 심하면 환부주변에 냉찜질을 하고 의사의 처치를 받는다.

✎ 익수

▫ 원인

익수는 자신의 수영능력 과신, 냉수나 수압변화에 의한 갑작스런 부정맥, 심장발작 등으로 발생할 수 있다.

▫ 예방

다이빙 전에 냉수를 온몸에 끼얹고, 냉수욕으로 신경 · 호흡 · 순환계통을 조절한다. 냉수양치는 심장발작 예방효과가 있다. 다이빙 전에는 음주를 삼가고, 감기 · 불면증에 주의한다.

올바르게 기재를 사용할 수 있도록 트레이닝을 해야 하며, 파도가 부서지는 장소에 접근하지 말아야 한다. 수중에서는 절대 마스크와 호흡기를 벗어서는 안 되며, 자신의 수영능력을 과신하여 무리하게 다이빙을 해서는 안 된다.

▫ 증상

기침 · 헐떡임이 있고 거품상태의 가래가 나오며, 입술 · 혀가 파래지며, 의식불명 · 호흡정지 · 맥박정지에 이르고, 사망할 수도 있다.

▫ 처치

의식이 있는 경우에는 물을 토하게 하고, 산소를 공급한다. 의식이 없는 경우에는 기도를 확보하고, 구조호흡 · 심폐소생술을 실시한 후 보온시킨다. 어떠한 경우든 의사의 처치를 받아야 한다.

등산 안전

✎ 산악사고의 발생원인

산악사고와 조난의 발생원인은 크게 자연적 위험과 인위적 위험으로 나눌 수 있으며, 그 원인에 따라 직접원인과 간접원인으로 나누기도 한다. 그러나 어떤 형태의 사고라 하더라도 두 가지 요인이 서로 맞물려 사고를 일으킨다.

위험에는 인간의 힘으로 어찌할 수 없는 부분이 있다. 하지만 대부분의 산악사고와 조난은 미리 준비하고, 충분히 훈련하고, 위험을 느꼈을 때 신중하게 대처한다면 피할 수 있는 경우가 많다.

✎ 자연적 위험

산에서는 기온급강하 · 폭우 · 폭설 · 바람 · 폭풍 · 벼락 · 강한 햇빛 · 어둠 · 안개 등과 같은 날씨변화로 인한 위험과 산의 높이 · 산사태 · 눈사태 · 크레바스 · 눈 처마 · 스노브리지 · 낙석 · 낙빙 · 바위의 무너짐 · 급류 · 계곡의 범람 등과 같은 지형에 따른 자연적 위험이 도사리고 있다. 특히 날씨가 갑자기 나빠지거나 기온이 급격히 내려가면 대형 산악사고가 일어나기 쉬운데, 이런 사고를 흔히 조난이라고 말한다.

자연적 위험은 대상지의 지형과 기상에 대한 정확한 정보, 완벽한 준비, 치밀한 관찰과 점검, 사고와 조난에 대한 사전대비, 올바른 판단 등으로 충분히 예방할 수 있다.

▫ 폭우

우리나라에서 발생한 조난사고의 통계를 보면 1년 동안 일어나는 사고 가운데 46%가 여름철에 집중되어 있는데, 그중에서도 폭우와 급류로 인한 계곡에서의 사고가 3분의 2 정도를 차지하고 있다. 산에서는 날씨를 미리 짐작하기 어렵고, 짧은 시간에 빠르게 기상변화가 진행되며, 변화의 폭도 크기 때문에 위험하다. 특히 짧은 시간 안에 특정지역에만 폭우가 쏟아지는 경우가 잦다. 이런 폭우는 순식간에 급류를 만들어 계곡물을 넘치게 하고, 산사태를 일으키기도 한다.

▫ 태풍

우리나라는 7~9월에 3~4개 태풍의 영향을 받는다. 태풍이 오면 큰 나무들이 뿌리째 뽑힐 만큼 강한 바람이 부는 것은 물론 특정지역에는 200~500mm가 넘는 폭우가 쏟아지기 때문에 이 시기에 등산을 하는 것은 매우 위험하다.

▫ 벼락

벼락은 구름이 가지고 있는 전기가 공기층을 뚫고 땅으로 흘러들어가는 현상이다. 대개 벼락을 일으키는 구름은 적란운으로 수직으로 발달한 검은 구름이 뭉게뭉게 솟구쳐 오르면서 위쪽 구름이 아래로 흐르듯이 흩어져 내린다. 벼락은 50만 V, 3만 A가 넘는 엄청난 에너지로 TNT 폭약 66kg이 한꺼번에 폭발하는 힘과 같아서 일단 벼락을 맞으면 거의 목숨을 잃는다. 우리나라 산에서는 8월에 낙뢰사고가 가장 많이 발생한다.

▫ 폭설과 눈사태

눈이 조금만 와도 길이 얼어붙고 미끄러워 등산하는 데 어려움을 느끼게 된다. 또 폭설이 내리면 옷이 젖어 체온을 떨어뜨리고 길을 잃기 쉬워 조난의 위험이 높아진다.

눈사태는 대부분 폭설이 내리고 있을 때와 바로 뒤에 연이어 일어난다. 물론 눈

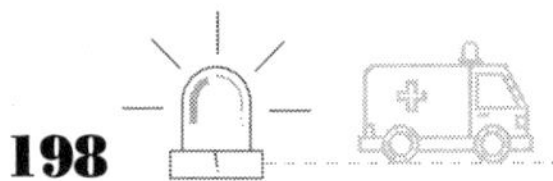

사태가 일어날 수 있는 충분한 양의 눈이 쌓여 있어야 하고, 양이 많을수록 또 쌓이는 속도가 빠를수록 눈사태가 일어날 가능성도 커지기 마련이다.

▫ 추위와 체온급강하

겨울철 등산에는 대부분 추위에 대비한 장비들을 충분히 준비하기 때문에 큰 위험이 없지만, 날씨가 갑자기 뒤바뀌는 이른봄과 늦가을에 준비없이 등산에 나섰다가 조난을 당하는 경우가 종종 있다. 더구나 갑작스런 비 · 진눈깨비 · 눈 등으로 옷과 장비가 젖거나, 강한 바람 때문에 체온이 떨어지면 걷잡을 수 없이 위험한 상황에 이를 수 있다.

▫ 더위와 강한 햇빛

한여름에 강한 햇볕을 계속 쬐면서 등산을 하다 보면 땀을 많이 흘려 쉽게 지치고 탈수 현상을 일으키기도 하며, 근육경직 · 일사병 · 열사병 등에 걸리기도 한다.

▫ 바람과 고도

산에서의 체감온도는 바람과 고도에 따라 변화한다. 보통 초속 1m의 바람이 불 때마다 평균 1.6℃씩 기온이 떨어지고, 높이 100m를 올라갈 때마다 0.65℃ 정도씩 떨어진다. 예를 들어 평지기온이 0℃ 일 때 1,000m 높이의 산에서 초속 10m의 속도로 바람이 분다면 우리 몸이 느끼는 온도는 대략 -22.5℃가 된다.

▸ 바람 때문에 생기는 기온 차=10m/sec X−1.6℃=-16℃(체감온도 환산표에는 -14℃)

▸ 높이 차이로 생기는 기온 차-(1,000m/100m) X−0.65℃=-6.5℃

▸ 체감온도=0℃+(-16℃)+(-6.5℃)=-22.5℃

▫ 낙석, 지반붕괴

낙석과 지반붕괴는 얼었던 땅이 녹기 시작하는 이른 봄과 비가 많이 내리는 여름철에 주로 일어난다. 이 시기에 좁은 골짜기의 산비탈이나 돌무더기가 쌓여 있는 바위벽 아래 등을 지날 때는 특히 조심해야 한다. 비가 많이 내려 땅이 들떠 있는 곳에서도 낙석피해를 입지 않도록 주의해야 한다.

▫ 급류

급류로 인한 사고는 급류 자체를 대수롭지 않게 생각하고 무리하게 계곡을 건너려는 사람들의 잘못된 생각에서 비롯된다. 계곡은 대부분 폭이 좁기 때문에 강을 건너기보다 쉬울 것으로 생각하기 쉽다. 하지만 급류에는 상당히 많은 위험이 도사리고 있다. 급류로 인한 사고는 물살의 세기나 바닥의 미끄러운 돌 때문에 균형을 잃어 일어나기도 하지만, 흙탕물 속에 떠내려오는 커다란 돌이 발이나 무릎을 쳐 넘어지면서 익사하거나 뇌진탕을 일으키기도 한다.

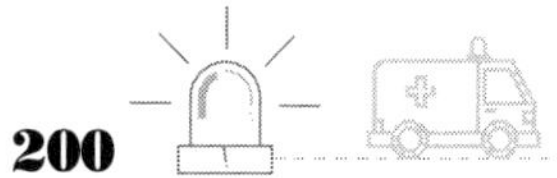
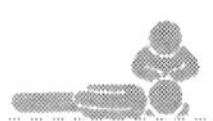

▫ 어둠과 안개

어둠과 안개는 위험에 앞서 산행에서 두려움과 불안을 느끼게 한다. 이때는 가시거리가 짧아져 방향감각을 잃고 발을 헛디뎌 추락 사고를 일으키기 쉽다. 일단 날이 어두워지기 시작하면 기온이 떨어지고 바람도 강해진다. 자연 마음이 조급해져 하산을 서두르다가 안전사고를 당하는 경우가 많기 때문에 가능한 해가 지기 전에 등산을 마치는 것이 안전하다.

✎ 인위적 위험

산악사고와 조난은 항상 존재하고 있는 자연적인 위험에 사람이 인위적으로 문제를 일으켜 위험요인을 더해 줌으로써 복합적으로 일어나는 경우가 대부분이다. 그러나 자연환경의 변화로 인한 위험은 예측하고 충분히 준비하면 피할 수 있는 것이다. 그러므로 대부분의 산악사고와 조난의 원인은 거의 사람의 잘못이나 실수에서 비롯된다고 볼 수 있다.

방심, 부주의, 판단미숙, 잘못된 판단, 등산장비 사용미숙, 경험과 실력부족, 등반능력과 체력의 한계를 벗어난 무리한 등반, 무모한 행동, 지나친 경쟁심과 승부욕, 영웅심, 만용, 산행 정보와 준비의 부족, 굶주림, 안전수칙 미준수, 인위적인 낙석 등이 모두 사고를 일으키는 인위적인 위험요인이다. 또한 전문등반을 할 때는 이와 더불어 장비 사용미숙, 장비분실, 낡고 오래된 장비사용, 로프없이 하는 등반 등이 위험요인이다.

ㅁ 방심과 부주

방심과 부주의 때문에 일어나는 사고는 일반등산뿐만 아니라 전문등반에서도 자주 일어난다. 가파른 바위에서 발을 헛디디거나, 바위나 나무 또는 다른 사람과 부딪히면서 균형을 잃어 추락하기도 한다. 특히 음식을 조리하다가 쿠킹세트가 쓰러져 화상을 입는 사고나, 하강을 하다가 머리카락이나 옷자락이 하강기 사이로 딸려 들어가는 사고는 모두 방심과 부주의에서 비롯되는 사고다.

ㅁ 판단미숙과 잘못된 판단

길을 잘못 들어서거나 길을 잃는 일, 무리하게 계곡을 건너려다 급류에 휘말리는 사고, 야영지 선정 잘못으로 인한 갑작스런 자연재해, 악천후 시의 무리한 등산으로 인한 탈진 · 저체온증, 피로로 인한 동사 등의 사고는 모두 잘못된 판단과 판단미숙에서 비롯된다. 산행 중에는 한순간의 잘못된 판단이 많은 사람의 목숨을 앗아갈 수도 있다.

ㅁ 무모하고 무리한 등산

등산경험이 전혀 없는 사람이 체력의 한계를 넘어서는 길고 험한 산을 무거운 배낭을 메고 오르다가 탈진하거나 동사 등의 위험에 빠져드는 경우를 종종 볼 수 있다. 또한 충동적으로 아무런 기술과 장비도 없이 위험한 바위를 오르는 것, 체온을 유지할 수 있는 방풍보온의류도 없이 겨울등산을 나서는 것, 급류로 뒤바뀐 계곡을 대책없이 건너는 것 모두가 목숨을 내건 무모하고 무리한 등산이다.

ㅁ 경험 · 지식 · 기술부족

실력 · 기술 · 체력이 모자라서 일어나는 사고는 전문등반을 하는 사람들에게 특

히 많이 볼 수 있다. 자기 실력으로 오르기 어려운 바윗길을 오르다가 추락하거나, 장비사용 · 하강기술의 부족으로 사고를 일으키기도 한다.

경험이 많은 사람은 철저한 준비와 신중한 판단으로 올바른 결정을 내리고 갑작스러운 위기에 대처할 해답을 알고 있다. 따라서 산행경험이 부족한 사람은 항상 다른 사람들의 경험이나 책을 통해 간접경험의 폭을 넓혀야 한다. 경험이나 지식이 없이 나섰다가 위험한 고비를 넘기고 돌아오면 실패를 통한 값진 교훈을 얻을 수 있겠지만, 항상 모든 위험을 피해갈 수 있으리라는 착각을 해서는 안 된다.

ㅁ 정보와 준비부족

계획없이 등산을 한다거나 장비 · 여벌 옷가지 · 비상식량 · 구급약 · 비상용품 등의 철저한 준비없이 산행을 떠나거나 산행 대상지의 지형과 기상상태 등에 대한 정보를 충분히 파악하지 못한 채 감행하는 산행 등은 항상 사고와 조난의 위험을 안고 있다.

ㅁ 로프없이 등반

웬만한 바윗길은 오르내리는 데 큰 어려움이 없다고 판단해 로프나 등반장비없이 위험하게 등반을 시도하는 사람들이 많다. 그러나 추락사고 위험이 있는 곳에서는 항상 로프를 사용해 안전하게 올라가야 한다.

안전한 등산을 위해서는 철저한 계획과 빈틈없는 준비, 올바른 지식과 뛰어난 기술, 정확한 판단, 오랜 경험 등과 같은 자기 능력과 준비가 필요하다.

또한 사고가 났을 때 곧 바로 대처할 수 있도록 응급처치요령에 대해서도 알아 두어야 한다. 등산을 하기 위해 알맞은 옷과 먹을 것 그리고 필요한 장비를 항상 가지고 다니면서 자연환경의 변화로 생길 수 있는 위험에 대비해야 한다.

✎ 등산 중에 일어나는 사고와 예방법

▫ 저체온증

산에서는 평지와 달리 기온이 낮고 습하며 바람이 많이 부는 까닭에 실제온도보다 체감온도가 더 낮아진다. 이런 환경에서는 자신도 모르는 사이에 체온을 빼앗겨 이상을 느낄 만한 심각한 증세가 나타나지 않기 때문에 다른 사람들마저도 하찮게 여기기 쉽다. 하지만 그 결과는 매우 심각하다. 처음 저체온증상이 나타나서 허탈상태에 이르기까지는 1시간이 채 걸리지 않고, 죽음에 이르기까지는 2시간이 걸리지 않는다. 결국 상처 하나없이 죽음을 맞게 되는 것이 저체온증이다.

저체온증은 영하의 추운 날씨에서만 걸리는 것은 아니다. 한여름이라고 하더라도 비 · 바람으로 인한 날씨변화로 급격히 체온을 빼앗겨 저체온증에 걸릴 수도 있다.

젖은 옷을 입고 있으면 평소보다 무려 240배나 빠르게 열을 빼앗긴다. 따라서 산행 중에는 될 수 있는 대로 땀이 나지 않도록 옷을 가볍게 입고 천천히 걸어야 하며, 반드시 여벌의 마른 옷을 준비해야 한다. 또한 쉴 때마다 열량이 높은 간식을 자주 먹는 것이 좋으며, 비나 눈에 옷이 젖지 않도록 주의해야 한다.

▫ 탈진과 피로로 인한 동사

자기체력과 능력 이상으로 무리하게 걷거나 너무 무거운 배낭을 메고 산행을 계속해서는 안 된다. 항상 지치지 않도록 천천히 걷고 자주 쉬는 것이 좋다. 한여름에는 햇볕이 가장 뜨거운 낮 시간의 산행은 피하고, 물을 충분히 마시며, 지쳤을 때는 바람이 잘 불고 그늘진 곳에서 충분히 쉬는 것이 가장 좋은 방법이다.

당분이 많이 들어 있는 간편한 간식을 충분히 준비해 쉽게 꺼내어 항상 지치기 전에 먹도록 한다.

▫ 계곡에서 급류로 인한 사고

계곡에서 일어나는 사고는 사전에 충분히 예방할 수 있다. 위험한 급류를 건너거나, 계곡으로 등산하거나, 위험한 곳에서 수영하거나, 계곡 가까운 곳에서 야영을 하지 않는 한 사고가 일어날 가능성은 거의 없다. 비가 많이 내려 계곡물이 불어나 물살이 급해진 경우에는 절대 건너지 말아야 한다. 계곡물은 금방 불어나기도 하지만 그만큼 빨리 줄어들기 마련이다. 따라서 여유를 갖고 물이 빠지기를 기다리거나 상류쪽으로 올라가 물살이 약하고 폭이 좁고 얕은 곳을 건너는 것이 가장 안전한 방법이다.

▫ 추락사고

등산을 하다가 일어나는 추락사고는 비 · 눈 · 바람 · 추위 · 안개 · 바위붕괴 등의 자연적인 요인 외에도 방심 · 부주의 · 피로 · 음주 · 만용 · 기술부족 등으로 인한 실수로 일어나는 인재가 대부분이다. 따라서 추락위험이 있는 곳에서는 항상 긴장하고 주의하며, 반드시 로프를 이용해 안전을 확보한 채로 등반해야 한다.

▫ 추위와 더위로 인한 사고

여름철에는 몸이 적응할 수 있도록 천천히 걸어야 일사병가 열사병으로부터 몸을 보호할 수 있다. 얇고 헐렁한 옷을 입어 몸을 식히고, 챙이 넓은 모자를 쓰는 것이 좋다. 물을 자주 많이 마시는 것도 중요하다.

겨울철에는 몸을 조이거나 꽉끼는 옷 · 장갑 · 양말 · 신발 등을 착용하면 혈액순환이 잘 되지 않아 동상에 걸리기 쉽다. 또한 손과 발이 땀이나 물기에 젖지 않도록 주의해야 한다. 양말과 장갑이 젖었을 때는 마른 것으로 바꾸는 것이 가장 좋지만, 당장 바꾸기 어려울 때는 손가락과 발가락을 계속 움직여 피를 잘 돌게 하여 몸에서 열이 나도록 한다.

겨울 등산에서는 눈에서 반사되는 강한 빛을 똑바로 쳐다보지 말아야 하고, 반드시 등산용 선글라스를 착용해 설맹의 위험으로부터 눈을 보호한다.

▫ 야영 도중에 일어나는 사고

텐트를 칠 때는 눈사태와 산사태 위험뿐만 아니라 위에서 돌이 굴러 떨어지거나 추락위험이 없는 곳을 선택해야 한다. 철탑이나 큰 나무밑처럼 벼락을 맞을 위험이 있거나 폭우로 인해 고립될 위험이 있는 곳은 피해야 한다.

특히 겨울철에 추위 때문에 가스등과 스토브를 켜 놓은 채로 잠을 잘 경우 화재나 질식 사고 우려가 있기 때문에 취침 전에는 반드시 불을 끄고 환기를 시킨 다음 위험한 것들은 텐트 밖으로 내놓아야 한다.

조리 중에는 연료를 불씨 가까이 두거나, 연료통이 달궈져 내부 압력이 커지면 바로 폭발 사고로 이어진다. 스토브 두세 개를 한곳에

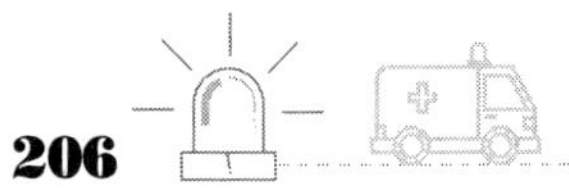

모아서 사용하는 일, 스토브의 열기가 채 식기도 전에 연료를 보충하는 일, 가스통을 직접 불에 달구는 일 등은 모두 위험하다. 또한 연료통보다 면적이 넓은 프라이팬 · 쿠킹세트 · 고기구이 돌판 등을 스토브 위에 올려놓으면 스토브의 열기가 미처 밖으로 빠져나가지 못하고 연료통을 가열시켜 폭발하게 된다. 이러한 스토브사고는 평소 정확한 사용방법을 익히고 안전수칙을 지켜 관리하면 충분히 예방할 수 있다.

▫ 중독사고

식물에 대해서 잘 모르는 사람들은 아예 먹을 생각을 하지 않기 때문에 중독사고를 일으키는 일이 거의 없다. 그러나 어설픈 지식을 가지고 있는 사람들 때문에 여러 사람이 위험에 빠져드는 경우가 있다. 독이 있는 식물을 구별하기는 쉽지 않으므로 산행 중에 낯선 식물은 먹어서는 안 된다.

▫ 낙석과 벼락으로 인한 사고

낙석사고를 예방하기 위해서는 경사진 곳과 바위벽 아래를 지날 때 돌을 굴리거나 맞지 않도록 서로가 조심해야 한다. 또 암벽등반을 할 때는 항상 헬멧을 쓰고, 낙석위험이 있는 바위에서 등반을 하거나 하강할 때는 로프에 돌이 걸려 떨어지지 않도록 주의한다.

벼락을 유인하는 것은 사람의 몸 자체이지 몸에 걸치고 있는 금속이 아니다. 하지만 우산이나 피켈 같은 것이 머리보다 위에 올라와 있으면 그것이 금속이든 아니든 상관없이 벼락을 유인하는 효과가 커진다. 특히 산길에 설치되어 있는 철계단, 쇠줄, 철탑, 전깃줄, 높은나무, 돌출된 봉우리 등은 벼락을 맞은 확률이 높기 때문에 위험하다. 벼락은 주로 높은 곳에 떨어지니까 천둥 번개가 칠 때는 안전한 곳으로 빨리 대피해야 한다.

▫ 산사태와 눈사태로 인한 사고

산사태는 폭우가 쏟아지면서 약한 지반이 무너져 내리는 현상으로, 급류로 땅이 깊게 패인 곳과 경사가 급하고 큰 나무들이 거의 없는 잡목 지대에서 많이 발생한다. 따라서 산사태나 낙석위험이 많은 바위벽 아래나 경사지 아래에는 텐트를 쳐서는 안 된다. 또 폭우가 쏟아질 때는 빨리 안전한 장소로 자리를 옮겨 사고를 미리 예방해야 한다.

눈이 많이 내린 다음날 기온이 올라가는 오후 시간에 눈이 쌓여 있는 경사진 곳 아래를 지나는 것은 아주 위험하다. 왜냐하면 기온이 높을 때는 눈과 눈끼리 뭉쳐지려는 힘이 약해 사람이 지나갈 때 생기는 충격 · 바람 · 비행기소리와 같은 떨림에도 균형이 깨지면서 눈사태가 일어나기 때문이다.

부득이 눈사태위험이 있는 곳을 지날 때는 한 번에 한 사람씩 지나가고, 사람과 사람 사이에 충분한 거리를 두어 만일의 사태에 대비해야 하며, 눈에 잘 뛰는 10~20m쯤 되는 긴 끈을 각자 몸에 묶고 다니는 것이 좋다. 눈사태 위험에서 자신을 보호하기 위해서는 눈의 특성과 여러 위험요소들을 알아두면 사고를 예방하는 데 많은 도움이 된다.

✎ 산에서의 사고와 조난에 대처하는 법

자연환경 속에서 목숨을 유지하기 어려운 상황에 처해 오랫동안 삶과 죽음의 갈림길을 넘나드는 것을 조난이라고 한다. 산에서 조난을 당하면 조난자의 능력 · 판단 · 처한 위기상황의 정도 등에 따라 목숨을 잃을 수도 있고, 무사히 내려올 수도 있다.

 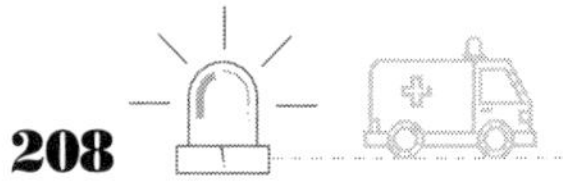 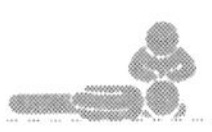

조난은 반드시 목숨이 위태로울 정도로 위험한 상태만을 가리키는 것은 아니다. 길을 잃고 밤새 산을 헤매고 다니거나, 부족한 장비와 식량 때문에 탈진상태에 이르는 것, 일시적인 저체온증에 걸리는 등의 상황도 모두 조난이라고 볼 수 있다.

그러나 추락이나 눈사태와 같이 한순간에 일어나는 것들은 일시적인 산악사고일 뿐 조난은 아니다. 하지만 대수롭지 않은 문제도 갑자기 날씨가 나빠지거나 사고 뒤에 조치가 늦어져 결국 조난으로 이어지는 경우가 많다. 따라서 단순사고가 더 큰 사태로 발전하지 않도록 신속하고 적절한 조치를 취해 안전하게 헤쳐나갈 수 있도록 해야 한다.

▫ 길을 잃었을 때

산에서 길을 잃었을 때는 아는 곳까지 왔던 길을 되돌아가는 것이 가장 현명한 방법이다. 그런 다음 그곳에서 지도와 나침반으로 자신이 서 있는 위치를 정확히 파악하여 계획했던 길의 방향을 찾는다. 지도의 지형과 현지지형을 살필 때는 계곡보다는 산등성이에서 살펴보는 것이 방향을 찾기도 좋고 길도 눈에 잘 띈다.

만일 짙은 안개, 눈보라, 어둠 등으로 지형과 방향을 살필 수 없을 때는 그 자리에서 다른 사람들이 올 때까지 기다리거나 정확히 알고 있는 곳까지 다시 되돌아가야 한다. 또한 걷고 있는 길이 등산로인지 아닌지를 항상 의심해 볼 필요가 있다. 조금이라도 의심이 든다면 가던 길을 멈추고 지도와 나침반을 꺼내 자기가 있는 위치와 진행방향을 다시 한번 확인한 다음 등산을 계속해야 한다.

▫ 혼자 조난됐을 때

몸이 지친 상태로 날이 어두워졌거나 악천후로 등산을 계속하기 어려운 상태라면 섣불리 움직여서는 안 된다. 차라리 그곳에서 밤을 새울 준비와 각오를 하고 구조대가 오기를 기다리는 편이 더 안전할 수 있다. 가지고 있는 배낭 · 옷가지 · 비닐 등으로 바람을 막아 체온을 유지하고, 나뭇가지 · 낙엽 · 바위 같은 지형지물 등을 이용해 추위와 비바람을 피할 수 있는 잠자리를 만든다.

무엇보다 산에 갈 때는 가까운 등산이라도 반드시 가족 · 소속 산악회 · 소속 단체 등에 산행계획을 알려야 한다. 산행지, 등산로, 함께 가는 동료들의 연락처, 하산 예정시각 등을 알려두면 혼자 조난을 당했을 때 큰 도움이 될 수 있다.

▫ 여러 사람이 조난됐을 때

조난을 당했더라도 부상자가 없다면 크게 걱정할 것은 없다. 먼저 상황을 정확하게 판단하고 가지고 있는 장비 · 연료 · 먹을 것 · 사람들의 남은 체력 등을 파악한 다음 안전한 곳으로 자리를 옮겨 밤을 새울 것인지 아니면, 곧 바로 탈출을 시작할 것인지 결정한다.

안전한 장소로 옮겨 밤을 보낼 경우에는 바람이 적고 눈과 비 피해를 입을 우려가 없는 곳으로 이동하고, 가지고 있는 모든 장비를 활용해 밤을 지새울 준비를 한다. 그런 다음 날씨가 좋아지거나 날이 밝거나 다른 사람들을 만나는 등 상황이 좋아질 때까지 기다린다.

부상자가 있다면 먼저 응급처치를 한 다음 상태가 더 나빠지지 않도록 할 수 있는 모든 노력을 기울여야 한다. 그리고 부상자를 빨리 병원으로 옮겨야 할지 아니면 구조대가 올 때까지 기다려야 할지를 결정한다. 스스로 구조할 수 있는 능력을 갖춘 경우에는 구조대를 짜서 구조방법과 부상자이송 방법, 하산길을 정한 다음 구조를 시작한다. 하지만 사람들이 적거나 구조에 자신이 없는 경우에는 전문구조대에게 요청하는 편이 더 낫다.

리더는 사람들에게 현재상황을 정확하게 설명해서 사람들이 동요하거나 흩어지

 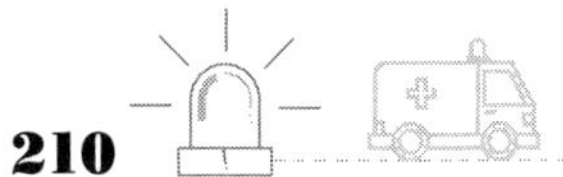 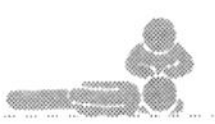

지 않도록 하고 차분하고 신속하게 구조작업을 진행한다.

구조를 청하러 갈 때는 가능한 두 명이 함께 내려가도록 하고, 사람들이 적을 때는 차라리 밤을 같이 보낸 다음, 날이 밝았을 때 움직이는 편이 모두에게 안전한 방법이다.

▫ 밤을 지새워야 할 때

비박용 플라이나 비닐같은 것이라도 있는 경우에는 나뭇가지와 끈을 이용해 비바람과 눈보라를 막을 수 있는 잠자리를 만든다. 젖은 옷은 갈아입고 껴입을 수 있는 것은 모두 입어 체온이 떨어지지 않도록 한다. 스토브와 먹을 것이 있으면 허기진 배를 채우고 간단하게 차라도 끓여 마셔 몸을 따뜻하게 유지하는 것이 좋다. 그렇지 못한 경우에는 남은 간식과 비상식으로 체력을 유지할 수밖에 없다.

비바람을 막아 줄 장비가 없는 경우에는 비바람과 눈보라를 조금이라도 피할 수 있는 곳을 찾아야 한다. 가까운 곳에 바위틈이나 동굴이 있다면 좋겠지만, 그렇지 못한 경우에는 큰 나무 밑이나 숲 속에 자리를 잡는다. 그리고 체온이 떨어지는 것을 막기 위해 배낭과 가지고 있는 모든 장비를 이용해 몸을 감싼다. 주변에 있는 낙엽을 모아 바닥에 깔고 나뭇가지로 바람을 막는다. 겨울에는 눈으로 동굴을 파거나 눈 블록을 쌓아서 담을 만들고 지붕에 나뭇가지와 비박용 플라이를 덮는다.

여러 사람이 함께있을 때는 서로 부둥켜안고 계속 몸을 움직여 체온이 더 떨어지지 않도록 한다. 졸지 않도록 서로를 격려하며 노래를 부르는 등 추위를 이기기 위해 노력한다.

▫ 사고가 났을 때

등산을 하다가 사고가 나면 당황하거나 서두르지 말고 차분하게 움직여야 더 큰 사고를 막고 안전하게 대처할 수 있다. 아무리 위급한 상황이더라도 자신의 안전을 가장 먼저 생각해야 한다. '나는 안전한가?'를 스스로에게 되물어 보고 안전하다고 생각되면 '내가 다른 사람들을 도울 능력이 있는가?'를 판단해야 한다. 그런 다음 사고상황을 정확히 파악한다. 흥분하거나 의기소침하면 올바른 판단을 할 수 없으므로 침착하게 현재상황과 여건을 꼼꼼히 따져 본다. 부상 정도와 응급처치 방법, 구조와 이송방법, 가지고 있는 장비와 먹을 것, 하산길과 거리, 시간, 남아 있는 체력 등의 문제들을 검토해서 가장 안전하고 좋은 방법을 결정한다.

▫ 산불이 났을 때

대기가 건조한 봄 · 가을철에는 산불이 날 수 있는 위험이 많으므로 입산 시에는 성냥 · 담배 등 인화성 물질을 가져가면 안 된다. 취사를 하거나 모닥불을 피우는 행위는 허용된 지역에서만 해야 한다. 산행 중 산불을 발견했다면 신속히 소방서나 경찰서에 신고해야 한다. 만약 불길에 휩싸였다면 당황하지 말고 침착하게 주의를 확인하여 가급적 빨리 산불의 진행경로에서 벗어나야 한다.

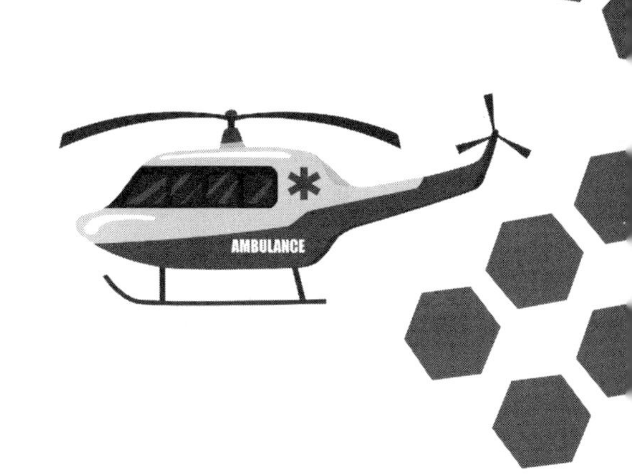

재난 안전

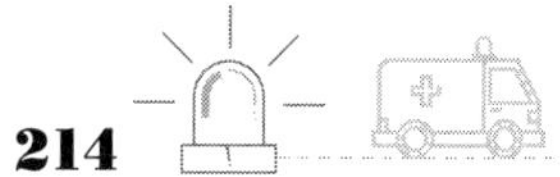

태풍

태풍이란

북태평양 남서해상에서 발생하는 열대저기압 중에서 중심최대풍속이 17m/s 이상의 강한 폭풍우를 동반하는 기상현상을 '태풍(颱風, Typhoon)'이라고 부른다. 즉 적도부근에서는 극지방보다 태양열을 더 많이 받기 때문에 발생하는 열적 불균형을 없애기 위해 대기가 끊임없이 운동을 하게 된다. 이때 저위도지방의 따뜻한 공기가 바다로부터 수증기를 공급받으면서 강한 바람과 많은 비를 동반하여 고위도로 이동하면서 발생하는 기상현상이 태풍이다.

태풍의 어원

'태풍'이라는 말은 1904년부터 1954년까지 기상관측자료를 정리한『기상연보(氣象年報) 50년』에 처음으로 등장하였다. 태풍의 '태(颱)'자가 중국에서 처음 사용된 예는 1634년에 편집된《복건통지(福建通志)》56권의 <토풍지(土風志)>에 있다. 중국에서는 옛날에 태풍과 같이 바람이 강하고 회전하는 풍계(風系)를 '구풍(具風)'이라고 했는데, 이때 '구(具)'는 '사방의 바람을 빙빙 돌리면서 불어온다'는 뜻이다.

반면 'Typhoon'이라는 영어 단어는 그리스 신화의 티폰(Typhon)에서 그 유래를 찾을 수 있다. 대지의 여신인 가이아(Gaia)와 거인족 타르타루스(Tartarus) 사이에서 태어난 티폰(Typhon)은 백 마리의 머리와 강력한 손과 발을 가진 용이었다. 그러나 티폰은 아주 사악하고 파괴적이어서 제우스(Zeus)신의 공격을 받아 불길을 뿜어내는 능력은 빼앗기고 폭풍우정도만을 일으킬 수 있게 되었다. '티폰(Typhon)'을 파괴적인 폭풍우와 연관시킴으로써 'taifung'을 끌어들여 'typhoon'이라는 영어 단어를 만들어냈다. 영어의 'typhoon'이란 말은 1588년에 영국에서 사용한 예가 있으며, 프랑스에서는 1504년에 'typhon'이라고 하였다.

태풍의 발생현황

지구상에서 연간 발생하는 열대저기압(Tropical Cyclone)은 평균 80개 정도인데, 이는 발생해역에 따라 서로 다르게 부르고 있다. 북태평양 남서해상에서 발생하는 것을 태풍(Typhoon : 30개)이라 하고, 북대서양 · 카리브해 · 멕시코만 · 동부태

열대저기압의 발생지역과 명칭

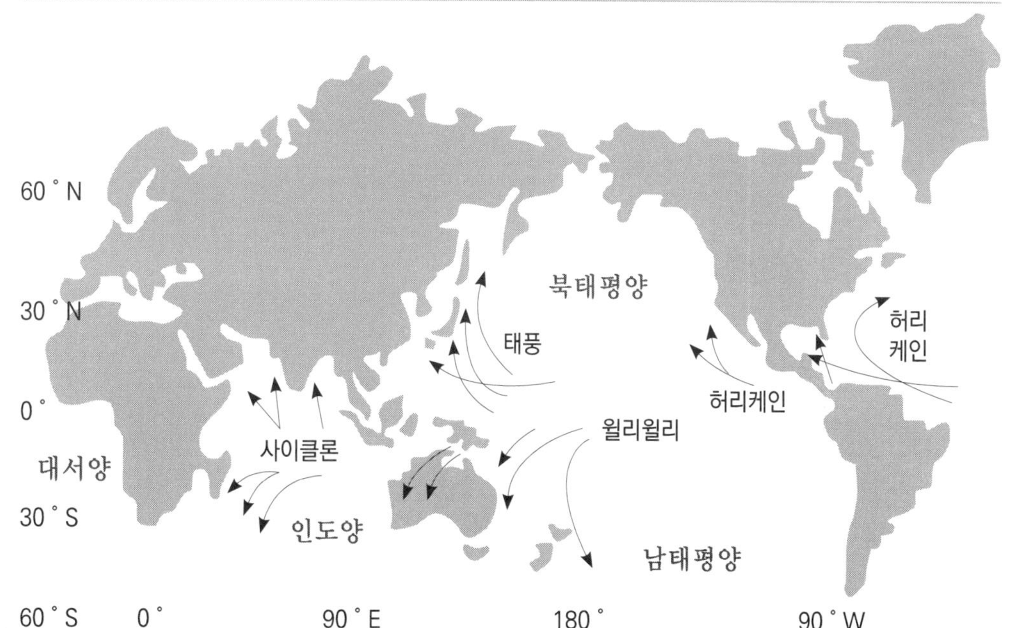

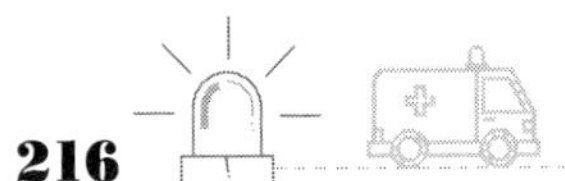

평양에서 발생하는 것을 허리케인(Hurricane : 23개)이라 하며, 인도양과 호주부근 남태평양 해역에서 발생하는 것을 사이클론(Cyclone : 27개)이라 한다. 다만 호주 부근 남태평양 해역에서 발생하는 것을 지역주민들은 윌리윌리(Willy-Willy : 7개)라고 부른다.

세계기상기구(WMO : World Meteorological Organization)는 열대저기압 중에서 중심부근의 최대풍속에 따라 아래의 표와 같이 4계급으로 분류하며 열대폭풍부터 태풍의 호수와 이름을 붙인다. 우리나라와 일본에서도 이와 같이 구분하지만, 일반적으로 중심최대풍속이 17m/s 이상인 열대저기압 모두를 태풍이라고 하고, 17m/s 미만인 것을 열대저압부라고 한다.

태풍의 구분

중심부근 최대풍속	17m/s(34knots) 미만	17~24m/s (34~47knots)	25~32m/s (48~63knots)	33m/s(64knots) 이상
세계기상기구	열대저압부(TD) Tropical Depression	열대폭풍(TS) Tropical Storm	강한 열대폭풍(STS) Severe Tropical Storm	태풍(TY) Typhoon
한국, 일본	열대저압부	태 풍		

태풍대비 행동요령

태풍이 오기 전

- TV, 라디오, 인터넷, 스마트폰 등으로 태풍의 진로와 도달시간을 알아둔다.
- 가정의 하수구나 집주변의 배수구를 점검하고 막힌 곳을 뚫는다.
- 침수나 산사태가 일어날 위험이 있는 지역에 사는 사람은 대피장소와 비상연락방법을 미리 알아둔다.

▸ 하천 근처에 주차된 자동차는 안전한 곳으로 옮긴다.

▸ 응급약품, 손전등, 식수, 비상식량 등의 생필품을 미리 준비한다.

▸ 바람에 날아갈 위험이 있는 지붕 · 간판 · 창문 · 출입문, 마당이나 외부에 있는 낡은 가구 · 놀이기구 · 자전거 등은 단단히 고정해둔다.

▸ 공사장 근처는 위험하니 가까이 가지 않는다.

▸ 전신주, 가로등, 신호등을 손으로 만지거나 가까이 가지 않는다.

▸ 감전의 위험이 있으니 집 안팎의 전기는 수리하지 않는다.

▸ 운전 중에는 감속운행을 한다.

▸ 천둥 · 번개가 치면 건물 안이나 낮은 곳으로 대피한다.

▸ 송전철탑이 넘어졌을 때는 119나 시 · 군 · 구청 또는 한전에 신고한다.

▸ 문과 창문을 잘 닫아 움직이지 않도록 하고, 안전을 위해 집 안에 있는다.

▸ 낡은 창호는 강풍으로 휘어지거나 파손될 위험이 있으니 미리 교체하거나, 창문을 창틀에 단단하게 고정시켜 틈이 생기지 않도록 보강한다.

▸ 유리가 창틀에 고정되도록 테이프를 붙여 유리가 흔들리지 않도록 한다.

▸ 창틀과 유리 사이의 채움재가 손상되거나 벌어져 있으면 유리창이 깨질 위험이 있으므로 틈이 없도록 보강해준다.

▸ 노약자나 어린이는 집 밖으로 나가서는 안 된다.

▸ 물에 잠긴 도로로 걸어가거나 차량을 운행하지 않는다.

▸ 대피할 때에는 수도와 가스밸브를 잠그고 전기차단기를 내려둔다.

▸ 집 주변이나 경작지의 용 · 배수로를 점검한다.

▸ 어업활동을 하지 말고 선박을 단단히 묶어두고, 어망 · 어구 등은 안전한 곳으로 옮긴다.

▸ 주택주변에 산사태 위험이 있으면 미리 대피한다.

- 위험한 물건이 집 주변에 있다면 미리 치운다.
- 논둑을 미리 점검하고 물꼬를 조정한다.

✎ 태풍주의보일 때

▫ 도시

- 저지대 · 상습침수지역에 사는 사람은 대피준비를 한다.
- 공사장 근처는 위험하니 가까이 가지 않는다.
- 전신주 · 가로등 · 신호등을 손으로 만지거나 가까이 가지 않는다.
- 감전위험이 있으니 집 안팎의 전기수리는 하지 않는다.
- 운전 중에는 감속운행하고, 해안도로에서 운전하지 않는다.
- 천둥 · 번개가 치면 건물 안이나 낮은 곳으로 대피한다.
- 간판 · 창문 등 날아갈 위험이 있는 물건은 단단히 고정해둔다.
- 송전철탑이 넘어졌을 때는 119나 시 · 군 · 구청 또는 한전에 신고한다.
- 집안의 창문이나 출입문을 잠근다.
- 노약자나 어린이는 집 밖으로 나가지 않는다.
- 대피할 때는 수도, 가스, 전기를 반드시 차단해야 한다.
- 라디오, TV, 인터넷, 스마트폰 등을 통해 기상예보 및 태풍상황을 잘 알아둔다.

▫ 농촌

- 저지대 · 상습침수지역에 사는 사람은 대피준비를 한다.
- 공사장 근처는 위험하니 가까이 가지 않는다.
- 감전위험이 있으니 고압전선 근처에 가지 않는다.
- 집 안팎의 전기수리는 하지 않는다.

- ▸ 천둥 · 번개가 치면 건물 안이나 낮은 곳으로 대피한다.
- ▸ 바람에 지붕이나 물건이 날아가지 않도록 단단히 고정한다.
- ▸ 송전철탑이 넘어졌을 때는 119나 시 · 군 · 구청 또는 한전에 신고한다.
- ▸ 집안의 창문이나 출입문을 잠근다.
- ▸ 노약자나 어린이는 집 밖으로 나가지 않는다.
- ▸ 라디오, TV, 인터넷, 스마트폰 등을 통해 기상예보 및 태풍상황을 잘 알아둔다.
- ▸ 집주변이나 경작지의 용 · 배수로를 점검한다.
- ▸ 산간계곡의 야영객은 안전한 곳으로 대피한다.
- ▸ 비닐하우스 등의 농업시설물을 미리 점검한다.

▫ 해안

- ▸ 바닷가 근처나 저지대 · 상습침수지역에 사는 사람은 대피준비를 한다.
- ▸ 침수가 예상되는 건물의 지하공간에는 주차를 하지 말고, 지하에 살고 있는 사람은 대피해야 한다.
- ▸ 집 안팎의 전기수리는 하지 않는다.
- ▸ 공사장 근처는 위험하니 가까이 가지 않는다.
- ▸ 전신주 · 가로등 · 신호등을 손으로 만지거나 가까이 가지 않는다.
- ▸ 해안도로를 운전하지 않는다.
- ▸ 천둥 · 번개가 치면 건물 안이나 낮은 곳으로 대피한다.
- ▸ 간판 · 창문 등 날아갈 위험이 있는 물건은 단단히 고정해둔다.
- ▸ 송전철탑이 넘어졌을 때는 119나 시 · 군 · 구청 또는 한전에 신고한다.
- ▸ 집안의 창문이나 출입문을 잠근다.
- ▸ 노약자나 어린이는 집 밖으로 나가지 않는다.

▸ 라디오, TV, 인터넷, 스마트폰 등을 통해 기상예보 및 태풍상황을 잘 알아둔다.

▸ 어업활동이나 선박을 묶는 행위를 하지 않는다.

▸ 어로시설 철거 또는 고정을 한다.

▸ 해수욕장을 이용하지 않는다.

✎ 태풍경보일 때

▫ 도시

▸ 침수가 예상되는 건물의 지하공간에는 주차 금지 및 지하에 거주하고 있는 주민과 붕괴가 있는 노후주택에 거주하고 있는 주민은 안전한 곳으로 대피한다.

▸ 건물의 간판 및 위험시설물 주변으로 걸어가거나 접근을 하지 않는다.

▸ 고층아파트 등 대형 · 고층건물에 거주하고 있는 주민은 유리창이 파손되는 것을 방지한다.

▸ 집 안팎의 전기수리를 하지 않는다.

▸ 모래주머니 등을 이용하여 물이 넘쳐서 흐르는 것을 막는다.

▸ 바람에 날아갈 물건이 집 주변에 있으면 미리 제거한다.

▸ 도로에 있는 차량은 속도를 줄여서 운전한다.

▸ 아파트 등 고층건물 옥상, 지하실과 하수도 맨홀에 접근하지 않는다.

▸ 정전 때 사용 가능한 손전등을 준비하시고, 가족 간의 비상연락방법과 대피방법을 미리 의논한다.

▫ 농촌

▸ 주택 주변에 산사태 위험지역이 있으면 미리 대피한다.

- ▸ 모래주머니 등을 이용하여 하천물이 넘쳐서 흐르지 않도록 하여 농경지 침수를 예방한다.
- ▸ 위험한 물건이 집 주변에 있다면 미리 제거한다.
- ▸ 논둑을 미리 점검하고 물꼬를 조정한다.
- ▸ 다리는 안전한지 확인한 후에 이용한다.
- ▸ 산사태가 일어날 수 있는 비탈면 근처에 접근을 하지 않는다.
- ▸ 이웃이나 가족 간의 연락방법과 비상시 대피방법을 확인한다.
- ▸ 농기계나 가축 등을 안전한 장소로 이동시킨다.
- ▸ 비닐하우스, 인삼재배시설 등을 단단히 고정한다.

▫ 해안

- ▸ 해안가의 위험한 비탈면에 접근을 하지 않는다.
- ▸ 집 근처에 위험한 물건이 있다면 미리 치운다.
- ▸ 바닷가의 저지대 주민은 안전한 곳으로 대피한다.
- ▸ 다리는 안전한지 확인 후에 이용한다.
- ▸ 선박을 단단히 묶어두고 어망 · 어구 등을 안전한 곳으로 옮겨 둔다.
- ▸ 가족 간의 연락방법이나 대피방법을 미리 확인한다.

✎ 태풍이 지나간 후

- ▸ 파손된 상하수도나 도로가 있다면 시 · 군 · 구청이나 읍 · 면 · 동사무소에 연락한다.
- ▸ 비상식수가 떨어졌더라도 아무 물이나 마시지 말고 물은 꼭 끓여 먹는다.
- ▸ 침수된 집안은 가스가 차 있을 수 있으니 환기시킨 후 들어간다.
- ▸ 전기 · 가스 · 수도 등의 시설은 함부로 손대지 말고, 전문업체에 연락해 안전

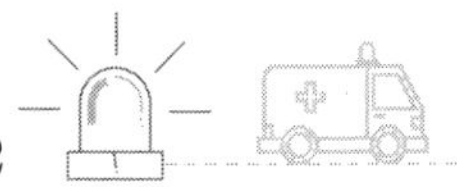

성을 확인 후에 사용한다.

- ▸ 피해를 입은 사유시설 등을 보수 · 복구할 때는 반드시 사진을 찍어둔다.
- ▸ 제방이 무너질 수 있으니 제방 근처에 가지 않는다.
- ▸ 감전위험이 있으니 바닥에 떨어진 전선 근처에 가지 않는다.

호우

호우란

일반적으로 내리는 비를 강수(강우)라고 하고, 많은 비가 오는 것을 특히 호우(豪雨, heavy rain)라고 한다. 호우는 우리나라에서 발생하는 자연재난 피해의 가장 큰 원인 중의 하나로 지목된다.

우리나라에서 호우는 주로 여름철 장마전선상에서 나타나는 경우가 많고, 태풍 내습 시에도 호우를 동반한다. 또한 봄철에 발달한 저기압이 한반도를 통과할 때도 많은 비가 올 수 있다.

강수의 유형

✎ 대류성 강수

강한 복사열로 인한 대류에 의해 대기가 상승하면 단열냉각이 이루어져 구름이 형성되고 강수가 이루어진다. 대기는 상승할수록 기온이 낮아져 단열냉각이 이루어지고 수증기가 응결하면서 구름이 발생한다. 구름의 양이 많아지면 지구중력에 의해

호우 시 시간당 강우량과 재해발생상황

<table>
<tr><th>강우량
(mm/hr)</th><th>사람이
받는 느낌</th><th>사람에게
미치는 영향</th><th>실외 상황</th><th>차에 있을 때</th><th>재해발생
상황</th></tr>
<tr><td>10~20</td><td>세게 내리는 비</td><td>걸을 때
바지를 적심</td><td rowspan="2">지면에
물웅덩이가
생김</td><td></td><td>오래 지속되면
주의가 필요함</td></tr>
<tr><td>20~30</td><td>장대비라 말함</td><td rowspan="2">우산을 쓰고
있어도 옷이
젖음</td><td>와이퍼를
빨리하여도 잘
보이지 않음</td><td>하수나 작은 하천에 물이
넘치고 작은 산사태가
발생하기 시작함</td></tr>
<tr><td>30~50</td><td>물통으로
붓듯이 내림</td><td>도로가
강과 같이 됨</td><td>고속주행 시
바퀴와 노면
사이에 수막이
생겨 브레이크가
잘 듣지 않게 됨</td><td>산사태가 쉽게
일어나고 위험지역에서는
대피준비가 필요함.
도시에서는 하수관으로
부터 빗물이 넘침</td></tr>
<tr><td>50~80</td><td>폭포와 같이
내리며
쿵쿵 소리</td><td rowspan="2">우산은
전혀 도움이
되지 않음</td><td rowspan="2">물보라가
일고 도로면이
새하얗게 되고
시야가 나빠짐</td><td rowspan="2">차량운전은
위험</td><td>도시에서는 지하에
빗물이 흘러 들어가
침수 피해가 발생함</td></tr>
<tr><td>80 이상</td><td>압박감, 공포심
등을 느낌</td><td>대규모 재난발생 우려</td></tr>
</table>

비, 눈 또는 우박의 형태로 다시 지표면으로 내려오게 되는데, 이때 대류성 강수가 발생한다.

✎ 지형성 강수

수평으로 이동하는 대기가 높은 산지를 만나면 산지의 사면(경사면)을 따라 상승한다. 사면을 따라 상승하는 습윤한 공기는 단열냉각에 의해 구름을 만들어 강수가 이루어진다. 푄현상(Föhn phenomenon)에 의해 강수가 이루어지는 경우가 여기에 해당된다. 바람이 불어오는 산지의 전면(바람받이)에는 강수량이 많아지고, 그 후면(바람의지)에는 강수량이 적어져 지역적 차이가 커진다.

 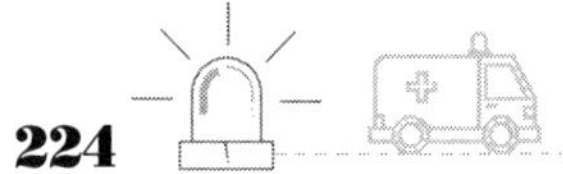 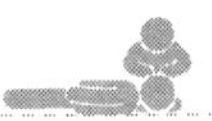

✎ 저기압성 강수

저기압이란 주변 지역보다 대기의 압력이 작은 경우를 말한다. 일반적으로 하강 기류가 발생하는 지역은 고기압이, 상승기류가 발생하는 지역은 저기압이 나타난다. 따라서 저기압이 나타나는 지역은 상승기류에 의해 강수가 이루어질 가능성이 크다. 특히 강력한 저기압이 발생하면 강수의 가능성이 매우 커진다. 7~9월 사이에 우리나라에 내습하는 태풍은 열대이동성 저기압의 한 종류이다.

✎ 전선성 강수

따뜻한 기단(air mass ; 거대한 공기층)과 차가운 기단 즉, 두 이질적인 기단이 만나면 전선(front, 前線)이 형성된다. 기단과 기단의 경계면인 전선을 따라 대기가 상승하면서 강수가 이루어지는 것이 전선성 강수이다.

우리나라는 한랭습윤한 오호츠크해 기단과 고온다습한 북태평양 기단에 의해 한랭전선(cold front)을 형성한다. 이때 더운 공기는 찬 공기 위로 상승하면서 단열냉각되어 구름을 형성하여 장마전선(seasonal rain front)을 만들면 강수가 이루어진다.

집중호우 시의 행동요령

✎ 호우예보일 때

- 라디오, TV, 인터넷 등을 통해 기상예보 및 호우상황을 잘 알아둔다.
- 주택의 하수구와 집주변의 배수구를 점검한다.
- 집 안팎의 전기수리를 해서는 안 된다.
- 노약자나 어린이는 집 밖으로 나가지 않는다.
- 응급약품, 손전등, 식수, 비상식량 등은 미리 준비해 둔다.

▸ 하천에 주차된 자동차는 안전한 곳으로 이동한다.

▸ 집주변이나 농경지의 용 · 배수로를 미리 점검한다.

▸ 건물의 출입문이나 창문을 닫아둔다.

▸ 저지대 · 상습침수지역에 거주하는 사람은 대피준비를 해둔다.

▸ 침수 시 피난 가능한 장소를 동사무소나 시 · 군 · 구청에 연락하여 알아둔다.

▸ 대형공사장 · 비탈면 등의 관리인은 안전상태를 미리 확인한다.

▸ 가로등 · 신호등 · 고압전선 등이 있는 근처에는 가까이 가지 않는다.

▸ 공사장 근처에는 가까이 가지 않는다.

▸ 운행 중인 자동차는 속도를 줄인다.

▸ 천둥 · 번개가 치면 건물 안이나 낮은 지역으로 대피한다.

▸ 물에 떠내려갈 수 있는 물건은 안전한 장소로 옮긴다.

▸ 송전철탑이 넘어졌을 때는 119나 시 · 군 · 구청 또는 한전에 즉시 연락한다.

▸ 물에 잠긴 도로로 지나가지 않는다.

▸ 논둑을 미리 점검하고 물꼬를 조정한다.

▸ 물에 떠내려갈 수 있는 어망 · 어구 등은 안전한 곳으로 옮긴다.

✎ 호우주의보 및 경보일 때

▫ 도시지역

▸ 라디오, TV, 인터넷 등을 통해 기상예보 및 호우상황을 잘 알아둔다.

▸ 저지대 · 상습침수지역 거주자는 대피준비를 해둔다.

▸ 노약자나 어린이는 집 밖으로 나가서는 안 된다.

▸ 집 안팎의 전기수리는 하지 않는다.

▸ 건물의 출입문이나 창문을 닫아둔다.

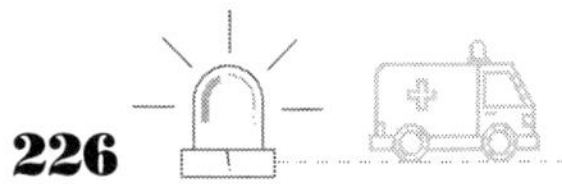

▸ 물에 떠내려갈 위험이 있는 물건은 안전한 장소로 옮긴다.
▸ 아파트와 고층건물 옥상이나 지하실 및 하수도 맨홀에 가까이 가지 않는다.
▸ 침수가 예상되는 건물의 지하공간에 주차를 해서는 안 되고, 지하에 거주하는 사람은 대피한다.
▸ 대피할 때 수도와 가스의 밸브를 잠그고, 전기차단기를 내려둔다.
▸ 대형공사장 · 비탈면 등의 관리인은 안전상태를 미리 확인한다.
▸ 가로등 · 신호등 · 고압전선 등이 있는 근처에는 가까이 가지 않는다.
▸ 공사장 근처에는 가까이 가지 않는다.
▸ 도로에 있는 차량은 속도를 줄여 운전한다.
▸ 천둥 · 번개가 칠 경우 건물 안이나 낮은 지역으로 대피한다.
▸ 송전철탑이 넘어졌을 때는 119나 시 · 군 · 구청 또는 한전에 즉시 연락한다.

▫ 농촌지역

▸ 라디오, TV, 인터넷 등을 통해 기상예보 및 호우상황을 잘 알아둔다.
▸ 저지대 · 상습침수지역에 거주하는 사람은 대피준비를 해둔다.
▸ 노약자나 어린이는 집 밖으로 나가서는 안 된다.
▸ 집 안팎의 전기는 수리하지 않는다.
▸ 이웃이나 가족 간의 연락방법과 비상 시 대피방법을 확인한다.
▸ 집주변에 산사태 위험이 있는지 살피고 대피준비를 한다.
▸ 고압전선 근처에는 가까이 가지 않는다.
▸ 천둥 · 번개가 치면 건물 안이나 낮은 지역으로 대피한다.
▸ 물에 떠내려갈 수 있는 물건은 안전한 장소로 옮긴다.
▸ 논 물꼬 조정, 용 · 배수로 점검 등의 야외작업은 하지 않는다.

▸ 집주변이나 농경지의 용 · 배수로 점검을 하지 않는다.

▸ 교량은 안전한지 확인 후에 이용한다.

▸ 산사태가 일어날 수 있는 비탈면에 접근하지 않는다.

▸ 송전탑이 넘어졌을 때는 119나 시 · 군 · 구청 또는 한전에 즉시 연락한다.

▸ 농기계 · 가축 등을 안전한 장소로 옮긴다.

▸ 농작물을 보호하려는 조치를 취하지 않는다.

▸ 비닐하우스 · 인삼재배시설 등을 단단히 묶어둔다.

▫ 해안지역

▸ 라디오, TV, 인터넷 등을 통해 기상예보 및 호우상황을 잘 알아둔다.

▸ 저지대 · 상습침수지역에 거주하는 사람은 대피준비를 해둔다.

▸ 노약자나 어린이는 집 밖으로 나가서는 안 된다.

▸ 집 안팎의 전기는 수리하지 않는다.

▸ 이웃이나 가족 간의 연락방법과 비상 시 대피방법을 확인한다.

▸ 출입문, 창문 등을 잠근다.

▸ 가로등 · 고압전선 등이 있는 근처에는 가까이 가지 않는다.

▸ 천둥 · 번개가 치면 건물 안이나 낮은 지역으로 대피한다.

▸ 교량은 안전한지 확인 후에 이용한다.

▸ 송전탑이 넘어졌을 때는 119나 시 · 군 · 구청 또는 한전에 즉시 연락한다.

▸ 해안가의 위험한 비탈면에 접근해서는 안 되고, 해안도로로 운전하지 않는다.

▸ 침수가 예상되는 건물의 지하공간에는 주차를 해서는 안 되고, 지하에 거주하는 사람은 대피한다.

▸ 공사장 근처에 가까이 가지 않는다.

 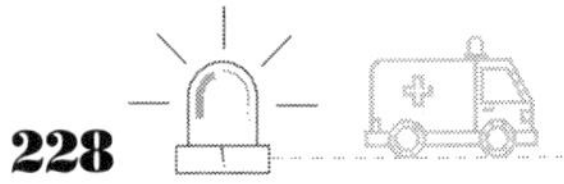 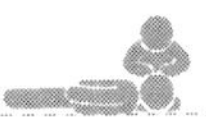

▸ 육지의 물이 바다로 빠져나가는 곳 근처에는 가까이 가지 않는다.

▸ 바닷가의 저지대에 거주하는 사람은 안전한 곳으로 대피한다.

▸ 물에 떠내려가는 어망 · 어구 등을 옮기는 행위를 하지 않는다.

▸ 해수욕장은 이용하지 않는다.

▫ 산악지역

▸ 기상정보와 강우상황을 주의 깊게 듣는다.

▸ 산간계곡의 야영객은 미리 대피한다.

▸ 산사태 발생지역 거주자는 대피준비를 해둔다.

▸ 재배시설 등의 피해를 줄이려는 조치를 한다.

✎ 호우가 지나간 후

▸ 집에 도착 후에는 곧바로 들어가지 말고, 구조물의 붕괴가능성을 반드시 점검한다.

▸ 파손된 상하수도나 축대 · 도로가 있으면 시 · 군 · 구청이나 읍 · 면 · 동사무소에 연락한다.

▸ 물에 잠긴 집안은 가스가 차 있을 수 있으니 환기시킨 후 들어가고, 가스 · 전기차단기가 켜져 있는지 확인하고, 기술자의 안전조사가 끝난 후 사용한다.

▸ 침투된 오염물에 의해 침수된 음식이나 재료를 먹거나 요리재료로 사용하지 않는다.

▸ 수돗물이나 저장식수도 오염 여부를 반드시 조사한 후에 사용한다.

강풍

바람(강풍)이란

바람이란 공기의 흐름이다. 그렇다면 공기의 흐름은 어떻게 발생하는 것일까?

공기의 흐름에 영향을 미치는 변수는 다양하지만, 가장 대표적인 것은 지역별 기압차이다. 예를 들어 어떤 지역의 공기가 태양열 등에 의해 데워지면 무게가 가벼워져 낮은 기압이 형성되면서 상승하게 되고, 반대로 차가워진 지역의 공기는 무게가 무거워져 높은 기압을 형성하면서 하강하게 된다. 이때 공기가 상승하면서 빠져나간 곳은 공기가 하강하면서 추가되는 곳에서 공기의 이동을 유발한다. 이와 같이 대기의 균형을 맞추기 위한 공기의 흐름이 바람이다.

강풍의 영향

일반적으로 바람은 대기 중의 따뜻한 공기나 수증기를 섞어 지구 전체의 에너지균형을 맞추는 데 중요한 역할을 한다. 하지만 강풍은 시설물을 파손시키고, 이로 인한 인명피해를 유발하기도 한다. 기상청에서는 인명 및 재산피해를 줄 수 있는 강풍에 대해 다음과 같은 기상특보 기준을 만들어서 운영하고 있다.

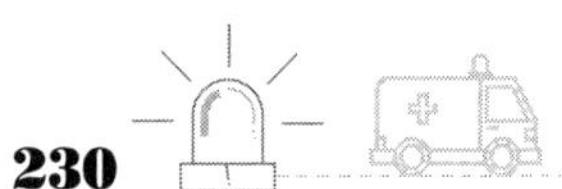

강풍 주의보 및 경보 발령기준

구 분	육 상		산 간	
	보통(풍속)	순간풍속	보통(풍속)	순간풍속
주의보	14m/s 이상	20m/s 이상	17m/s 이상	25m/s 이상
경보	21m/s 이상	26m/s 이상	24m/s 이상	30m/s 이상

강풍대비 행동요령

✎ 강풍이 오기 전

- ▸ 문과 창문을 잘 닫아 움직이지 않도록 하고, 안전을 위해 집안에 있는다.
- ▸ 낡은 창호는 강풍으로 휘어지거나 파손될 위험이 있으니 미리 교체하거나 창문을 창틀에 단단하게 고정시켜 틈이 생기지 않도록 한다.
- ▸ 유리가 창틀에 고정되도록 테이프를 붙여 유리가 흔들리지 않도록 한다.
- ▸ 창틀과 유리 사이의 채움재가 손상되거나 벌어져 있으면 유리창이 깨질 위험이 있으므로 틈이 없도록 보강해준다.
- ▸ 유리창이 깨질 때의 피해를 줄이기 위해서 유리창에 안전필름을 붙인다.
- ▸ 해안지역에서는 파도에 휩쓸릴 위험이 있으니 해안도로나 바닷가로 나가지 않는다.
- ▸ 라디오, TV, 인터넷, 스마트폰 등을 통해 기상정보를 확인하고 신속하게 대처한다.
- ▸ 옥상이나 집 주위의 빨래, 화분 등 작은 물건은 실내로 옮긴다.
- ▸ 간판과 같이 바람에 날아갈 위험이 있는 물건은 단단히 고정시킨다.
- ▸ 바람에 의해 농약병이 깨지지 않도록 안전한 곳에 보관한다.
- ▸ 비닐하우스는 방풍벽 · 그물 등을 이용하여 단단히 고정시킨다.

✎ 강풍이 몰아칠 때

- 간판이 떨어지고 가로수가 넘어질 위험이 있으니 외출을 삼가고, 특히 노약자나 어린이는 집 밖으로 나가지 않도록 주의해야 한다.
- 대피 시에는 나무나 전신주 밑은 피하고 안전한 건물로 대피한다.
- 유리가 깨지면 다칠 위험이 있으므로 유리문 근처에는 가지 않는다.
- 공사장은 바람에 날리거나 떨어질 건축자재 등이 많으므로 가까이 가지 않는다.
- 유리창이 깨졌을 때는 신발이나 슬리퍼를 신어 다치지 않도록 주의한다.
- 지붕 위나 바깥에서의 작업은 피해야 한다.
- 운전 중에는 속도를 줄여 강풍에 의한 사고에 주의해야 한다.
- 파도에 휩쓸릴 위험이 있으니 해안도로나 바닷가로 나가지 않도록 한다.
- 강풍이 지나간 후 땅바닥에 떨어진 전깃줄에 가까이 가거나 만지지 않도록 한다.
- 강풍으로 전기시설 등이 파손되어 위험한 곳을 발견하면 119나 시 · 군 · 구청에 신고한다.

✎ 강풍이 지나간 후

- 피해를 조사하고 사진촬영을 해둔다.
- 가스 · 수도 · 전기 등과 같은 시설의 작동 여부를 확인한다.
- 시 · 군 · 구청 등의 지시에 따른다.

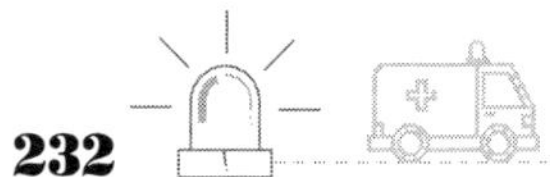

대설

대설이란

짧은 시간에 많은 양의 눈이 내리는 현상을 대설이라 한다. 일반적으로 시간당 1~3cm 이상 또는 24시간 이내 5~20cm 이상의 눈이 내리는 현상을 말한다.

시간적으로나 공간적으로 집중성이 강하며, 30분~2시간 주기로 강약이 변동된다. 일반적으로 70% 이상은 지속시간이 12시간을 넘지 않는다.

대설의 원인

겨울에 발달한 저기압의 영향을 받거나 찬 대륙고기압의 공기가 서해나 동해로 이동하면서 해수와 기온의 온도차로 눈구름대가 만들어지면서 대설이 발생한다. 일반적으로 12월에는 서해안을 중심으로, 1~2월에는 동해안을 중심으로 많은 눈이 내린다.

그밖에 고기압의 가장자리에서 한기를 동반한 상층 기압골이 우리나라 상공을 통과하면서 대설이 발생한다.

대설특보 발령기준

구분	발령기준
대설주의보	24시간 신적설량이 5cm 이상 예상될 때
대설경보	24시간 신적설량이 20cm 이상 예상될 때(다만 산지는 30cm 이상)

대설대비 행동요령

✎ 대설 주의보 및 경보 발령일 때

▫ 가정

- ▸ 내 집 앞, 내 점포 앞 도로의 눈은 내가 치운다.
- ▸ 내 집 주변 빙판길에는 염화칼슘이나 모래 등을 뿌려서 미끄럼사고를 예방한다.
- ▸ 어린이와 노약자는 바깥출입을 하지 않도록 한다.
- ▸ 차량, 대문, 지붕 및 옥상 위에 쌓인 눈은 빨리 치운다.
- ▸ 낡은 가옥은 안전점검을 하여 붕괴사고를 예방한다.
- ▸ 고립지역은 비상연락체계를 유지한다.

▫ 직장

- ▸ 평상시보다 조금 일찍 출근하고 일찍 귀가한다.
- ▸ 출 · 퇴근 시에는 자가용 운행을 자제하고, 대중교통(지하철, 버스)을 이용한다.
- ▸ 직장 주변의 눈은 직원들이 같이 치운다.
- ▸ 직장주변 빙판길에는 염화칼슘이나 모래 등을 뿌려서 미끄럼사고를 예방한다.

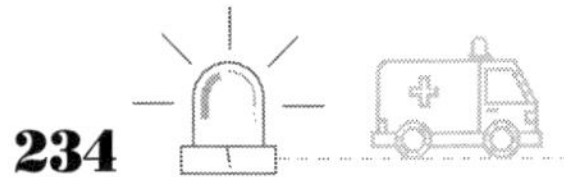
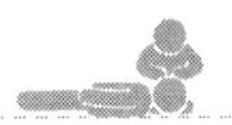

▫ 농촌 · 산간

▸ 붕괴가 우려되는 비닐하우스 등 농작물 재배시설은 받침대를 보강하거나 비닐을 약간 찢어서 보호한다.

※ 눈이 20cm 정도 쌓이면 전깃줄이 끊어지고, 소나무가지가 부러진다.

▸ 비닐찢기 작업 시 안전사고에 특히 유의한다.

▸ 비닐하우스에 친 차광막 등은 사전에 제거하여 피해를 줄인다.

▸ 작물을 재배하지 않는 빈 비닐하우스는 비닐을 걷어낸다.

▸ 고립지역은 비상연락체계를 유지한다.

▫ 해안

▸ 각종 선박 등은 대피하고 입출항을 통제한 다음 결박조치를 한다.

▸ 수산 증 · 양식시설은 어류 등이 동사하지 않도록 보온조치를 한다.

▸ 주민, 낚시꾼, 행락객 등은 해안에 접근해서는 안 된다.

▸ 해안도로 운행을 될 수 있으면 자제하고, 안전장구부착 후 통행한다.

▫ 보행자

▸ 될 수 있으면 외출을 자제한다.

▸ 외출 시에는 미끄러지지 않도록 바닥이 넓은 운동화나 등산화를 신는다.

▸ 미끄러운 눈길을 걸을 때에는 주머니에 손을 넣지 말고 보온장갑을 착용한다.

▸ 걸어가는 중에는 휴대전화 통화를 삼간다.

▸ 건널목(횡단보도)을 건널 때에는 차량이 멈추었는지 확인한 다음 도로에 진입한다.

▸ 계단을 오르내릴 때에는 난간을 잡고 다니는 것이 안전하다.

- 야간보행은 매우 위험하므로 일찍 귀가한다.
- 차도로 나와서 차량에 승차하지 않는다.

▫ 차량운전자

- 자가용차량 이용을 자제하고, 대중교통(지하철, 버스 등)을 이용한다.
- 고속도로 진입을 자제하고, 국도 등을 이용한다.
- 눈피해 대비용 안전장구(체인, 모래주머니, 삽 등)를 휴대한다.
- 커브길, 고갯길, 고가도로, 교량, 결빙구간 등에서는 서행한다.
- 라디오, TV 등을 항상 청취하며 교통상황을 수시로 파악한다.
- 제설작업에 지장을 주는 간선도로변에 주차해서는 안 된다.
- 지하철공사구간의 복공판은 바닥이 미끄러우므로 서행 운전한다.
- 차간 안전거리를 확보하고 제동장치(브레이크) 사용을 자제한다.
- 제동장치(브레이크) 사용 시에는 엔진제동장치를 이용한다.
- 눈길에서는 제동거리가 길어지기 때문에 교차로나 건널목(횡단보다) 앞에서는 감속 운전한다.

✎ 대설로 인한 차량고립 시의 행동요령

- 출발 전 기상정보와 목적지까지 우회도로를 미리 파악하고, 월동장비 · 연료 · 식음료 등을 사전에 준비한다.
- 고립 · 정체 시에는 될 수 있으면 차량 안에서 대기하면서 라디오 및 휴대전화의 재난문자방송 등을 통하여 교통상황과 행동요령을 파악한 후 행동한다.
- 부득이 차량에서 이탈할 때는 연락처와 열쇠를 꽂아 두고 대피한다.
- 인근에 가옥이나 휴게소 등이 있으면 응급환자 · 노인 · 어린이승객 등을 우

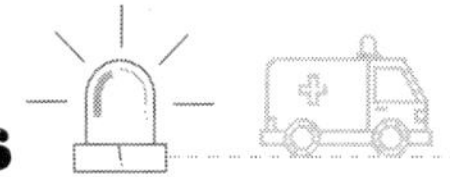

선 대피시킨다.

▸ 담요나 두꺼운 옷을 걸쳐 체온을 유지하고 가볍게 몸을 움직인다.

▸ 차량히터 작동 시에는 환기를 위하여 창문을 자주 열거나 조금 열어둔다.

▸ 수시로 차량 주변의 눈을 치워 배기관(머플러)이 막히지 않도록 하고, 차량 출발이 쉽도록 한다.

▸ 가능하면 잠은 덜 자는 것이 좋다. 동승자가 있으면 교대로 자되, 한 사람은 항상 주위 상황을 살핀다.

▸ 제설작업차량이나 구급차의 진입을 위하여 갓길에 주 · 정차하지 않는다.

▸ 차량고장 등의 상황발생 시 즉시 도로관리기관 · 경찰서 · 소방서 등에 연락한다.

▸ 휴대전화기 등을 이용하여 가족과 친지에게 상황을 알린 다음 경찰이나 도로관리기관 직원 등 관계자의 통제에 적극적으로 협조한다.

▸ 비상시를 대비하여 휴대전화 사용을 자제한다.

한파

한파란

한파(寒波, cold wave)란 저온의 한랭기단이 위도가 낮은 지방으로 몰아닥쳐 급격히 기온이 떨어지는 현상이다. 한파라는 말은 춥다는 의미의 '寒(cold)'에 파동을 의미하는 '波(wave)'를 붙여서 사용하고 있는데, 이는 고위도에 위치한 차가운 한랭기단이 한랭전선을 선두로 해서 저위도지방으로 물결과 같이 넓혀가며 흘러가는 현상 때문에 붙여진이름이다.

한파는 일반적으로 기온강하량 또는 최저기온 등을 활용하여 정의한다. 예를 들어 기상청에서는 다음의 표와 같이 10월에서 4월 사이에 ① 아침 최저기온이 전날보다 10℃ 이상 하강하여 3℃가 낮을 것으로 예상될 때, 또는 ② 아침 최저기온이 -12℃ 이하가 2일 이상 지속될 것으로 예상될 때 등을 한파주의보 발령기준으로 하고 있다. 그 외에 ③ 급격한 기온현상으로 중대한 피해가 예상될 때 등 정성적 조건도 활용한다. 한편 한파주의보 발령수준보다 더 높은 한파가 예상될 때에는 한파경보를 발령한다.

한파특보 발령기준

구분	발령기준
한파주의보	**10~4월 사이의 기간에 다음 중 어느 하나에 해당하는 경우** » 아침 최저기온이 전날보다 10℃ 이상 하강하여 3℃ 이하이고, 평년값보다 3℃가 낮을 것으로 예상될 때 » 아침 최저기온이 -12℃ 이하가 2일 이상 지속될 것으로 예상될 때 » 급격한 저온현상으로 중대한 피해가 예상될 때
한파경보	**10~4월 사이의 기간에 다음 중 어느 하나에 해당하는 경우** » 아침 최저기온이 전날보다 15℃ 이상 하강하여 3℃ 이하이고, 평년값보다 3℃가 낮을 것으로 예상될 때 » 아침 최저기온이 -15℃ 이하가 2일 이상 지속될 것으로 예상될 때 » 급격한 저온현상으로 광범위한 지역에서 중대한 피해가 예상될 때

한파대비 행동요령

건강관리

▸ 손가락 · 발가락 · 귓바퀴 · 코끝 등 신체 말단부위의 감각이 없거나 창백해지는 경우에는 동상을 조심해야 한다.

 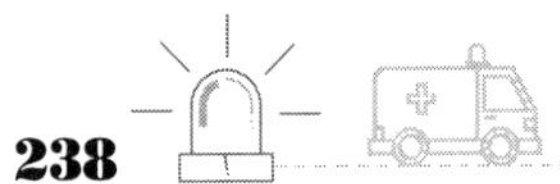 

- 심한 한기, 기억상실, 방향감각상실, 불분명한 발음, 심한 피로 등을 느낄 때는 저체온증세를 의심하고 바로 병원으로 가야 한다.
- 갑자기 기온이 떨어지면 심장 · 혈관계통, 호흡계통, 신경계통, 피부계통 등의 질환을 급격히 악화시킬 우려가 있으므로 유아 · 노인 또는 병자가 있는 가정에서는 난방에 유의해야 한다.
- 혈압이 높거나 심장이 약한 사람은 노출부위의 보온에 유의하고, 특히 머리부분의 보온에 신경을 써야 한다.
- 외출 후 손발을 씻고 과도한 음주나 무리한 일로 피로가 누적되지 않도록 하여야 하고, 당뇨병환자 · 만성폐질환자 등은 반드시 독감예방접종을 받는다.
- 동상에 걸렸을 때는 꽉 죄는 신발이나 옷을 벗고 따뜻한 물로 세척한 후 따뜻하게 보온을 유지한 상태로 즉시 병원으로 가야 한다.
- 동상부위를 비비거나 갑자기 불에 쬐어서는 안 된다.

✎ 운동할 때

- 운동 전 충분한 스트레칭으로 관절의 가동범위를 넓혀 부상을 방지한다.
- 준비운동의 강도는 몸에서 약간 땀이 날 정도가 적당하며, 실내에서 실시한다.
- 운동은 가능한 실내에서 하여야 부상위험을 줄일 수 있다.
- 옷을 겹쳐 입되, 많이 입지 않는다.
- 고혈압 등 만성질환자는 실내에서 운동하는 것이 좋다.
- 겨울에는 체온유지를 위해 10~15%의 에너지가 더 소비되므로 운동강도를 평소의 70~80% 수준으로 낮추는 것이 좋다.
- 술은 이뇨(利尿) · 발한(發汗)작용으로 체온을 떨어뜨리므로 등산 · 스키 등 운동 중에는 술을 마시지 않는다.

- 운동 후에는 따뜻한 물로 목욕하고, 옷을 갈아입는 등 충분히 보온을 하여 감기를 예방한다.

✎ 수도계량기 및 수도관 관리

- 수도계량기보호함 내부는 헌옷으로 채우고, 외부는 테이프로 밀폐시켜 찬 공기가 스며들지 않도록 보온한다.
- 복도식 아파트는 수도계량기 동파가 많이 발생하므로 수도계량기 보온에 유의하여야 한다.
- 장기간 집을 비우게 될 때는 수도꼭지를 조금 열어 물이 흐르도록 하여 동파를 방지한다.
- 마당과 화장실 등에 있는 노출된 수도관은 보온재로 감싸서 보온한다.
- 수도관이 얼었을 때는 헤어드라이어 등 온열기를 이용하여 녹이거나, 미지근한 물로 녹여야 한다.

✎ 보일러배관 관리

- 보일러밑으로 노출된 배관은 헌 옷 등으로 감싸서 보온하여야 한다.
- 장기간 외출 시에는 온수를 약하게 틀어 한 방울씩 흐르게 하여 동파를 방지하여야 한다.
- 관이 얼었을 때는 따뜻한 물이나 헤어드라이 등 온열기를 이용하여 서서히 녹인다.

✎ 외출 때

- 가급적 대중교통을 이용한다.

 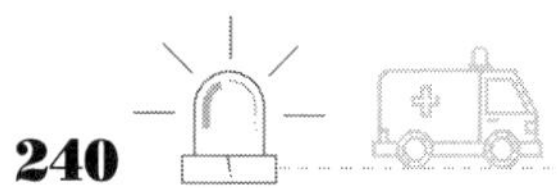 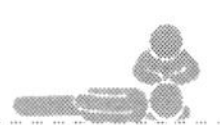

▸ 자동차를 이용하여 외출 시에는 낮에 하고, 될 수 있으면 혼자 움직이지 않는다.

▸ 가족에게 행선지와 시간계획을 미리 알려둔다.

▸ 되도록 간선도로를 이용하고, 지름길이나 뒷길을 피한다.

▸ 자동차에서 고립되었다면

» 가능한 수단을 이용해서 구조연락을 취하고,

» 동승자가 있으면 체온을 이용하여 추위를 막는다.

» 차례로 수면을 취하고, 항상 한 사람은 깨어 있어 구조에 대비하여야 한다.

» 야간에는 실내등을 켜 구조요원이 쉽게 찾을 수 있도록 하고,

» 구조요원이나 항공기에서 식별하기 쉽도록 색깔 있는 옷을 바닥에 펼쳐 놓는다.

황사

황사란

황사(黃砂 ; Asian dust, yellow sand)는 중국과 몽골의 사막지대. 황하중류의 황토지대 등에 저기압이 통과할 때 다량의 황색먼지가 강한 바람에 의해 공중으로 떠올라 바람을 타고 우리나라 등으로 이동하면서 서서히 떨어지는 일종의 흙먼지이다.

황사를 정의할 때 먼지크기의 기준은 없으나 우리나라에서 관측되는 대부분의 황사는 그 크기가 1~10㎛(1㎛는 1/1,000mm) 정도이다. 황사가 발생하면 일반적으로 시야

가 흐려지고, 하늘이 황갈색으로 변하며, 누런색의 고운 먼지가 인체와 물체에 영향을 미치게 된다.

황사의 발생지

우리나라에 영향을 미치는 황사의 주요 발원지는 고비사막 · 내몽골고원, 중국북동 사막지역, 황토고원 등이다. 그중에서 서로 인접된 고비사막 · 내몽골고원에서 발원하여 직접 우리나라로 이동하는 경우가 50%이며, 고비사막 · 내몽골고원에서 발원하기는 하지만 중국북동 사막지역을 거쳐 이동하는 경우가 14%, 황토고원을 거쳐 이동하는 경우가 17%를 차지한다. 즉 고비사막 · 내몽골고원에서 발원하는 경우가 전체의 81%를 차지한다고 볼 수 있다. 그 외에 중국북동 사막지대 및 황토고원에서 직접 발원하여 유입되는 경우가 각각 18%, 1% 정도이다.

황사발생 시의 행동요령

✎ 가정

- 황사가 들어오지 못하도록 창문을 닫고, 노약자 · 호흡기질환자 등은 실외활동을 삼가한다.
- 가능한 한 외출을 삼가시고, 외출 시에는 보호안경 · 마스크 · 긴소매 의복을 착용하고, 귀가 후에는 손발 등을 깨끗이 씻고 양치질을 한다.
- 물을 자주 마시고 공기정화기와 가습기를 사용하여 실내공기를 쾌적하게 유지한다.
- 황사에 노출된 채소 · 과일 · 생선 등 농수산물은 충분히 세척 후 요리한다.
- 2차오염을 방지하기 위하여 식품가공 · 조리 시에는 손을 철저히 씻는다.

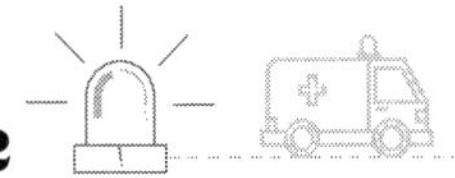

✎ 학교 등 교육기관

▸ 유치원생과 초등학생들의 실외활동을 금지하고, 수업단축 또는 휴업을 고려한다.

▸ 실외학습, 운동경기 등은 중지하거나 연기한다.

✎ 축사 · 시설물 등

▸ 운동장이나 방목장에 있는 가축은 축사 안으로 신속히 대피시켜 황사에 노출되지 않도록 한다.

▸ 축사의 출입문과 창문을 닫아 황사유입을 최소화하고, 외부의 공기와 접촉을 가능한 적게 한다.

▸ 야외에 야적된 사료용 건초 · 볏짚 등을 비닐이나 천막으로 덮는다.

▸ 비닐하우스 · 온실 등 시설물의 출입문과 환기창을 닫는다.

주의 : 제조업체 등에서는 기계 등이 피해를 입지 않도록 작업일정조정 · 상품보호 · 청결상태 유지 등에 유의한다.

미세먼지

미세먼지란

미세먼지(particulate matter)는 발생원인과 상관없이 입자크기가 10㎛(1㎛는 1/1,000mm이다) 이하인 먼지를 통칭하는 말이다. 이를 다시 세분하면 먼지지름에 따라 10㎛ 이하인 PM_{10}(이 경우 PM은 미세먼지를 일컫는 particulate matter

의 약자이다)과 2.5㎛ 이하인 $PM_{2.5}$(이를 초미세먼지라 통칭하기도 한다)로 구분된다. 통상 머리카락이 50~70㎛인 것을 감안할 때 $PM_{2.5}$의 경우, 머리카락지름의 1/20~1/30 이하인 작은 입자이다.

미세먼지의 크기 비교

머리카락(50~70㎛) PM_{10}(10㎛) $PM_{2.5}$(2.5㎛)

미세먼지의 생성

미세먼지는 ① 황사와 같은 광물입자, 꽃가루와 같은 생물입자, 소금입자 등과 같이 자연발생적으로 생기기도 하지만, ② 주로 배기가스와 같이 연소작용에 의해 직접 배출되거나, ③ 황산화물(SOx). 질소산화물(NOx). 암모니아(NH_3), 휘발성 유기화학물(VOCs) 등의 전구물질이 대기 중의 특정조건에서 화학반응하여 2차 생성되게 된다($PM_{2.5}$ 상당량에 해당된다).

2010년 환경부 발표자료를 토대로 이를 오염원별로 다시 구분하면 PM_{10}의 경우에는 자동차 등 이동오염원이 78%, 공장 등 사업장이 16%, 난방 등 생활주변 배출원이 6%를 차지하며, $PM_{2.5}$의 경우에는 이동오염원이 86%, 사업장이 9%, 생활주변 배출원이 5%를 차지하여 자동차와 같은 이동오염원의 영향이 절대적이다.

특히 최근 발생되는 고농도 미세먼지는 편서풍을 타고 중국으로부터 유입된 스모그와 국내에서 자체 배출된 오염물질이 상호 복합적으로 작용하여 만들어진 것이다. 한 · 중 · 일 과학자들이 참여하는 장거리이동오염물질조사연구사업(LTP : long-range transboundary air pollutant)에 의하면 중국발 오염물질의 국내 기여율은 약 30~50%인 것으로 분석되고 있다. 특히 기상상황이 서풍 또는 북서풍 계열일 경우 국내 미세먼지는 PM_{10} 기준으로 평균 44.5% 증가하는 것으로 나타나고 있다.

 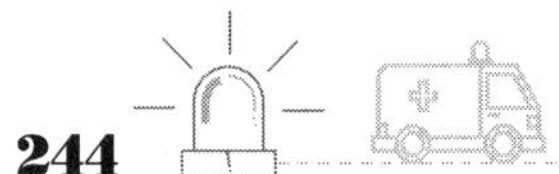 

최근 중국은 에너지원의 70%를 차지하는 석탄 사용 증가 등으로 극심한 스모그가 발생하고 있으며, 2013년 1월에는 $PM_{2.5}$가 WHO 권고기준의 40배인 최고 993㎍/m^3까지 올라간 바 있다.

미세먼지발생 시의 행동요령

미세먼지발생 시의 행동요령은 황사발생 시의 행동요령과 상당부분 유사하다. 하지만 미세먼지는 황사와 비교할 때 농작물 · 가축 등의 구체적 피해사례는 아직 보고되지 않은 바, 주로 인간활동과 관계되는 부분이 많다.

환경부에서 발표한 미세먼지농도가 높은 날의 일반적인 생활수칙은 다음과 같다.

영역별로 분류

가정 및 식품취급장소	» 노약자 · 호흡기질환자 등은 창문을 닫고 가급적 외출 자제 » 외출 시에는 보호안경 · 마스크 착용 » 외출 후에는 세수 · 손씻기 등
학교 등 교육기관	» 유치원과 초등학교는 실외활동 자제 » 대기오염 예보결과를 고려해 실내체육으로 대체 » 천식 · 아토피질환 학생 등의 위생점검 » (필요 시) 상비약(안약, 아토피연고, 비염용흡입기 등) 비치, 마스크 착용
축산 · 농가 등	» 방목장의 가축은 축사 안으로 대피시켜 노출 최소화 » 비닐하우스 · 온실 · 축사의 출입문, 창문 등 닫기 » 야적된 사료용 건초, 볏짚 등을 비닐 · 천막으로 덮기
체육행사	» (필요 시) 실외경기(특히 양궁, 축구 등 장시간 경기) 개최 자제
산업체 · 작업장	» 반도체 · 자동차 등 기계설비 작업장은 실내 공기정화필터를 점검 및 교체하고, 집진시설 및 출입구 에어커튼 설치 권장 » 자동차 수시 세차 및 실외 도장 작업 시 주의 요망 » 실외 작업자는 마스크 · 모자 · 보호안경 등을 착용
교통 · 항공	» 항공기 및 선박 운행 시 가시거리, 안전장치 등 점검 » 운항관계자 연락망 확인

- 실외활동 시 마스크, 보호안경, 모자 등 착용
- 창문을 닫고, 대청소 등은 자제
- 세수를 자주하고, 흐르는 물에 코를 자주 씻을 것
- 과일, 채소 등은 흐르는 물에 여러 번 씻어 먹을 것
- 등산 · 낚시 · 싸이클링 · 축구 등 오래하는 실외활동을 자제하고, 필요 시 수영 · 요가 등 실내운동으로 대체

황사와 미세먼지의 비교

구분	황사	미세먼지
정의	» 중국 · 몽골의 사막지대 등에서 불어오는 흙먼지 » 입자크기에 대한 기준은 없으나, 우리나라에 영향을 미치는 황사는 통상 1~10㎛ 수준	» 지름이 10㎛ 이하인 먼지로서 10㎛ 이하인 PM10과 2.5㎛ 이하인 PM2.5로 구분
성분	» 주로 토양성분	» 일부 광물성분도 있으나 주로 탄산 또는 이온성분
영향	» 농작물 등의 생육방해, 반도체공장 등의 조업방해와 같은 부정적 영향과 토양의 산성화 예방이라는 긍정적 영향 병존	» 코점막을 통해 걸러지지 않고 흡입시 허파꽈리(폐포)까지 직접 침투하여 천식이나 허파질환 유병률, 조기사망률 등을 증가 ※ 긍정적 영향은 거의 언급되지 않음
예보제	» 옅은, 짙은, 매우 짙은 황사 등 3가지 황사강도 적용 » 황사특보(주의보, 경보) 등 실시	» PM10에 대해 좋은, 보통 등 5가지 예보단계 적용 중(PM2.5, 오존 등에 대해서는 준비 중) » 미세먼지 경보제 시행준비 중
소관부처	기상청	환경부

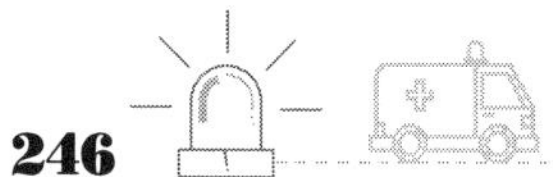

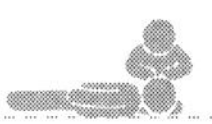

낙뢰

낙뢰란

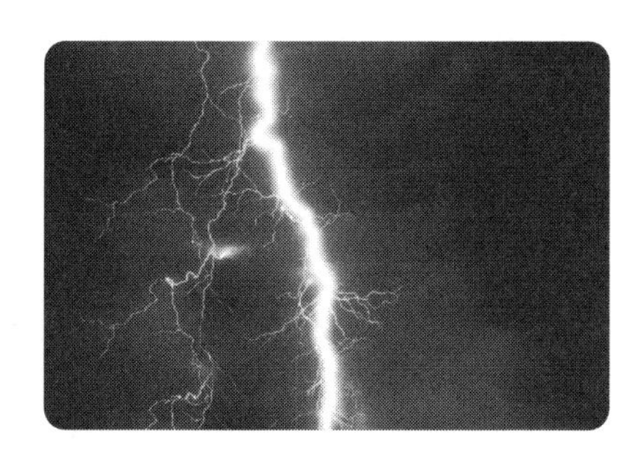

우리가 흔히 벼락이라고 부르는 낙뢰는 구름과 대지(지면) 사이에 전류가 흐르는 현상을 말한다. 낙뢰(落雷, lightning strike)는 대기의 온도차가 커 대기층이 불안정한 경우 구름 하부의 음전하와 지표면의 양전하가 각각 분리 · 축적되어 일정치 이상의 전위차가 생기면 두 전하 간의 격렬한 반응으로 순간적으로 전류가 방전되면서 일어난다. 방전 시 순간전압은 수억 볼트로 추정되며, 방전로(放電路, 방전길)는 1킬로미터 내외 또는 수킬로미터가 된다.

낙뢰 시의 행동요령

✎ 낙뢰가 예상될 때

- 낙뢰가 예상될 때에는 외출하지 않고, 집안에 머무르는 것이 안전하다.
- 야외에서 일을 하거나, 등산 · 골프 등을 할 경우에는 낙뢰 등 기상정보를 미리 확인한다.

번개와 천둥

뇌방전(lightning discharge, 천둥번개) 동안 발생하는 매우 밝은 불빛을 '번개'라고 한다. 뇌방전 발생 시의 방전로에는 태양표면의 온도보다 약 4배 이상 뜨거운 2만 7000℃ 정도의 열이 발생하는데, 이때 방전로의 압력이 상승하여 주변공기가 급속히 팽창하면서 발생하는 충격파음을 '천둥'이라 한다.

- 건물 안, 자동차 안, 움푹 파인 곳이나 동굴 등 안전한 장소로 대피한다.
- 낚싯대나 골프채 등을 이용하는 야외운동은 매우 위험하므로 운동을 즉시 중단하고 안전한 곳으로 대피한다.
- 낙뢰가 예상될 때는 우산보다는 비옷을 준비하는 것이 좋다

✎ 낙뢰가 칠 때

▫ 가정

- 텔레비전 · 라디오 등을 통하여 낙뢰정보를 파악하고, 될 수 있으면 외출을 자제한다.
- 텔레비전 안테나나 전선을 따라 전류가 흐를 수 있으므로 전자제품을 취급할 때에는 주의해야 한다.
- 가옥 내에서는 전화기나 전기제품 등의 플러그를 뽑아 두고, 전등이나 전기제품으로부터 1m 이상의 거리를 유지한다.
- 감전우려가 있으므로 샤워나 설거지 등을 하지 않는다.

▫ 산

- 산은 낙뢰의 안전지대가 아니므로 가능한 한 등산을 삼간다.
- 갑자기 하늘에 먹구름이 끼면서 돌풍이 몰아칠 때, 특히 바람이 많은 산골짜기 를 낀 정상은 낙뢰위험이 크므로 신속히 하산한다.
- 높은 곳은 위험하므로 정상부에서는 낙뢰발생 시 신속히 낮은 지대로 이동한다.
- 번개를 본 후 30초 이내에 천둥소리를 들었다면 신속히 안전한 장소로 대피하여(약 10km 이내에 뇌전발생) 즉시 몸을 낮추고 물이 없는 움푹 파인 곳이나 계곡, 동굴 안으로 대피한다.

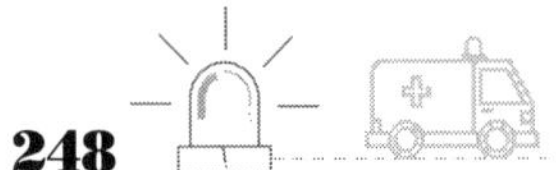

- 정상부 암벽 위나 키 큰 나무밑은 위험하므로 즉시 안전한 장소로 이동한다.
- 등산용 스틱이나 우산같이 긴 물건은 땅에 눕혀 놓고, 몸에서 떨어뜨린다.
- 대피 때에는 지면에서 10cm 이상 높은 절연체 위에 있는 것이 좋다.
- 등산장비 중 매트리스 · 밧줄(로프) · 침낭 · 배낭 등을 깔고 몸을 웅크리고 앉는 것이 좋으며, 젖은 땅에 엎드리는 것은 매우 위험하다.

ㅁ 야외

- 평지에서는 몸을 가능한 한 낮게 하고, 물이 없는 움푹 파인 곳으로 대피한다.
- 평지에 있는 키 큰 나무나 전봇대에는 낙뢰가 칠 가능성이 크므로 피한다.
- 골프 · 농사일 · 낚시 중일 때는 골프채, 삽 · 괭이 등의 농기구, 낚싯대 등을 즉시 몸에서 떨어뜨리고, 몸을 가능한 한 낮추어 건물이나 낮은 장소로 대피한다.
- 낙뢰는 주위사람에게도 위험을 줄 수 있으므로 대피할 때에는 다른 사람들과는 5~10m 이상 떨어지되, 무릎을 굽혀 자세를 낮추고 손을 무릎에 놓은 상태에서 앞으로 구부리고 발을 모은다.
- 낙뢰는 대개 산골짜기나 강줄기를 따라 이동하는 성질이 있으므로 하천 주변에서의 야외활동을 삼간다.
- 마지막 번개 및 천둥 후 30분 정도까지는 안전한 장소에서 대피한다.
- 자동차는 세우고 라디오 안테나를 내린 채 차 안에 그대로 머문다.

낙뢰를 맞았을 때의 응급처치

- 낙뢰로부터 안전한 장소로 옮기고 의식 여부를 살핀다.
- 의식이 없으면 즉시 호흡과 맥박의 여부를 확인한다.

▸ 호흡이 멎어 있으면 인공호흡을 하고, 맥박도 멎어 있으면 인공호흡과 함께 심장 마사지를 한다.

▸ 119 또는 인근병원에 긴급 연락하고, 구급대원이 올 때까지 응급처치를 하고, 피해자의 체온을 유지시켜야 한다.

▸ 피해자가 의식이 있으면 자신이 가장 편한 자세로 안정케 한다. 감전된 사람은 대부분 전신피로감을 호소하기 마련이다.

▸ 피해자가 흥분하거나 떨고 있을 때에는 말을 거는 등의 방법으로 침착해지도록 한다.

▸ 즉시 의사의 치료를 받을 수 없는 장소에서 사고가 일어나더라도 절대로 단념하지 말고, 필요하다면 인공호흡 · 심장마사지 · 지혈 등의 처치를 계속 한다.

▸ 피해자가 의식이 분명하고 건강해 보여도, 감전이 되면 몸의 안쪽 깊숙이까지 화상을 입을 수도 있으므로 빨리 병원에서 응급진찰을 받을 필요가 있다.

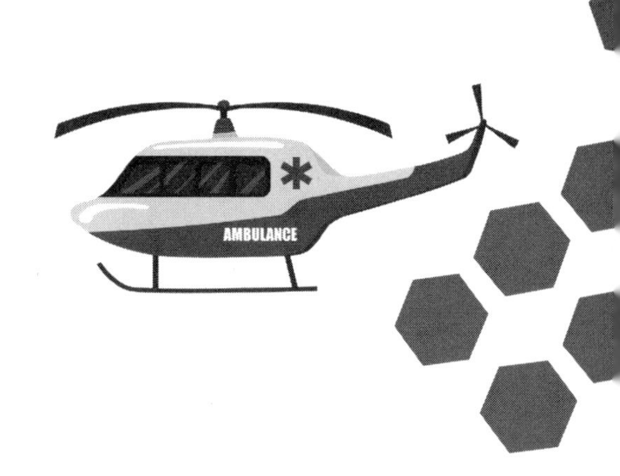

화재·전기 및 가스안전

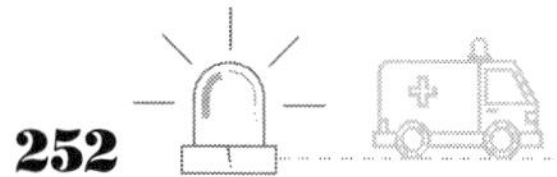

화재 안전

화재의 개념

불과 화재

화재란 말 그대로 불로 인한 재앙이라고 할 수 있다. 불이란 어떤 물질이 산소와 화합하여 열과 빛을 내며 타는 현상을 말한다. 불은 이로운 불과 해로운 불로 나눌 수 있는데, 그중에서 해로운 불을 화재라고 정의하기도 한다. 또한 과실로 인한 실화 또는 고의에 의한 방화로 발생하는 연소현상을 중지시키기 위하여 소화할 필요성이 있는 연소현상을 화재라 하기도 한다.

화재의 분류

NFPA(미국방화협회)에서는 화재의 연소특성에 따라 다음 4종으로 분류하였다.

- **A급 화재(일반 가연물화재) |** 연소 후 재를 남기는 종류의 화재로서, 목재 · 종이 · 섬유 등의 화재를 말한다.
- **B급 화재(유류 및 가스화재) |** 연소 후 아무것도 남기지 않는 종류의 화재, 즉 인화성 액체 · 기체 등의 화재를 말한다.
- **C급 화재(전기화재) |** 전기기계 · 기구 등의 화재로서 전기적 절연성을 가진 소화기로 소화해야 하는 화재를 말한다.
- **D급 화재(금속화재) |** 마그네슘 같은 금속화재가 이에 속한다.

화재 발생 분석 결과

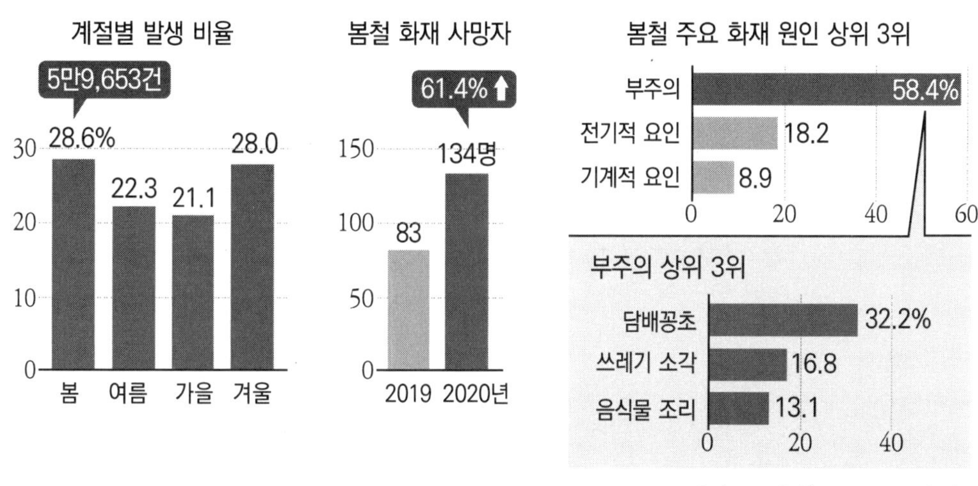

출처 : 소방청(2016~2020년 기준)

✎ 소화방법

▫ 냉각소화법

▸ **액체를 사용하는 방법 |** 물이나 그밖의 액체로 증발잠열을 이용하여 냉각시키는 방법으로서, 물을 분사하면 더욱 효과를 거둘 수 있다.

▸ **고체를 사용하는 방법 |** 예를 들어 튀김 냄비의 기름에 불이 붙었을 때에는 싱싱한 야채를 넣어 기름의 온도를 내려 냉각하는 방법이다.

▫ 질식소화법

▸ **불연성 포말로 연소를 감싸는 방법 |** 공기 또는 이산화탄소(탄산가스)를 포함한 포말로 산소공급을 차단하는 방법이 있다. 포말은 공기포와 화학포가 있으나 점성이 있고 열에 강한 막을 지녀 강풍으로 파괴되지 않는 안전성이 있어야 한다. 알코올이나 아세톤 등은 소포성이 있으므로 내알코올포를 사용하는 것이 좋다.

▸ **고체로 연소물을 감싸는 방법** | 토사 · 침구 · 거적 · 모포 등으로 산소의 공급을 차단하는 방법이 있다.

▫ 연료제거 소화방법

가연물을 제거하여 소화하는 방법인데, 가스의 밸브를 잠그든가 삼림화재의 경우 연소방향의 수목을 제거하는 방법 등이 있다.

▫ 희석 소화방법

가연성 가스의 산소농도나 가연물의 조성을 연소한계점 이하로 낮추어 소화하는 방법으로, 공기 중의 산소농도를 이산화탄소가스로 엷게 하거나, 수용성의 가연성액체(알코올, 아세톤 등)를 물로 묽게 희석시키는 방법 등이 있다.

▫ 기타 소화방법

촛불을 입김으로 불어서 끄거나, 유전의 화재를 폭약의 폭풍으로 불어서 끄는 것, 부촉매작용에 의한 소화방법 등을 들 수 있다. 실제로 어떤 작용에 의한 소화라고 단정할 수 없는 경우가 많은데, 예를 들어 물을 사용하는 경우 주요한 냉각효과 이외에 질식효과 및 희석효과와 같은 몇 가지 소화효과가 중복되어 작용할 수 있다.

화재의 원인

✎ 전기화재

전기화재의 발화요인은 통계적으로 볼 때 합선(또는 단락)에 의한 화재가 가장 많고, 그 다음이 누전 · 과부하 · 절연불량 · 스파크 등이다. 발화원인은 배선불량 · 전기기구 과열 · 전기기구의 절연불량 등으로 나타나고 있다.

- **합선(또는 단락)에 의한 발화 |** 전선이나 전기기구의 절연체가 파괴되거나 두 가닥의 전선이 어떤 원인에 의해 서로 접촉하여 순간적으로 큰 전류와 높은 열을 발생하는 화재
- **누전에 의한 발화 |** 전선이나 전기기구 · 기계 등에서 절연불량 등의 원인으로 전류가 건물 내의 금속체를 통하여 흐르게 되어 이로 인한 저항열에 의해 발열을 일으키는 화재
- **과전류(과부하)에 의한 발화 |** 전선의 허용전류를 초과한 전류를 과전류라 한다. 하나의 콘센트에 많은 전기기구를 사용하든가 적정용량을 초과하여 전기를 과다하게 사용하는 경우에 일어나는 화재
- **기타 원인에 의한 발화 |** 규격 이하의 전선 · 전기기계 · 전기기구 등에 충격이 가해져 발생한 절연불량 상태로 인한 화재

✎ 유류화재

유류는 대부분 가연성 액체로서 상온 이하의 인화점을 갖고 있으므로 가연성 증기를 발생시킨다. 이 증기가 공기와 적당히 혼합된 상태에서 불씨와 접촉하면 쉽게 인화되어 화재가 발생하게 된다. 유류는 불이 붙으면 급격히 확산되어 소화활동이 매우 어려우므로 항상 주의하여야 한다.

유류화재의 주요 원인은 다음과 같다.

- 석유난로 등 유류기구를 과열시킨 채로 장시간 자리를 뜨거나 하여 가연물질에 착화되는 경우
- 유류의 증기가 공기와 적당히 혼합된 상태에서 점화원과 접촉했을 경우
- 주유 중 흘린 기름이나 유류기구에서 새어나온 기름에 불씨가 닿을 경우
- 연소기구의 전도, 가연물 낙하 등에 의하여 발화되는 경우

✎ 가스화재

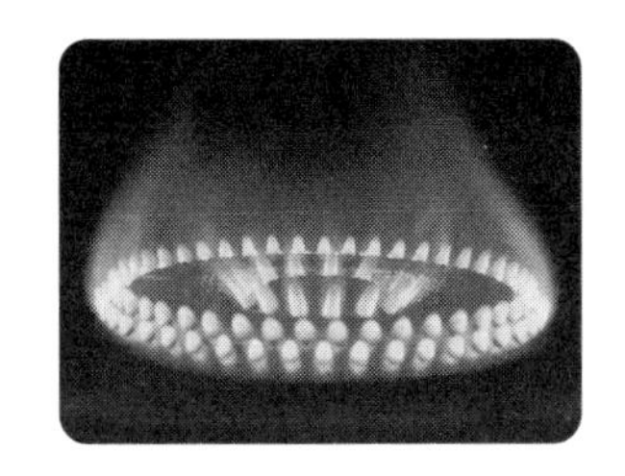

가스는 열량이 높고 사용하기가 편리하여 일반적으로 많이 사용하고 있는 연료 중의 하나이다. 그러나 가스는 공기와 일정비율로 혼합되어 있을 경우에 착화되면 급격히 연소 또는 폭발하기 때문에 매우 위험하다. 가스사고는 사람들의 취급부주의에 의한 것이 대부분이며, 그다음이 제품 및 시설불량에 의한 것으로 나타나고 있다. 그리고 음식점 · 다방 등 요식업소와 공장 등에서 사고가 많이 발생하고, 그다음으로 아파트나 일반가정 순으로 되어 있다.

✎ 불장난화재

어린이들의 불장난에 의한 화재가 화재원인 중 상당한 부분을 차지하고 있다. 불장난에 의해서 발생하는 화재는 어린이들이 성냥을 가지고 놀다가 일어나는 경우가 가장 많고, 난로불 · 모닥불 · 아궁이불 · 라이터 · 전기다리미 · 전자레인지 · 양초 등을 갖고 놀거나 장난을 하다가 화재를 내고 있다. 이외에도 불꽃놀이 · 화약놀이 · 촛불놀이 · 소꿉장난 등에 의해서도 일어나고 있는데, 이러한 원인으로 일어나는 불장난화재는 대부분 3~7살된 어린이들에 의해 많이 발생되고 있다.

✎ 담뱃불화재

담뱃불에 의한 화재도 많이 발생하고 있다. 담뱃불 화재는 어른들의 부주의로 인해서 일어나는 화재인데, 담배꽁초를 함부로 버리거나 담뱃불을 방치하여 주변의 종이 · 쓰레기 · 이불 등에 옮겨 붙어 발생하는 경우가 많다.

화재발생 시의 행동요령

✎ 발화 초기의 행동요령

▸ 처음에 불이나 연기 등 화재를 목격한 사람은 "불이야!"하고 큰 소리로 주위사람들에게 알리고, 비상경보설비가 있으면 비상벨을 누르고 전화로 방재센터나 소방관서에 화재발생신고를 한다.

▸ 소방관서에 화재신고를 할 때에는 화재발생장소와 위치 등을 상세히 설명해야 한다. 화재가 초기일 때에는 침착하게 주위에 비치된 소화기나 옥내소화전을 이용하여 소화작업을 하고, 만약 화재가 확대될 것이라 생각되면 빨리 대피하는 것이 좋다.

▸ 전기에 의한 화재가 발생하면 개폐기를 내려서 전기의 흐름을 차단하여야 하고, 유류화재가 발생하면 모래나 물에 젖은 모포, 담요 등을 덮어 씌워 불을 끈 다음 안전한 곳으로 옮겨 남은 불씨를 완전히 제거해야 한다. 가스화재에는 우선 밸브를 잠그고 용기를 불에서 멀리 떨어진 장소로 옮겨놓아야 한다.

✎ 대피요령

▸ 화재가 발생하여 대피할 때에는 안내원이 있으면 안내원의 지시에 따라 대피하고, 안내원이 없으면 통로의 유도등을 따라 낮은 자세로 침착하고 질서 있게 신속히 대피하여야 한다.

▸ 대피 중에 화재경보기가 발견되면 경보기의 벨을 눌러 다른 사람에게 화재사실을 알리면서 대피하고, 비상구 등 개구부를 통하여 대피할 때에는 문을 닫으면서 대피하여 화재와 연기의 확산을 지연시켜야 한다.

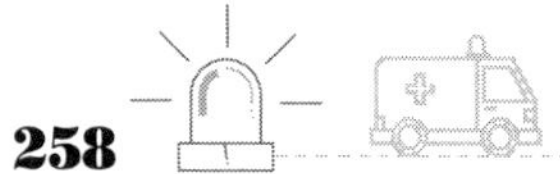

▸ 엘리베이터는 화재발생층에서 문이 열리거나 정전으로 멈추어 갇히는 경우가 있기 때문에 화재시 승강기를 이용해서는 안 된다.

▸ 화재시 가장 주의하여야 할 점은 유독가스와 연기이다. 대피할 때에는 수건을 물에 축여서 코에 대고 숨을 짧게 쉬면서 낮은 자세로 대피하여야 한다.

▸ 대피실에 들어서기 전에 연기나 불길이 확산되었는지 확인한 후 조심해서 대피하여야 하며, 비상구 등 출입문을 열고 대피할 때에는 출입문을 함부로 열지 말고 우선 문에 손을 대어본 후 문이 뜨겁거나 문틈에서 연기가 새어들어오면 이미 밖에 불길이 번져 있거나 유독가스와 연기가 차 있다는 증거이므로 문을 열고 대피하여서는 안 되며, 다른 피난구를 찾아야 한다. 그러나 출입문 밖에 화기가 없다고 판단되면 문과 반대방향으로 고개를 돌리고 숨을 멈춘 후 조심해서 비상구나 출입문을 열고 대피하여야 한다.

✎ 건물 안에 갇혔을 때의 행동요령

▸ 불길이나 연기가 주위까지 접근하여 대피가 어려울 때는 통로나 계단을 통해 무리하게 대피하기보다는 건물 내에서 안전조치를 취한 후 외부에 알려 구조를 기다린다.

▸ 갇혀 있는 사람은 화기나 연기가 없는 창문을 통해 소리를 지르거나 물건을 던지거나 흰천을 창문 밖으로 흔들어 갇혀 있다는 사실을 외부에 알려야 한다.

▸ 연기가 창문이나 문틈 사이로 새어들어오면 담요나 시트 · 양말 등을 물에 적셔 틈을 막아야 하며, 낮은 자세로 바닥에 엎드려 짧게 숨을 쉬어야 한다.

▸ 실내에 물이 있으면 불에 타기 쉬운 물건이나 칸막이 · 커튼 등에 물을 뿌려 화재의 확산을 막고 손수건 등을 물에 적셔 마스크를 하는 한편, 두꺼운 천이나 담요 등으로 화상을 입기 쉬운 다리와 손 · 얼굴 등 노출된 부분을 감싸

두어야 한다.

- 위급한 상태일지라도 최선을 다하여 구조를 기다려야 하며, 불길이 있는 데도 불구하고 함부로 출입문을 열어거나 창 밖으로 뛰어내려서는 안 된다.

지금까지 장소 및 원인별 화재발생의 예방대책과 화재발생 시의 안전조치 및 대피요령에 대하여 알아보았다.

화재로부터 인명피해를 줄이기 위해서는 다음과 같이 해야 한다.

- 건물주들이 피난시설을 잘 갖추어야 함은 물론, 도난을 이유로 비상계단이나 비상구를 잠궈놓거나 피난기구를 창고에 방치해 두고 검사할 때에만 전시해 두는 등의 행위를 하여서는 안 되며, 비상 시를 대비하여 점검은 물론 시설의 유지 · 관리를 철저히 하여야 한다.
- 피난시설이 잘 갖추어져 있어도 유사 시 당황하거나 사용방법미숙 등으로 사용하지 못하는 경우가 많으므로 평소 대피훈련을 철저히 하여 화재로부터 자신의 생명을 안전하게 지키도록 한다.

소화기 사용법

개 요

소화기는 화재가 발생하였을 때 건물 내에 있는 사람이 가장 손쉽게 사용할 수 있는 소방시설 중 하나로서 화재의 초기진압에 중요한 역할을 담당한다.

소화기는 항상 사용하는 것이 아니고 화재가 발생한 경우에 단 한 번 사용하게 되는 것이므로 소화기의 필요성을 망각하고 방치해 두는 일이 많다. 소화기를 잘 간수하지 않고 오랫동안 방치해두면 부속품이 손상되거나 부식되어 소화약제가 변질 및 굳어져 쓸모없는 소화기가 되어버린다. 따라서 항상 소화기는 양호하게 관리하여

사용에 지장이 없도록 하여야 한다.

✎ 소화기의 종류

▫ 분말소화기

분말소화기는 현재 우리나라에서 가장 널리 보급되어 있는 소화기로 일반화재(A급 화재), 유류화재(B급 화재), 전기화재(C급 화재) 모두에 효과가 있는 ABC급 소화기와 유류화재 및 전기화재에 주로 사용할 목적으로 생산된 BC급 소화기로 구분된다.

이 소화기는 건조된 분말을 주성분으로 하고, 분말상태가 장기간 유지도록 방습제 등을 첨가하여 용기본체에 충전하여 분말약제를 방사할 수 있도록 압축가스를 봉입한다. 이 압축가스의 봉입방법에 따라 용기 본체에 직접 봉입하는 축압식과 별도의 용기에 충전하여 소화기 본체에 부착하는 가압식이 있다.

이 소화기는 안전핀을 제거하고 손잡이를 누르면 봉판이 파괴되는데, 이때 압축가스에 의해 약제가 방사된다.

▫ 이산화탄소(CO_2)소화기

이산화탄소소화기는 고압가스용기를 사용하기 때문에 무겁고 고압가스이므로 취급이 용이하지 못하다는 단점이 있다. 그러나 소화약제에 의한 오손이 적고 전기 절연성도 크기 때문에 전기화재 시에 많이 사용된다.

▫ 할론소화기

할론소화기의 소화효과는 이산화탄소소화기와 유사하나, 이산화탄소 소화기의 소화약제가 인체를 질식시킬 우려가 있는 반면, 할론소화기의 소화약제는 소화효과가 크며 약제의 종류에 따라 정도의 차이는 있으나 인체에는 큰 피해를 주지 않는다. 다만 밀폐된 곳에서 장시간 사용하는 것은 좋지 않다. 소화기의 구조는 이산화탄소소화기와 비슷하며, 유류화재와 전기화재 시에 많이 사용된다.

✎ 소화기의 취급요령

▫ 소화기의 보관상 유의점

- ▸ 넘어지지 않게 안전한 장소에 설치한다.
- ▸ 습기가 적고 건조하며 서늘한 곳에 둔다.
- ▸ 소화기 상부에는 어떠한 물건도 올려놓지 않도록 한다.
- ▸ 소화기는 수시로 점검하여 파손, 부식상태 등을 파악한다.

▫ 소화기 사용법

- ▸ 소화기의 안전핀을 뽑는다.
- ▸ 성능에 따라 불 가까이에 접근하여 사용한다.
- ▸ 바람이 부는 방향을 등지고 사용한다.
- ▸ 양옆을 비로 쓸듯이 골고루 약제가 방사되도록 사용한다.

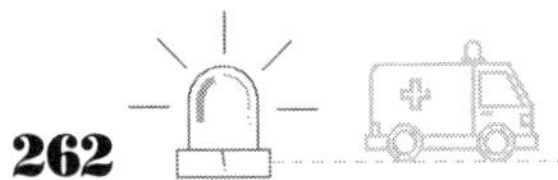
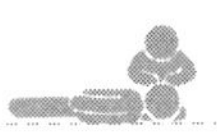

전기 안전

전기 안전 상식

전기의 위험성

일반적으로 감전재해는 다른 재해에 비하여 발생률이 낮으나, 일단 재해가 발생하면 치명적인 경우가 많으며, 다행히 생명을 건졌다 하더라도 일생 동안 불구가 되는 예가 적지 않다. 이것은 감전되었을 때의 호흡정지 · 심장마비 · 근육수축 등 신체기능 장애와 감전사고에 의한 추락 등으로 인한 2차 재해 때문이다.

인체의 전기적 특성

감전에 의한 인체의 반응 및 사망의 한계는 그 속성상 인체실험이 어렵고, 또 어떠한 실험결과가 나와도 그것은 검증이 어렵다는 점과 인간의 다양성 · 재해 당시의 상황변수 때문에 획일적으로 정하기는 어렵지만, 감전 시 그 위험도는 통전전류의 크기 · 통전시간 · 통전경로 · 전원의 종류 등에 의해 결정된다.

인체에 대한 전격의 영향은 크게 두 가지로 나눌 수 있다.

- 전기신호가 신경과 근육을 자극하여 정상적인 기능을 저해함으로써 호흡정지나 심실세동을 일으킨다.
- 전기에너지가 인체조직을 파괴 · 손상시켜 구조적 손상을 일으킨다.

▫ 통전전류에 의한 영향

▸ **최소 감지전류** | 교류(상용주파수 60㎐)에서 이 값은 2㎃ 이하인데, 이 정도의 전류로는 위험이 없다.

▸ **고통 한계전류** | 전류의 흐름에 따른 고통을 참을 수 있는 한계전류로서, 교류(상용주파수 60㎐)에서 성인 남자는 대략 7~8㎃이다.

▸ **이탈전류와 교착전류(마비 한계전류)** | 통전전류가 증가하면 통전경로의 근육경련이 심해지고 신경이 마비되어 운동이 자유롭지 않게 되는 한계전류를 교착전류, 운동의 자유를 잃지 않는 최대한도의 전류를 이탈전류라 하는데, 이 값은 교류(상용주파수 60㎐)에서 대개 10~15㎃이다.

▸ **심실세동전류** | 일반적으로 심장맥박에 영향을 주어 혈액순환이 곤란해지고 끝내는 심장기능을 잃게 되는 현상을 심실세동이라 부르는데, 심실세동을 일으켰을 때 그대로 방치하게 되면 몇 분 내에 사망하게 되므로 즉시 인공호흡을 실시하여야 한다.

▫ 통전경로의 영향

감전으로 인한 인체의 영향은 전류의 경로에 따라 그 위험성이 달라진다. 그런데 전류가 심장 또는 그 주위를 통하게 되면 심장에 영향을 주어 더욱 위험하게 된다. 즉 인체에 전류가 통과하면 심실세동이 일어날 수 있는 것은 물론이고, 통전경로에 따라서는 그보다 낮은 전류에서도 심실세동의 위험성이 있다. 이것을 심장전류계수로 나타내면 오른쪽 그림과 같다.

통전경로	심장전류계수
왼 손 - 가슴 × 1	1.5
오른손 - 가슴	1.3
왼 손 - 한발 또는 양발	1.0
양 손 - 양발 × 2	1.0

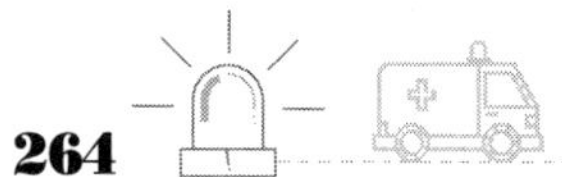
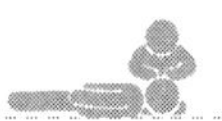

▫ 통전경로별 심장전류계수

위의 표에서 숫자가 클수록 위험도가 높다. 예를 들면 왼손과 가슴 사이에 53㎃의 전류가 통전될 때(위험도 : 53㎃×1.5=80㎃)와 양손과 양발 사이에 80㎃의 전류가 흐를 때(위험도 : 80㎃×1.0=80㎃)의 위험도는 서로 같다.

왼손과 가슴(심장)으로 전류가 통과할 때 가장 위험하고, 오른손보다는 왼손이 통전경로가 되는 경우에 심장을 통과할 가능성이 높으므로 더 위험하다.

▫ 허용 접촉전압

인체의 감전위험을 방지하기 위하여 안전상 허용접촉전압은 주변환경을 고려하여 다음의 표와 같이 정할 수 있다.

접촉상태와 허용접촉전압

종 별	접촉상태	허용접촉전압
제1종	인체의 대부분이 물속에 있는 상태	2.5V 이하
제2종	인체가 현저하게 젖어 있는 상태 금속성의 전기 기계기구나 구조물에 인체의 일부가 상시 접촉되어 있는 상태	25V 이하
제3종	건조한 통상의 인체상태로서 접촉전압이 가해지더라도 위험성이 낮은 상태	50V 이하
제4종	건조한 통상의 인체상태로서 접촉전압이 가해지더라도 위험성이 낮은 상태 접촉전압이 가해질 우려가 없는 경우	제한 없음

▫ 전격에 의한 인체상해

▸ 감전에 의한 사망의 대부분은 감전사고 발생 직후로, 충전부에 손이 접촉되어 흐르는 전류가 심장을 관통하여 생기는 경우가 많으며 사인의 대부분은

심실세동 때문이다.

▸ 감전이 되면 심장근육은 경련을 일으켜 펌프작용을 정상적으로 하지 못하게 되어 혈액순환이 정지되므로 호흡도 멈추게 되어 사망하게 된다.

▸ 심장과 호흡작용은 서로 밀접한 관계가 있으므로 감전에 따른 의식불명 시에는 즉시 응급처치로 심장마사지와 인공호흡을 한다.

✎ 감전사고의 응급조치

감전쇼크에 의해 호흡이 정지되면 혈중 산소함유량이 약 1분 이내에 감소하기 시작하여 산소결핍현상이 나타난다. 그러므로 단시간 내에 인공호흡 등 응급조치를 실시하면 그림에서 알 수 있듯 감전재해자의 95% 이상을 소생시킬 수 있다.

감전사고 후 응급조치 개시시간에 따른 소생률

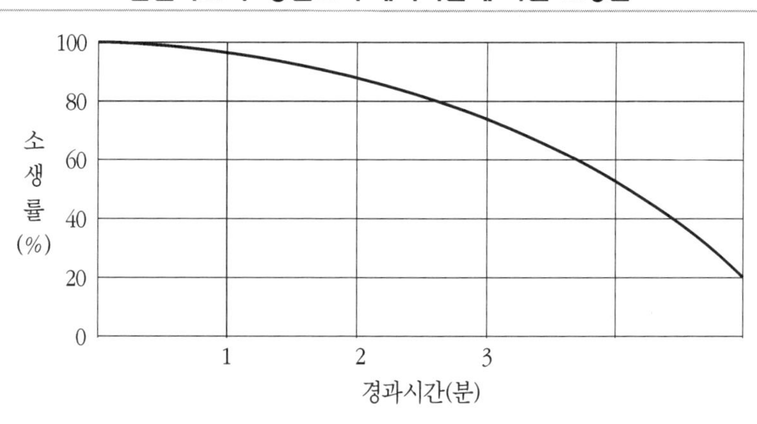

전기 안전의 실제

✎ 가정 내 전기 안전

▸ 젖은 손으로 전기기구를 만지면 안 된다. 왜냐하면 전류는 물기가 있을 때 더욱 잘 통하기 때문이다.

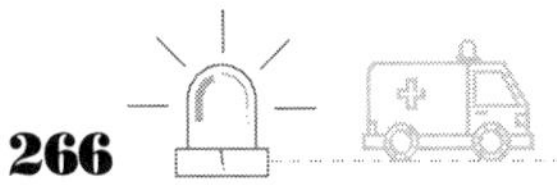

▸ 안전기에는 반드시 정격퓨즈를 사용해서는 안 된다. 정격퓨즈를 사용하지 않을 경우 화재의 위험이 높아진다.

▸ 전기기구를 문어발식으로 사용해서는 안 된다. 한 개의 콘센트에 많은 전기기구를 연결하여 쓰면 한꺼번에 많은 전류가 흐르게 되어 화재의 위험이 있다.

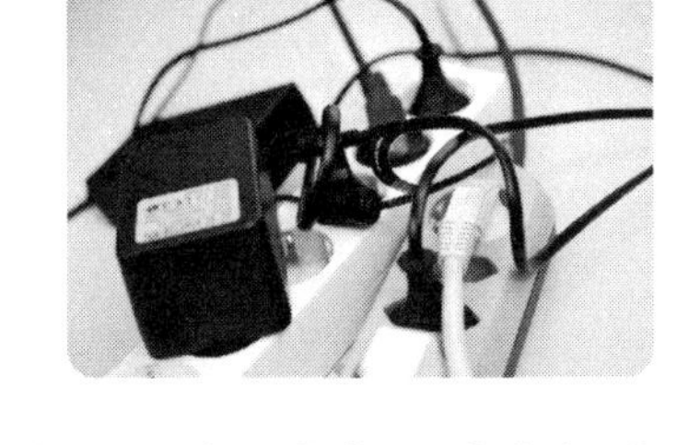

▸ 불량전기제품을 사용해서는 안 된다. 불량전기제품을 사용하면 누전이나 합선 등으로 인해 감전 · 화재의 위험성이 높아지므로 KS 마크 등 안전을 인정받은 제품을 사용하여야 한다.

▸ 콘센트에 완전히 접속하고, 플러그를 뽑을 때에는 반드시 플러그를 잡고 뽑아야 한다. 왜냐하면 전선을 잡아당기면 전선이 끊어지거나 합선이 될 우려가 있기 때문이다. 그리고 플러그가 콘센트에 완전히 접속되지 않으면 접촉불량으로 과열되어 화재발생 위험이 있다.

▸ 세탁기 등 습기가 많은 장소에서 사용하는 전기기구는 반드시 접지하여야 한다. 전기기구 외함 등을 통해 전류가 누전될 경우 누전차단기가 동작되어 감전사고를 예방할 수 있다. 접지가 곤란하면 꽂음접속식 누전차단기를 사용한다.

▸ 누전차단기의 작동 여부를 정기적으로 시험한다. 월 1회 이상 시험버튼을 눌러 정상적으로 작동되는지 확인하여 누전시 발생될 수 있는 감전사고나 화재 등에 대비하여야 한다. 누전차단기가 자주 작동한다고 해서 누전차단기를 제거하면 위험하므로, 반드시 전기공사업체의 확인 및 점검을 받은 후 안전하게 조치하여야 한다.

✎ 주택 전기 안전 체크리스트

- **코드** | 닳아서 해지거나 갈라지지 않도록 좋은 상태를 유지해야 한다. 차량 통행지역에 두어도 안되고, 못이나 스테이플 등으로 다른 물체에 고정시켜서도 안 되며, 코드 위에 가구를 놓아서도 안 된다.
- **플러그** | 각 콘센트에 적합한 타입의 플러그를 사용해야 한다. 방에서 2구 콘센트에 3핀 플러그를 사용할 때에는 전기적 충격위험이 있으므로 접지핀을 플러그에서 분리하면 안 된다. 이에 대한 해결방안은 2핀 어댑터를 사용하는 것이다. 화재나 감전이 발생될 수 있으므로 플러그가 콘센트에 맞지 않을 때 억지로 끼우면 안 된다. 플러그는 콘센트에 안전하게 삽입되어야 하고, 콘센트가 과부하되어서도 안 된다.
- **콘센트** | 콘센트에 플러그가 느슨하게 끼워져 있으면 과열로 인해 화재가 발생할 수 있으므로 꼭 확인해야 한다. 파손된 것은 바꾸고, 쓰지 않는 콘센트는 아이들이 손댈 수 없도록 커버를 해야 한다.
- **누전차단기** | 누전차단기는 물과 전기가 접촉될 수 있는 모든 장소에서 사용되어야 하며, 월 1회 작동시험을 한다.
- **전구** | 전등설비에 적정한 와트량이 사용되었는지 모든 전구를 확인해야 하며, 적정 와트량보다 높은 전구는 바꾸어야 한다. 만약 적정한 와트량을 모를 경우에는 제조회사에 확인하고, 헐겁게 끼워진 전구는 과열될 수 있으므로 안전하게 끼워졌는지 확인한다.
- **차단기/퓨즈** | 차단기와 퓨즈는 회로에 맞게 적정규격을 사용한다. 만약 적정규격을 모를 경우에는 전기기술자의 확인을 받아 규격표시를 한다.
- **물과 전기는 접촉되지 않도록 멀리 한다** | 전기기구를 싱크대 · 욕조와 같이 물이 있는 근처에 두지 말아야 하며, 물 근처에서 사용되는 전기기구를 사

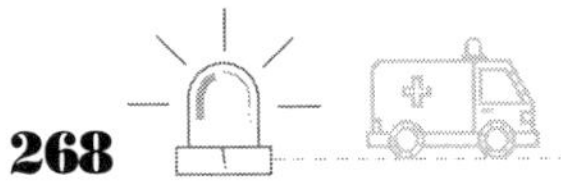
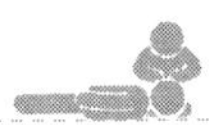

용하지 않을 때에는 플러그를 빼둔다. 전기기구가 물에 젖었을 때에는 플러그를 뽑고 전문 수리공의 점검을 받기 전까지 사용해서는 안 된다.

▸ **오락/컴퓨터 설비 |** 설비의 상태가 양호하며, 정상적으로 작동되는지 확인한다(배선, 플러그, 코드, 접속기구의 갈라짐이나 손상 여부).

✎ 어린이 전기 안전

▸ 전력선 부근에서 새잡기, 연 · 모형비행기 날리기, 철사 던지기 등의 장난은 감전사고와 연결되어 위험하다.

▸ 전력선에 근접된 나무나 건물에 오르는 일이 없도록 한다.

▸ 집 옥상 등 특히, 전력선이 가까이 있는 곳에서는 막대기 · 낚싯대 · 알미늄봉(TV 안테나) · 철사 등으로 놀이를 하지 못하게 한다(직접 접촉되지 않고, 전선에 가까이 근접되어도 감전될 수 있음).

▸ 위험 · 고전압 · 접근금지 등의 표시가 있는 전기설비에는 가까이 가지 못하게 한다.

▸ 추락과 감전위험이 있으므로 전주에는 절대로 올라가지 않는다.

▸ 몸이 젖었거나 물 속에 있을 때에는 어떠한 전기설비도 만지면 안 된다.

▸ 콘센트에 이물질을 넣거나 젖은 손가락 등으로 만지지 않도록 한다.

▸ 전기코드나 전선 등을 갖고 놀지 못하게 한다.

▸ 땅에 떨어져 있는 전선은 만지지 못하게 한다.

가스 안전

가정용 연료가스의 종류

액화석유가스

액화석유가스(LPG)는 유전에서 원유를 채취하거나 원유정제 시 나오는 탄화수소를 비교적 낮은 압력(6~7kg/cm^2)을 가하여 냉각 · 액화시킨 것이다. 기체가 액체로 되면 그 부피가 약 1/250로 줄어들어 저장과 운송이 편리하다.

LPG의 주성분은 프로판(C_3H_8), 부탄(C_4H_{10})이고, 소량의 프로필렌(C_3H_6), 부틸렌(C_4H_8) 등이 포함되어 있다. LPG는 발열량이 24,000kcal/h로 다른 연료에 비해 비교적 열량이 높다. LPG의 주요 용도는 가정용 · 공업용 · 자동차 연료용 · 절단용 · 비닐류 원료 · 군사용 화염방사기 · 가스라이터 · 합성고무 연료인 부타디엔 제조 등이다.

순수한 LPG는 아무런 냄새나 색깔이 없으나 공업용을 제외한 가정이나 영업소에서 사용하는 LPG에는 누출될 때 누구나 쉽게 감지해 사고를 예방할 수 있도록 마늘 썩는 듯한 불쾌한 냄새가 나는 메르캅탄류의 화학물질을 혼합하여 공급한다. LPG는 공기보다 무거워서(공기에 대한 비중 : 1.5~2배) 누출되면 낮은 곳에 머물게 되고, 연소범위도 낮아서 조금만 누출되어도 화재 폭발의 위험이 있으므로 누출되지 않도록 각별히 주의하여야 한다.

 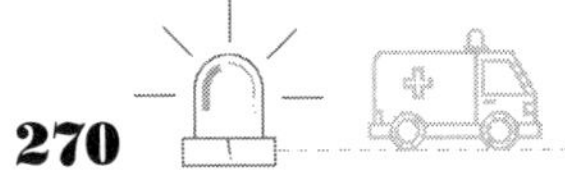 

✎ 액화천연가스

액화천연가스(LNG)는 가스전(田)에서 채취한 천연가스를 액화시킨 것으로, 메탄(CH_4)이 주성분이다. LNG도 무색 투명한 액체로 LPG와 같이 공해물질이 거의 없고, 열량이 높아 대단히 우수한 연료이며, 주로 도시가스로 사용된다.

LNG는 압력을 가해 액화시키면 부피가 1/600로 줄어들지만, 비점이 영하 162도로 낮아 운송 · 저장 시에는 특수하게 단열된 탱크나 용기에 충전하여 온도를 비점 이하로 유지시켜 주어야 한다. 도시가스로 사용할 때에는 기화시켜 기체상태로 공급한다.

천연가스의 주성분인 메탄은 공기보다 가벼워(공기에 대한 비중 : 0.6) 누출되면 높은 곳에 체류하고 공기와 혼합되면 폭발성 가스가 되므로, 이것 역시 LPG와 마찬가지로 누출되지 않도록 사용 시 각별히 주의해야 한다. 천연가스의 주성분인 메탄의 함유량은 산지에 따라 약간씩 차이가 있으며, 그밖에 에탄, 프로판, 부탄류, 펜탄류 등의 저급지방족 탄화수소와 질소가 소량 함유되어 있다.

또한 황화합물 · 질소화합물이 함유되어 있지 않고, 연료로 사용한 후 배출되는 가스에는 그을음 등의 발생이 적고, 안정된 연소상태를 얻을 수 있기 때문에 도시가스연료 및 발전용 연료 외에도 일반 공업용으로 널리 사용되고 있다. 액화된 천연가스를 가정 및 사업장에 공급하기 위해서 기화를 시키는데, 이때 기화기에서 얻어지는 냉열(차가운 열)을 이용하여 액화산소 및 액화질소를 제조하거나 냉동창고에도 사용된다.

✎ 도시가스

도시가스는 파이프라인을 통하여 수요자에게 공급하는 연료가스인데, 석유 정제 시에 나오는 납사를 분해시킨 것이나 LPG · LNG를 원료로 사용한다.

현재 우리나라에서 사용하고 있는 도시가스의 연료는 2가지가 사용되고 있다. 주로 천연가스(natural gas : NG)가 많이 사용되며, 천연가스의 공급배관이 설치되지 않은 곳에서는 LPG+공기의 혼합가스가 도시가스 연료로 사용되고 있다. 공급지역은 강원도 일부(강릉, 속초), 진해시 일부 지역, 광양시 일부 지역, 충주시에는 아직 LPG+Air 방식의 도시가스를 공급하고 있으며, 그외 지역의 모든 도시가스에는 천연가스로 공급되고 있다.

가스누출 시 응급조치

가스는 원래 냄새나 색깔이 없지만, 누출되었을 때 쉽게 알 수 있도록 하기 위해 불쾌한 냄새가 나는 물질(메르캅탄류)을 섞어서 공급한다. 그러므로 사용자들은 가스를 사용하기 전에 반드시 냄새를 맡아 가스가 누출되지 않았는지 확인하고 점화하는 습관을 생활화하도록 한다.

가스를 사용하다 보면 여러 가지 이유로 누출될 수 있는데, 가스가 누출되거나 그 밖의 이상을 발견하였을 때에는 절대 당황하지 말고 침착하게 응급조치를 하면서 즉시 가스판매업소나 도시가스 관리대행업소에 연락하여 적절한 조치를 받아야 한다.

- **가스공급을 차단하고 환기시킨다 |** 가스냄새로 가스가 새는 것을 발견하면 먼저 연소기의 점화콕과 중간밸브 · 용기밸브를 잠가서 가스공급을 차단하고, 창문과 출입문을 등을 활짝 열어 누출된 가스를 밖으로 몰아내고 신선한 공기로 환기시킨다. LPG는 공기보다 무겁기 때문에 방바닥으로 가라앉으므로 침착히 빗자루 등으로 쓸어내듯 환기시켜야 한다.
- **전기기구를 사용해서는 안 된다 |** 급하다고 환풍기나 선풍기 등을 사용하면 스위치 조작시 발생하는 스파크에 의해서 점화되어 폭발할 가능성이 있으므로 전기기구는 절대 사용해서는 안 된다.

▸ **판매점 · 도시가스관리업소에 연락하여 안전조치를 받는다** | 아파트나 연립주택 등에서는 이웃에 알려서 도움을 받아 만약의 사태에 대비하도록 한다. 이렇게 한 후 LPG 판매점이나 도시가스 관리대행업소에 연락하여 필요한 조치를 받고 안전함을 확인한 후 다시 사용한다.

✎ LPG 사용시설의 응급조치

가스누출로 인해 화재가 발생했을 경우에는 일단 가스기구의 점화콕을 잠근 후 가스용기의 밸브까지 잠근다. 그래야만 가스용기와 가스기구를 연결하는 염화비닐 호스가 열로 인해 녹더라도 가스에 불길이 옮겨붙지 않게 됨으로써 화재의 확대를 방지할 수 있다.

가스용기가 직사광선이나 다른 원인에 의해 열을 받으면 용기 내의 압력이 높아져 용기가 폭발할 수 있다고 우려하는 사람이 많으나 그렇지 않다. 가스용기 밸브에는 안전장치가 설치되어 있어 용기의 내압이 올라가면 자동적으로 안전밸브가 열려 가스를 배출해 압력을 떨어뜨려 주기 때문에 폭발의 위험은 적다. 그러나 안전장치에 이상이 있으면 폭발할 수도 있으므로 가스용기를 불길이 닿지 않는 용기보관실이나 안전한 장소에 설치하는 것이 좋다.

✎ LNG 사용시설의 응급조치

화재발생시 도시가스 사용자는 상황을 잘 판단하여 침착하게 가스기구의 점화콕과 중간밸브를 잠가 가스를 차단한 후 상황이 허락하면 메인밸브까지 잠그도록 한다. 그리고 대형 화재일 경우에는 도시가스회사에 즉시 연락하여 그 지역에 보내지고 있는 가스를 차단하도록 한다.

평상시 안전관리

국내 가스 소비량의 증가추세와 가스사고 발생빈도 · 사고원인 등을 고려할 때 가스사고의 위험성은 계속 높아지고 있다. 따라서 가스의 안전한 사용요령을 바로 알아서 사고를 예방하여 평상시 안전을 지키는 지혜가 필요하다.

✎ 사용 전 환기

가스를 사용하기 전에는 연소기 주변을 비롯한 실내에서 특히 냄새를 맡아 가스가 새지 않았는가를 확인하고, 창문을 열어 환기시키는 안전수칙을 생활화한다.

연소기 부근에는 가연성 물질을 두지 않도록 주의한다. 콕 · 호스 등 연결부에서 가스가 누출되는 경우가 많기 때문에 호스 밴드로 확실하게 조이고, 호스가 낡거나 손상되면 즉시 새것으로 교체한다. 연소기구는 자주 청소하여 불꽃구멍 등에 음식찌꺼기 등이 끼지 않도록 한다.

✎ 사용 중 불꽃확인

사용 중 가스의 불꽃 색깔이 황색이나 적색인 경우는 불완전 연소이므로, 연소효율이 좋지 않을 뿐 아니라 일산화탄소가 발생되므로 공기조절장치를 움직여서 파란불꽃 상태가 되도록 조절한다.

바람이 불거나 국물이 넘쳐 불이 꺼지면 가스가 그대로 누출되므로 사용 중에는 불이 꺼지지 않았는지 자주 살펴본다.

불이 꺼질 경우 소화안전장치가 없는 연소기는 가스가 계속 누출되고 있으므로 가스를 잠근 다음 샌 가스가 완전히 실외로 배출된 것을 확인한 후에 재점화해야 한다. 폭발범위 안의 농도로 공기와 혼합된 가스는 아주 작은 불꽃에 의해서도 인화 ·

 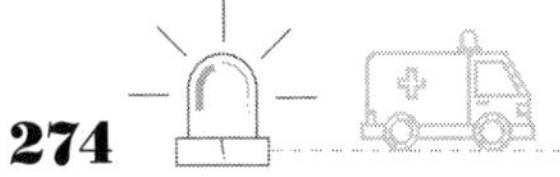 

폭발되므로 배출시킬 때에는 환풍기나 선풍기 같은 전기제품을 절대로 사용하지 말고, 방석이나 빗자루를 이용하여 전기스파크에 의한 폭발을 막는다.

사용 중 가스가 떨어져 불이 꺼졌을 때에도 반드시 연소기의 콕과 중간밸브를 잠근다.

✎ 사용 후 밸브 잠금

가스를 사용하고 난 후에는 연소기에 부착된 콕은 물론 중간밸브도 확실하게 잠그는 습관을 갖는다. 장기간 외출 시에는 중간밸브와 함께 용기밸브(LPG)도 잠그고, 도시가스를 사용하는 곳에서는 가스계량기 옆에 설치되어 있는 메인밸브까지 잠가두어야 밀폐된 빈 집에서 가스가 새어나와 냉장고 작동 시 생기는 전기불꽃에 의해 폭발하는 등의 불의의 사고를 예방할 수 있다.

가스를 다 사용하고 난 빈 용기라도 용기 안에 약간의 가스가 남아 있는 경우가 많으므로 빈 용기라고 해서 용기밸브를 열어놓은 채 방치하면 남아 있는 가스가 새어나올 수 있으므로 용기밸브를 반드시 잠근 후에 화기가 없는 곳에 보관한다.

✎ 평상시 누출점검

가스가 새었을 때는 냄새로써 누구나 누출을 쉽게 알 수 있게 하였으나, 적은 양이 누출되거나 후각기능에 장애가 있으면 누출을 알아차리기가 쉽지 않다. 따라서 사고예방을 위한 최선의 방법은 사용시설에서 가스가 누출되는지 여부를 자주 점검하는 습관을 갖는 것이다.

누출점검방법은 아주 간단해서 가스가 누출될 위험이 있는 부위에 비눗물이나 점검액을 발라 기포가 일어나는지를 알아보는 것만으로 충분하다. 일반 가정의 시설은 호스가 아주 낡았다든가 연소기가 고장난 경우를 제외하고는 호스와 배관의 연결부와 같은 접속부위를 중점적으로 점검하면 된다.

점검할 때는 가정에서 많이 사용하는 주방용 액체세제를 물과 1:1정도의 비율로 섞어서 비누방울이 잘 일어나도록 한 다음 붓이나 스펀지에 묻혀서 호스의 연결부분 주위에 충분히 발라준다. 아무런 반응이 없으면 누출이 없는 것이지만, 조금이라도 누출되는 경우에는 비누방울이 생겨 쉽게 판별할 수 있다. 만약 누출되는 것을 발견하면 용기밸브나 메인밸브를 잠그고 판매점 등에 연락하여 보수를 받은 후에 사용해야 한다. 이와 같은 비눗물점검은 점검하는 요일을 정해놓고 수시로 실시하는 것이 좋다.

참 | 고 | 문 | 헌

강인혜 외(2019). 심폐소생술과 응급처치. 범문에듀케이션 .
강정희 외(2010). 환자안전과 간호. 의학서원.
기상청(2012). 집중호우.
기상청(2010). 한눈에 보는 호우개념모델.
기상청(2012). 최근 20년 사례에서 배우다. 집중호우 Top10.
김복현 외(2015). 응급처치 Bible. 대경북스.
김용수 외(2014). 비주얼아나토미. 대경북스.
김재정(2015). 안전관리와 응급처치. 대경북스.
김재호(2003). 안전교육과 응급처치. 대경북스.
김재호, 박문수(2009). 신 학교보건. 대경북스.
김창국 외(2014). 인체해부학 아카데미. 대경북스.
김창국(2003). 생체역학. 대경북스.
노상균(2021). 기본응급처치학. 현문사 .
대한심폐소생협회(2006). AHA심폐소생술과 응급심혈관치료를 위한 국제 지침 2000. 일조각.
대한심폐소생협회(2011). 2011 한국 심폐소생술지침. 공용가이드라인 발표자료.
대한응급의학회(1995). 응급구조학. 군자출판사.
대한의사협회(2009). 의학용어집(제5판). 대한의사협회.
대한해부학회(1996). 해부학용어. 도서출판 아카데미아.
박창열 외(2008). 안전교육과 응급처치 워크북. 대경북스
보건복지부 질병관리본부(2014). 2013 국민건강통계.
서영환 외(2014). 운동처방과 질환별 운동치료 프로그램. 대경북스.
소방방재청 재난상황실(2013). 재난상황관리 정보. 제1호~제11호. 소방방재청.
소방방재청(2013). 재해연보.
소방방재청 홈페이지(http://www.nema.go.kr)「재난대비 행동요령」, 2014
슈퍼장마를 부르는 하층제트 기류, 블로그(http://www.fishingmento.com/bbs/board.php?bo_table=mmf04&wr_id=19&page=1)
연세대학교 원주의과대학 응급의학교실(2007). 응급구조와 응급처치. 군자출판사.
의학교육연수원(1989). 응급처치. 서울대학교 출판부.
이원태 외(2010). 응급처치와 심폐소생술. 메디칼크로스.

 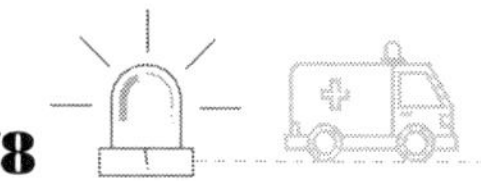 

이원태 외(2021). 구조 및 응급처치. 의학서원.
이재학(1987). 운동치료학. 대학서림.
이창현, 김영임, 이강옥 역(2004). Best 여성건강의학. 대경북스.
전국응급구조과 교수협의회(2001). 전문 응급처치술기. 대학서림.
정일규 외(2014). 휴먼 퍼포먼스와 운동생리학. 대경북스.
정일규(2012). 휴먼 퍼포먼스와 운동영양학. 대경북스.

American Red Cross(2005). *First Aid-Responding to Emergencies.* Banta Book Grop.
American Red Cross(2004). *Caring for a loved one with Alzbeimer's disease or dementia,* Yardley, PA, StayWell.
American Red Cross Advisory Council on First Aid And Safety(ACFAS)(2001). *Statement on Ephinephrine Administration.*
Anderson J. R.(1985). *Muir's Textbook of Pathology, 12th Ed.* London : Arnold.
Bergeron, J. D. & H. W. Greene(1989). *Coaches Guide to Sport Injuries*. Human Kinetics Book, Champaign.
Berkow, R.(1993). *The Merck Manual of Diagnosis and Therapy*, ed 17, Rahway, NJ, Regents/PrenticeHall.
Canadian Red Cross Society(1994). *The Vital Link*, St. Louis, Mosby.
Daniel, N. K.(1982). *The Injured Athlete*. J. B. Lippincott Co., Philadelphia.
Evans P. J.(1986). *The Knee Joint*. London : Churchill Livingstone.
Forster A. & Palastanga N.(1985). *Clayton's Electrotherapy, Theory and Practice, 9th Ed.* Eastbourne : Bailliere Tindall.
Gosling J. A., Harris, P. F., Whitmore, I., Willan, P. L. T.(2002). *Human Anatomy*. Mosby.
Hafen, B.O., Karren, K.J.(1993). *First aid for Colleges and Universities*, ed 5, Englewood Cliffs, NJ, Regents/Prentice Hall.
Helal B., King J. B. & Grange W. J.(1986). *Sports Injuries and Their Treatment*. London : Chapman and Hall.
National Institute of Neurological Disorders and Stroke(2004). *Stroke: Hope through Research*, NINDS, July. http://www.ninds.nih.gov.
Robbins(1994). *Pathology Basic of Disease*. Saunders.
Rohen, J. W. & Yockochi, Co.(1988). *Color Atals of Anatomy,* Igaku-Shoin Ltd, Tokyo.
Sperryn P. N.(1983). *Sports and Medicine*. Sevenoaks : Butterworths.
Taussig M. J.(1984). *Processes in Pathology and Microbiology, 2nd Ed.* Oxford :

Blackwell Scientific Publication.
Turkington, C.(1994). *Poisons and Antidotes*, New York, Facts on File.
Williams J. G. P.(1980). *A Colour Atlas of Injury in Sport*. London : Wolfe Medical.
Williams P. L. & Warwick R.(1980). *Gray's Anatomy, 36th Ed*. Edinburgh : Churchil Livingstone.
Wirhed, Ro(1984). *Athletic Ability and the Anatomy of Motion*, Wolfe Medical Publ., Sweden.
Wyllie, I.(1993). *The Treatment of Epilepsy : Principles and Practice*, Philadephia, Lea & Febiger.
Wynn Kapit, Lawrence, M. E.(1977). *The Anatomy Coloring Book*, Harper & Row Pub., New York.